ユーキャンの

運行管理者

貨物

2025年版

過去6回問題集

おことわり

■法令などの基準について

本書の記載内容について、執筆時点（令和６年７月末日）以降の法改正情報などで、試験に関連するものについては、下記「ユーキャンの本」ウェブサイト内「追補（法改正・正誤）」にてお知らせいたします。

https://www.u-can.co.jp/book/information

ユーキャンがよくわかる！その理由

過去6回分の試験問題をまるごと掲載

■180問（過去6回分）の試験問題にチャレンジ

平成30年度第2回試験（平成31年3月実施）から令和3年度CBT試験出題例までの6回分の全問題を掲載。過去問題を解くことで、試験でどのように問われるかがわかり、問題に慣れることができます。

■改題済みの問題で2025年試験対策に最適

法律・制度の改正などにあわせ、必要に応じて改題しています。2025年試験に向けて安心して本書をご活用いただけます。

充実の解説でとにかくわかりやすい

■すべての選択肢に詳細な解説を掲載

すべての選択肢について、出題意図をおさえた詳細な解説を掲載しています。読んですぐに理解できるよう、平易な表現と簡潔な文章で、どこが間違っているのか、関連する重要事項は何か、よくわかる充実の解説です。

■関連する重要事項がよくわかる

とくにおさえておきたい重要事項や間違いやすい内容は、イラストや図表を用いてまとめた「ここがPoint」コーナーで紹介。知識の定着を図り、理解を深めるための補足解説として役立ちます。

学習しやすいくふうが満載

■すべての問題に重要度を表示

過去問題の出題傾向の分析に基づいた重要度を、6回分の問題すべてに「★」の数で表示しています（最重要は★3つ）。

■関連問題の表示

関連問題

同じテーマで問われた問題の出題回と問題番号を表示しています。同じテーマの問題をまとめて解きたいとき、苦手な内容を別の問題で確認したいときなどに便利です。

本書の使い方

本書「過去６回問題集」では、本試験問題（平成30年度第２回試験から令和３年度ＣＢＴ試験出題例まで）６回分を新しいものから順に掲載しています。出題傾向を把握し、頻出パターンをつかんで、効率よく試験対策ができる一冊です。

◆問題編

1．貨物自動車運送事業法関係

問1 一般貨物自動車運送事業者（以下「事業者」という。）の事業計画の変
改 更に関する次の記述のうち、【正しいものを２つ】選びなさい。なお、解答にあたっては、各選択肢に記載されている事項以外は考慮しないものとする。

1．事業者は、「自動車車庫の位置及び収容能力」の事業計画の変更をしたときは、遅滞なくその旨を、国土交通大臣に届け出なければならない。
2．事業者は、「各営業所に配置する事業用自動車の種別ごとの数」の事業計画の変更をするときは、法令に定める場合を除き、あらかじめその旨を、国土交通大臣に届け出なければならない。
3．事業者は、「事業用自動車の運転者、特定自動運行保安員及び運行の業務の補助に従事する従業員の休憩又は睡眠のための施設の位置及び収容能力」の事業計画の変更をしようとするときは、国土交通大臣の認可を受けなければならない。
4．事業者は、「主たる事務所の名称及び位置」の事業計画の変更をするときは、あらかじめその旨を、国土交通大臣に届け出なければならない。

※改題している部分は、＿＿線で示しています。

問2 貨物自動車運送事業法に定める運行管理者等の義務についての次の文中、Ａ、Ｂ、Ｃ、Ｄに入るべき字句として【下の選択肢（①～⑧）から】選びなさい。

1．運行管理者は、［ A ］にその業務を行わなければならない。
2．一般貨物自動車運送事業者は、運行管理者に対し、法令で定める業務を行うため必要な［ B ］を与えなければならない。
3．一般貨物自動車運送事業者は、運行管理者がその業務として行う［ C ］を尊重しなければならず、事業用自動車の運転者その他の従業員は、運行管理者がその業務として行う［ D ］に従わなければならない。

① 指導　② 適切　③ 権限　④ 指示
⑤ 助言　⑥ 地位　⑦ 勧告　⑧ 誠実

16

本試験問題にチャレンジ

実際の試験時間を参考に、あらかじめ解答目標時間を決めて、「試験問題」にチャレンジしましょう。

令和3年度CBT 問題編

問3 次の記述のうち、一般貨物自動車運送事業の運行管理者の行わなければ
改 ならない業務として【正しいものを２つ】選びなさい。なお、解答にあたっては、各選択肢に記載されている事項以外は考慮しないものとする。

1．運転者、特定自動運行保安員及び事業用自動車の運行の業務の補助に従事する従業員（以下「乗務員等」という。）が有効に利用することができるように、休憩に必要な施設を整備し、及び乗務員等に睡眠を与える必要がある場合にあっては睡眠に必要な施設を整備し、並びにこれらの施設を適切に管理し、及び保守すること。
2．法令の規定により、死者又は負傷者（法令に掲げる傷害を受けた者）が生じた事故を引き起こした者等特定の運転者に対し、国土交通大臣が告示で定める適性診断であって国土交通大臣の認定を受けたものを受けさせること。
3．法令の規定により、運転者又は特定自動運行保安員（以下「運転者等」という。）に対して点呼を行い、報告を求め、確認を行い、及び指示を与え、並びに記録し、及びその記録を保存し、並びに運転者に対して使用するアルコール検知器を備え置くこと。
4．法令の規定により、運行指示書を作成し、及びその写しに変更の内容を記載し、運転者等に対し適切な指示を行い、運行指示書を事業用自動車の運転者等に携行させ、及び変更の内容を記載させ、並びに運行指示書及びその写しの保存をすること。

※改題している部分は、＿＿線で示しています。

17

法改正に対応

問題番号の下に改マークが付いているものがあります。これは、法改正により試験問題文を改題したことを示しています。

◆解答・解説編

重要度を表示

★★★

本試験における重要度を★の数で表示しました(最重要は★3つ)。

＊重要度は、過去問題の分析に基づいています。

基本書に対応

⇨  2章 L 1、2

↑ 章立て　↑ レッスンNo.

姉妹書「合格テキスト＆問題集」の該当レッスン番号を記載しています。

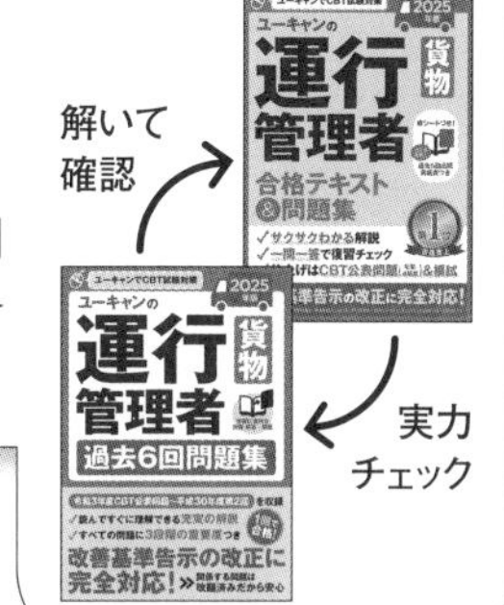

令和3年度 CBT試験出題例 解答・解説

1．貨物自動車運送事業法関係

問1 ★★★	事業計画の変更	⇨ テキスト 2章 L 2	解答 2・3

関連問題 R2①－1／R1①－1

1．**誤り。**事業者は、「**自動車車庫の位置及び収容能力**」の**事業計画の変更**をしようとするときは、国土交通大臣の**認可**を受けなければならない。変更後に遅滞なく届け出るのではない。

2．**正しい。**記述のとおり。また、「**各営業所に配置する運行車の数**」の事業計画を変更するときも、法令に定める場合を除き、あらかじめその旨を、国土交通大臣に届け出なければならない。

3．**正しい。**記述のとおり。事業者が事業計画を変更しようとするときは、原則として、国土交通大臣の認可を受けなければならない。なお、令和5年4月の法改正により、特定自動運行が認められたことに伴い、一部の文言が変更になった。

4．**誤り。**事業者は、「**主たる事務所の名称及び位置**」の**事業計画の変更**をしたときは、変更後に**遅滞なく**その旨を国土交通大臣に届け出なければならない。あらかじめ届け出るのではない。

ここがPoint 事業計画の変更

一般貨物自動車運送事業者が事業計画を変更しようとするときは、国土交通大臣の認可を受けなければならない。ただし、例外として以下の事項等について変更する場合は、届け出るだけでよい。

① 事業用自動車に関する国土交通省令で定める事項 ・各営業所に配置する事業用自動車の種別ごとの数の変更※ ・各営業所に配置する運行車の数の変更	あらかじめ届出
② 国土交通省令で定める軽微な事項 ・主たる事務所の名称および位置の変更 ・営業所または荷扱所の名称の変更 ・営業所または荷扱所の位置の変更 （貨物自動車利用運送のみに係るものなど） ・貨物自動車利用運送を行う場合の業務の範囲、利用する事業者の概要などの変更	変更後、遅滞なく届出

※国の定める基準に適合しなくなるような事業用自動車の数の変更については、認可。

3

関連問題を表示

過去6回の試験において、関連する問題の出題実績を表示しています。

R1①－1：令和元年度第1回の問題1

R2C－1：令和2年度CBT試験出題例の問題1

補足解説も充実

ここがPoint

おさえておきたい重要事項や間違いやすい内容を、イラストや図表を用いてわかりやすくまとめました。理解を深めるのに役立ちます。

目　次

問題編

<別冊> 解答・解説編

運行管理者〈貨物〉の資格について

1 運行管理者〈貨物〉とは

運行管理者〈貨物〉は、事業用自動車の安全運行を管理するスペシャリストで、**国家資格**です。貨物自動車運送事業者（バイク便などの貨物軽自動車運送事業者を除きます）には、事業用自動車を有している営業所ごとに、一定の人数以上の運行管理者を選任することが義務づけられています。

運行管理者は、事業用自動車の運転者の乗務割の作成、休憩・睡眠施設の管理、運転者の指導監督、点呼による運転者の疲労・健康状態などの把握や安全運行の指示など、事業用自動車の**運行の安全を確保するための業務**を行います。

2 受験資格

「運行管理者試験〈貨物〉」は、国土交通大臣が指定した指定試験機関である「公益財団法人 運行管理者試験センター」によって実施され、試験の期日や場所などについては、試験の実施のつど、あらかじめ公示されます。

受験に年齢や性別の制限はありませんが、以下のいずれかに該当する者でなければ**受験資格**がありません。

①実務経験が1年以上	試験日の前日において、自動車運送事業（貨物軽自動車運送事業を除く）の用に供する事業用自動車または特定第二種貨物利用運送事業者の事業用自動車（緑色のナンバーの車）の運行の管理に関し、1年以上の実務の経験を有する方（①事業用自動車の運転業務、②営業、③総務、経理等の管理業務等は、事業用自動車の運行の管理についての実務経験に該当しません）
②基礎講習を修了	貨物自動車運送事業輸送安全規則に基づき国土交通大臣が認定する講習実施機関において、平成7年4月1日以降の「基礎講習」を修了された方
③基礎講習を修了予定	貨物自動車運送事業輸送安全規則に基づき国土交通大臣が認定する講習実施機関において、指定の期日までに基礎講習を修了予定の方（修了証書等の写しが指定の期日までに未提出の方は受験できません）

3 運行管理者試験〈貨物〉について

●**試験実施時期**

一年度（4月〜翌年3月）に**2回、8月頃**（第1回）および**3月頃**（第2回）に、それぞれ1か月程度の期間で実施されます（試験会場等の予約の際に希望する日時を選択します）。

●**試験方法**

試験方法は**CBT試験のみ**となります。筆記試験は実施されません。

※CBT試験とは、問題用紙やマークシートなどの紙を使用せず、パソコンの画面に表示される問題に対しマウス等を用いて解答する試験です。

※受験者間の公平性を確保する観点から、後日の試験問題および正答の公表は行われません。

●**受験申請方法**

新規受験、再受験とも**インターネット申請**に限ります。運行管理者試験センターのホームページから申請できます。

●**試験地・試験会場**

試験は**全国47都道府県**にある試験会場で受験できます。

試験会場は、**会場日時を予約する際に選択**した試験会場となります。インターネット申請で提出した書類の審査が完了すると、運行管理者試験センターから会場予約等手続きの案内メールが届き、その後に試験会場と試験日時を予約します。

●**試験科目・出題数・合格基準・試験時間**

以下の試験科目について行われます。

試験科目（出題分野）	出題数	合格基準	試験時間
①貨物自動車運送事業法関係	8問	各1問以上	90分
②道路運送車両法関係	4問		
③道路交通法関係	5問		
④労働基準法関係	6問		
⑤その他運行管理者の業務に関し、必要な実務上の知識および能力（以下「実務上の知識および能力」）	7問	2問以上	
合　計	30問	18問以上	

※**合格基準**　次の（1）および（2）を同時に満たす得点が必要です。

（1）原則として、総得点が満点の**60%**（30問中**18問**）**以上**
（2）８ページの①～④の**出題分野ごと**に**正解が１問以上**であり、⑤については**正解が２問以上**

※法令等の改正があった場合は、原則として改正された法令等の施行後６か月間は改正前と改正後で解答が異なることとなる問題は出題されません。

●受験手数料

6,000円（非課税）

※この他、別途費用が必要です。

●試験結果等の通知

受験者全員に試験結果通知書が郵送されます。

※別途申込みを行った受験者には、試験結果レポートが通知されます。 試験結果レポートには、総得点および分野別得点について、それぞれ当該受験者の得点と受験者全員の平均点が表示されます。

●受験者数／合格者数／合格率

	令和４年度第２回（令和５年２～３月）	令和５年度第１回（令和５年８～９月）	令和５年度第２回（令和６年２～３月）
受験者（人）	23,759	26,293	22,493
合格者（人）	8,209	8,805	7,701
合格率（%）	34.6	33.5	34.2

●運行管理者試験〈貨物〉 に関するお問い合わせ先

公益財団法人
運行管理者試験センター 試験事務センター

自動音声サービス　[電話] **03-6635-9400**
（平日９時～17時はオペレータ対応）

ホームページ　**https://www.unkan.or.jp/**

4 CBT試験の概要

CBT試験とは、テストセンターにおいてパソコンを使用して行う試験方法のことです。これまでの筆記試験とは異なり、試験上の注意事項として、次のようなことが明記されています。

（1）試験時間は90分となります。
　　試験開始後、残り時間が画面右上に表示されます。
（2）試験が早く終了された方は、「試験終了」ボタンを押した後、いつでも退室できます。
　　万一、試験の途中で間違って「試験終了」ボタンを押した場合は試験の再開はできません。
（3）「文字サイズ」を変更する場合は、画面右上の「文字サイズ」のボタンで変更できます。
（4）画面右側の「後で確認する」にチェックを選択すると、後から見直しが容易にできます。

これまでの筆記試験と異なるのは、解答の仕方です。マークシートを塗りつぶすことから、パソコンの画面上でマウスで解答を選択することに変わりました（下記の「問題画面（イメージ）」参照）。

問題画面（イメージ）

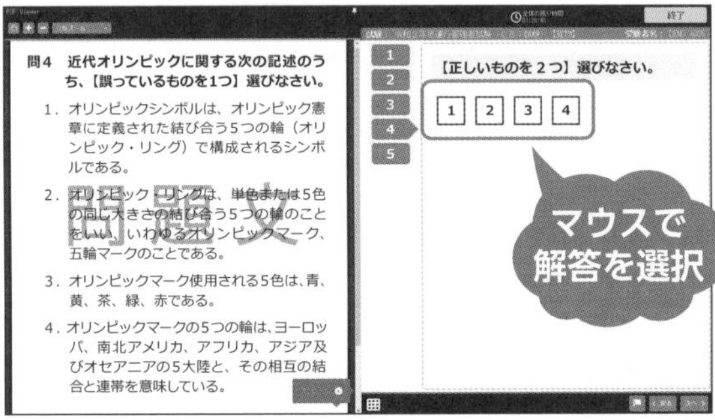

CBT試験をイメージできるサンプルテストは、試験センターのホームページの「CBT試験の体験版」から受けることができます。どのようなものか体験しておくことをおすすめします。

法改正情報と出題実績表

●法改正情報

1．大型トラック等の高速道路における最高速度の変更

道路交通法施行令が改正され、令和６年４月より、大型・特定中型貨物自動車（トレーラ等を除く）の高速自動車国道における最高速度が変更されました。

2．中間点呼の方法等の拡大

貨物自動車運送事業輸送安全規則等が改正され、令和６年４月より、中間点呼の方法として遠隔点呼等も可能となり、また、遠隔点呼等の実施場所が拡大される等の変更がされました。

3．労働条件明示のルールの変更

労働基準法施行規則が改正され、令和６年４月より、労働条件明示のルールが変更されました。

4．トラック運転者の拘束時間、連続運転時間、休息期間等の基準が変更

自動車運転者の労働時間等の改善のための基準等が改正され、令和6年4月より、トラック運転者の拘束時間、連続運転時間、休息期間等の基準が変更されました。

●出題実績表（令和元年度第2回試験は中止となったため、未反映）

ここでは、直近６回分の試験問題を分析し、姉妹書「合格テキスト＆問題集」の内容ごとに出題状況を示しています。◇は該当する選択肢が含まれている問題の数で、◇＝１問、◇◇＝２問、◇◇◇＝３問以上を表しています。

第1章　道路交通法関係	30年第2回	令和元年第1回	令和2年第1回	令和2年第2回	令和2年度CBT	令和3年度CBT
L1 道路交通法の用語		◇				
L2 自動車の種類と最高速度	◇		◇	◇◇	◇	◇
L3 徐行・一時停止		◇	◇◇◇	◇	◇	◇◇
L4 通行区分・追越し等	◇	◇	◇◇	◇	◇	◇
L5 左折・右折、交差点の通行			◇			
L6 駐停車の禁止	◇	◇		◇	◇	
L7 積載制限および過積載	◇			◇		
L8 自動車使用者の義務						
L9 運転者の遵守事項、合図	◇◇	◇◇		◇◇	◇◇◇	◇◇◇
L10 運転免許	◇	◇				
L11 道路標識		◇	◇	◇	◇	◇
L12 罰　則			◇			◇

第2章　貨物自動車運送事業法関係	30年第2回	令和元年第1回	令和2年第1回	令和2年第2回	令和2年度CBT	令和3年度CBT
L1 貨物自動車運送事業	◇	◇	◇		◇	
L2 事業計画と運送約款	◇	◇	◇	◇		◇
L3 運輸安全マネジメント	◇	◇◇	◇			
L4 輸送の安全	◇◇	◇◇		◇		◇
L5 過労運転等の防止	◇◇	◇◇	◇	◇	◇◇◇	◇
L6 点呼①	◇	◇◇	◇	◇	◇◇	◇
L7 点呼②	◇	◇	◇	◇	◇	◇◇
L8 運行指示書と運転者等台帳		◇	◇	◇◇	◇	◇
L9 業務の記録・事故の記録			◇◇◇	◇◇	◇	◇◇
L10 運転者に対する指導・監督	◇◇	◇◇◇	◇◇◇		◇	◇
L11 運行管理者の選任		◇	◇		◇◇	
L12 運行管理者の業務	◇◇◇	◇	◇	◇	◇	◇◇
L13 運行管理規程その他					◇	
L14 運行管理者資格者証					◇	
L15 事故の報告	◇	◇	◇	◇	◇	◇
L16 行政処分その他				◇		
第3章　道路運送車両法関係	**30年第2回**	**令和元年第1回**	**令和2年第1回**	**令和2年第2回**	**令和2年度CBT**	**令和3年度CBT**
L1 法の目的と定義		◇				◇
L2 新規登録と自動車登録番号	◇	◇	◇◇	◇	◇	◇
L3 変更・移転・抹消登録	◇	◇	◇	◇		◇
L4 日常点検・定期点検	◇	◇		◇	◇	◇◇
L5 整備管理者と整備命令					◇	◇
L6 自動車の検査および検査証	◇◇	◇	◇◇	◇	◇◇	◇
L7 保安基準①	◇	◇	◇	◇	◇	
L8 保安基準②	◇	◇	◇	◇	◇◇	
L9 保安基準③	◇	◇		◇		◇
第4章　労働基準法関係	**30年第2回**	**令和元年第1回**	**令和2年第1回**	**令和2年第2回**	**令和2年度CBT**	**令和3年度CBT**
L1 基本原則				◇		
L2 労働契約・労働条件の明示	◇	◇	◇			◇
L3 労働契約の終了	◇	◇		◇	◇	◇
L4 賃金・災害補償		◇		◇		◇
L5 労働時間・休憩・休日等	◇◇	◇	◇	◇◇	◇	◇
L6 年少者・妊産婦等の保護						◇
L7 就業規則・労働者名簿等			◇			
L8 労働時間等の改善基準	◇◇◇	◇◇◇	◇◇◇	◇◇◇	◇◇◇	◇◇◇
第5章　実務上の知識および能力	**30年第2回**	**令和元年第1回**	**令和2年第1回**	**令和2年第2回**	**令和2年度CBT**	**令和3年度CBT**
L1 自動車に働く自然力と停止距離				◇	◇	◇◇
L2 視力と視野		◇			◇	◇
L3 ブレーキ・タイヤに起こる現象と悪条件下の運転等	◇				◇	◇
L4 高速道路の運転と設備						
L5 運転者の健康管理等	◇	◇	◇◇	◇	◇	◇
L6 交通事故の防止	◇◇	◇◇	◇◇	◇◇	◇◇	◇◇
L7 交通公害		◇				
L8 時速等の計算		◇	◇◇	◇	◇◇	

凡　例

本書では、主な法令等について、基本的に以下の略称を使用しています。

略称	正式名称
道交法	道路交通法
事業法	貨物自動車運送事業法
安全規則	貨物自動車運送事業輸送安全規則
事故報告規則	自動車事故報告規則
車両法	道路運送車両法
保安基準	道路運送車両の保安基準
細目告示	道路運送車両の保安基準の細目を定める告示
労基法	労働基準法
改善基準告示	自動車運転者の労働時間等の改善のための基準

また、本書では、これらの法令等を中心に、その条文番号（「第○条第○項第○号」）が適宜登場します。混乱しないように、条文のしくみを知っておきましょう。

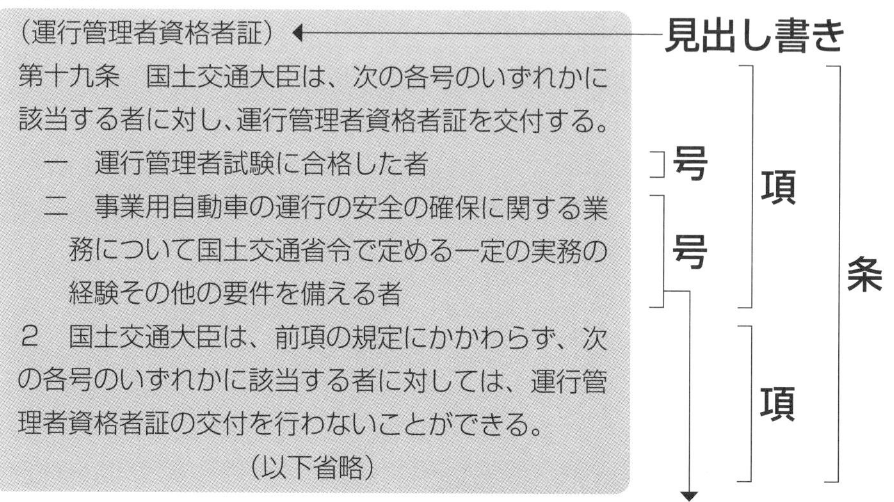

（運行管理者資格者証）

第十九条　国土交通大臣は、次の各号のいずれかに該当する者に対し、運行管理者資格者証を交付する。

一　運行管理者試験に合格した者

二　事業用自動車の運行の安全の確保に関する業務について国土交通省令で定める一定の実務の経験その他の要件を備える者

2　国土交通大臣は、前項の規定にかかわらず、次の各号のいずれかに該当する者に対しては、運行管理者資格者証の交付を行わないことができる。

（以下省略）

令和３年度 CBT試験出題例
運行管理者〈貨物〉試験

問題編

■注　意

※令和３年度第１回試験からCBT試験に全面移行しました。

①解答にあたっては、各問および各選択肢に記載された事項以外は、考慮しないものとしてください。
また、設問で求める数と異なる数の解答をしたもの、および複数の解答を求める問題で一部不正解のものは、正解としません。

②参考書・携帯電話（その他の通信機器を含む）および電卓その他計算機能があるすべてのものの使用を禁止します。

■合格基準

次の（１）および（２）を同時に満たす得点が必要です。

（１）原則として、総得点が満点の**60%**（30問中**18問**）**以上**

（２）**科目ごとに正解が１問以上**であり、「実務上の知識及び能力」については**正解が２問以上**

■試験時間

90分

1．貨物自動車運送事業法関係

問1 **改** 一般貨物自動車運送事業者（以下「事業者」という。）の事業計画の変更に関する次の記述のうち、【正しいものを２つ】選びなさい。なお、解答にあたっては、各選択肢に記載されている事項以外は考慮しないものとする。

1．事業者は、「自動車車庫の位置及び収容能力」の事業計画の変更をしたときは、遅滞なくその旨を、国土交通大臣に届け出なければならない。
2．事業者は、「各営業所に配置する事業用自動車の種別ごとの数」の事業計画の変更をするときは、法令に定める場合を除き、あらかじめその旨を、国土交通大臣に届け出なければならない。
3．事業者は、「事業用自動車の運転者、特定自動運行保安員及び運行の業務の補助に従事する従業員の休憩又は睡眠のための施設の位置及び収容能力」の事業計画の変更をしようとするときは、国土交通大臣の認可を受けなければならない。
4．事業者は、「主たる事務所の名称及び位置」の事業計画の変更をするときは、あらかじめその旨を、国土交通大臣に届け出なければならない。

※改題している部分は、～～～線で示しています。

問2 貨物自動車運送事業法に定める運行管理者等の義務についての次の文中、A、B、C、Dに入るべき字句として【下の選択肢（①～⑧）から】選びなさい。

1．運行管理者は、［ A ］にその業務を行わなければならない。
2．一般貨物自動車運送事業者は、運行管理者に対し、法令で定める業務を行うため必要な［ B ］を与えなければならない。
3．一般貨物自動車運送事業者は、運行管理者がその業務として行う［ C ］を尊重しなければならず、事業用自動車の運転者その他の従業員は、運行管理者がその業務として行う［ D ］に従わなければならない。

① 指導　② 適切　③ 権限　④ 指示
⑤ 助言　⑥ 地位　⑦ 勧告　⑧ 誠実

問3 次の記述のうち、一般貨物自動車運送事業の運行管理者の行わなければ
改 ならない業務として【正しいものを2つ】選びなさい。なお、解答にあたっては、各選択肢に記載されている事項以外は考慮しないものとする。

1．運転者、特定自動運行保安員及び事業用自動車の運行の業務の補助に従事する従業員（以下「乗務員等」という。）が有効に利用することができるように、休憩に必要な施設を整備し、及び乗務員等に睡眠を与える必要がある場合にあっては睡眠に必要な施設を整備し、並びにこれらの施設を適切に管理し、及び保守すること。
2．法令の規定により、死者又は負傷者（法令に掲げる傷害を受けた者）が生じた事故を引き起こした者等特定の運転者に対し、国土交通大臣が告示で定める適性診断であって国土交通大臣の認定を受けたものを受けさせること。
3．法令の規定により、運転者又は特定自動運行保安員（以下「運転者等」という。）に対して点呼を行い、報告を求め、確認を行い、及び指示を与え、並びに記録し、及びその記録を保存し、並びに運転者に対して使用するアルコール検知器を備え置くこと。
4．法令の規定により、運行指示書を作成し、及びその写しに変更の内容を記載し、運転者等に対し適切な指示を行い、運行指示書を事業用自動車の運転者等に携行させ、及び変更の内容を記載させ、並びに運行指示書及びその写しの保存をすること。

※改題している部分は、＿＿線で示しています。

問4 **改** 貨物自動車運送事業の事業用自動車の運転者に対する点呼についての法令等の定めに関する次の記述のうち、【正しいものをすべて】選びなさい。なお、解答にあたっては、各選択肢に記載されている事項以外は考慮しないものとする。

1．業務前及び業務終了後の点呼のいずれも対面により、又は対面による点呼と同等の効果を有するものとして国土交通大臣が定める方法で行うことができない業務を行う運転者に対しては、業務前及び業務終了後の点呼のほかに、当該業務の途中において少なくとも１回対面による点呼と同等の効果を有するものとして国土交通大臣が定める方法（当該方法により点呼を行うことが困難である場合にあっては、電話その他の方法）により点呼（中間点呼）を行わなければならない。当該点呼においては、①酒気帯びの有無、②疾病、疲労、睡眠不足その他の理由により安全な運転をすることができないおそれの有無について報告を求め、及び確認を行い、並びに事業用自動車の運行の安全を確保するために必要な指示をしなければならない。

2．業務後の点呼は、対面により、又は対面による点呼と同等の効果を有するものとして国土交通大臣が定める方法（運行上やむを得ない場合は電話その他の方法）により行い、当該業務に係る事業用自動車、道路及び運行の状況について報告を求め、かつ、酒気帯びの有無について確認を行わなければならない。この場合において、当該運転者が他の運転者と交替した場合にあっては、当該運転者が交替した運転者に対して行った法令の規定による通告についても報告を求めなければならない。

3．全国貨物自動車運送適正化事業実施機関が認定している安全性優良事業所（Ｇマーク営業所）以外であっても、①開設されてから３年を経過していること。②過去１年間点呼の違反に係る行政処分又は警告を受けていないことなどに該当する一般貨物自動車運送事業者の営業所にあっては、当該営業所と当該営業所の車庫間で行う点呼に限り、当該営業所で管理するIT点呼機器を使用したIT点呼を実施できる。

4．同一事業者内の全国貨物自動車運送適正化事業実施機関が認定している安全性優良事業所（Ｇマーク営業所）である営業所間で行うIT点呼の実施は、１営業日のうち連続する20時間以内とする。

※改題している部分は、～～～線で示しています。

問5 次の自動車事故に関する記述のうち、一般貨物自動車運送事業者が自動車事故報告規則に基づき国土交通大臣への【報告を要するものを2つ】選びなさい。なお、解答にあたっては、各選択肢に記載されている事項以外は考慮しないものとする。

1．事業用自動車が左折したところ、左後方から走行してきた自転車を巻き込む事故を起こした。この事故で、当該自転車に乗車していた者に通院による40日間の医師の治療を要する傷害を生じさせた。

2．事業用自動車が走行中、アクセルを踏んでいるものの速度が徐々に落ち、しばらく走行したところでエンジンが停止して走行が不能となった。再度エンジンを始動させようとしたが、燃料装置の故障によりエンジンを再始動させることができず、運行ができなくなった。

3．事業用自動車の運転者がハンドル操作を誤り、当該自動車が車道と歩道の区別がない道路を逸脱し、当該道路との落差が0.3メートルの畑に転落した。

4．事業用自動車の運転者が高速自動車国道を走行中、ハンドル操作を誤り、道路の中央分離帯に衝突したことにより、当該事業用自動車に積載していた消防法に規定する危険物の高圧ガスが一部漏えいした。この事故により当該自動車の運転者が軽傷を負った。

問6 一般貨物自動車運送事業者（以下「事業者」という。）の過労運転等の

改 防止等についての法令の定めに関する次の記述のうち、【誤っているものを１つ】選びなさい。なお、解答にあたっては、各選択肢に記載されている事項以外は考慮しないものとする。

1．事業者は、事業計画に従い業務を行うに必要な員数の運転者又は特定自動運行保安員（以下「運転者等」という。）を常時選任しておかなければならず、この場合、選任する運転者及び特定自動運行保安員は、日々雇い入れられる者、２ヵ月以内の期間を定めて使用される者又は試みの使用期間中の者（14日を超えて引き続き使用されるに至った者を除く。）であってはならない。

2．運転者等の業務について、当該事業用自動車の瞬間速度、運行距離及び運行時間を運行記録計により記録しなければならない車両は、車両総重量が８トン以上又は最大積載量が５トン以上の普通自動車である。

3．事業者は、運転者、特定自動運行保安員及び事業用自動車の運行の業務の補助に従事する従業員（以下「乗務員等」という。）の健康状態の把握に努め、疾病、疲労、睡眠不足その他の理由により安全に運行の業務を遂行し、又はその補助をすることができないおそれがある乗務員等を事業用自動車の運行の業務に従事させてはならない。

4．事業者は、運転者が長距離運転又は夜間の運転に従事する場合であって、疲労等により安全な運転を継続することができないおそれがあるときは、あらかじめ、当該運転者と交替するための運転者を配置しておかなければならない。

※改題している部分は、＿＿線で示しています。

問7 一般貨物自動車運送事業者（以下「事業者」という。）の事業用自動車の運行の安全を確保するために、国土交通省告示等に基づき運転者に対して行わなければならない指導監督及び特定の運転者に対して行わなければならない特別な指導に関する次の記述のうち、【誤っているものを１つ】選びなさい。なお、解答にあたっては、各選択肢に記載されている事項以外は考慮しないものとする。

1. 事業者は、事故惹起運転者に対する特別な指導については、当該交通事故を引き起こした後再度事業用自動車に乗務する前に実施する。ただし、やむを得ない事情がある場合には、再度乗務を開始した後１ヵ月以内に実施する。なお、外部の専門的機関における指導講習を受講する予定である場合は、この限りではない。
2. 運転者は、乗務を終了して他の運転者と交替するときは、交替する運転者に対し、当該乗務に係る事業用自動車、道路及び運行の状況について通告すること。この場合において、交替して乗務する運転者は、当該通告を受け、当該事業用自動車の制動装置、走行装置その他の重要な装置の機能について、これを点検すること。
3. 事業者は、初任運転者に対する特別な指導について、当該事業者において初めて事業用自動車に乗務する前に実施すること。ただし、やむを得ない事情がある場合には、乗務を開始した後１ヵ月以内に実施すること。
4. 事業者が行う初任運転者に対する特別な指導は、法令に基づき運転者が遵守すべき事項、事業用自動車の運行の安全を確保するために必要な運転に関する事項などについて、６時間以上実施するとともに、安全運転の実技について、15時間以上実施すること。

問8 一般貨物自動車運送事業者（以下「事業者」という。）の事業用自動車の運行に係る記録等に関する次の記述のうち、【正しいものを２つ】選びなさい。なお、解答にあたっては、各選択肢に記載されている事項以外は考慮しないものとする。

改

1. 同一事業者内の全国貨物自動車運送適正化事業実施機関が認定している安全性優良事業所（Ｇマーク営業所）間でIT点呼を実施した場合、点呼簿に記録する内容を、IT点呼を行う営業所及びIT点呼を受ける運転者等が所属する営業所の双方で記録し、保存すること。
2. 事業者は、車両総重量が８トン以上又は最大積載量が５トン以上の普通自動車である事業用自動車の運行の業務に運転者等を従事させた場合にあっては、当該業務を行った運転者等ごとに貨物の積載状況を「業務の記録」に記録させ、かつ、その記録を１年間保存しなければならない。
3. 事業者は、法令の規定により運行指示書を作成した場合には、当該運行指示書を、運行を計画した日から１年間保存しなければならない。
4. 事業者は、運転者が転任、退職その他の理由により運転者でなくなった場合には、直ちに、当該運転者に係る法令に基づき作成した運転者等台帳に運転者でなくなった年月日及び理由を記載し、これを１年間保存しなければならない。

※改題している部分は、＿＿線で示しています。

2．道路運送車両法関係

問9 自動車の登録等についての次の記述のうち、【正しいものを２つ】選びなさい。なお、解答にあたっては、各選択肢に記載されている事項以外は考慮しないものとする。

1．登録自動車について所有者の変更があったときは、新所有者は、その事由があった日から30日以内に、国土交通大臣の行う移転登録の申請をしなければならない。

2．登録自動車の所有者は、当該自動車が滅失し、解体し（整備又は改造のために解体する場合を除く。）、又は自動車の用途を廃止したときは、その事由があった日（使用済自動車の解体である場合には解体報告記録がなされたことを知った日）から15日以内に、永久抹消登録の申請をしなければならない。

3．臨時運行の許可を受けた者は、臨時運行許可証の有効期間が満了したときは、その日から15日以内に、当該臨時運行許可証及び臨時運行許可番号標を行政庁に返納しなければならない。

4．道路運送車両法に規定する自動車の種別は、自動車の大きさ及び構造並びに原動機の種類及び総排気量又は定格出力を基準として定められ、その別は、普通自動車、小型自動車、軽自動車、大型特殊自動車、小型特殊自動車である。

問10 自動車の検査等についての次の記述のうち、【誤っているものを１つ】
改 選びなさい。なお、解答にあたっては、各選択肢に記載されている事項以外は考慮しないものとする。

1．国土交通大臣は、一定の地域に使用の本拠の位置を有する自動車の使用者が、天災その他やむを得ない事由により、継続検査を受けることができないと認めるときは、当該地域に使用の本拠の位置を有する自動車の自動車検査証の有効期間を、期間を定めて伸長する旨を公示することができる。
2．自動車の使用者は、自動車の長さ、幅又は高さを変更したときは、道路運送車両法で定める場合を除き、その事由があった日から15日以内に、当該変更について、国土交通大臣が行う自動車検査証の変更記録を受けなければならない。
3．何人も、有効な自動車検査証の交付を受けている自動車について、自動車又はその部分の改造、装置の取付け又は取り外しその他これらに類する行為であって、当該自動車が保安基準に適合しないこととなるものを行ってはならない。
4．車両総重量8,990キログラムの貨物自動車運送事業の用に供する自動車の使用者は、スペアタイヤの取付状態等について、１ヵ月ごとに国土交通省令で定める技術上の基準により自動車を点検しなければならない。

※改題している部分は、～～～線で示しています。

問11 道路運送車両法に定める自動車の点検整備等に関する次の文中、A、B、C、Dに入るべき字句として【いずれか正しいものを1つ】選びなさい。

1．自動車運送事業の用に供する自動車の使用者は、［A］ごとに国土交通省令で定める技術上の基準により、自動車を点検しなければならない。
2．自動車の使用者は、自動車の点検及び整備等に関する事項を処理させるため、車両総重量8トン以上の自動車その他の国土交通省令で定める自動車であって国土交通省令で定める台数以上のものの使用の本拠ごとに、自動車の点検及び整備に関する実務の経験その他について国土交通省令で定める一定の要件を備える者のうちから、［B］を選任しなければならない。
3．地方運輸局長は、保安基準に適合しない状態にある当該自動車の使用者に対し、当該自動車が保安基準に適合するに至るまでの間の運行に関し、当該自動車の使用の方法又は経路の制限その他の保安上又は［C］その他の環境保全上必要な指示をすることができる。
4．事業用自動車の使用者又は当該自動車を運行する者は、1日1回、その運行開始前において、国土交通省令で定める技術上の基準により自動車を［D］しなければならない。

A：① 3ヵ月　② 6ヵ月
B：① 安全統括管理者　② 整備管理者
C：① 事故防止　② 公害防止
D：① 点検　② 整備

問12 道路運送車両の保安基準及びその細目を定める告示についての次の記述のうち、【誤っているものを１つ】選びなさい。なお、解答にあたっては、各選択肢に記載されている事項以外は考慮しないものとする。

1．停止表示器材は、夜間200メートルの距離から走行用前照灯で照射した場合にその反射光を照射位置から確認できるものであることなど告示で定める基準に適合するものでなければならない。

2．自動車（被けん引自動車を除く。）には、警音器の警報音発生装置の音が、連続するものであり、かつ、音の大きさ及び音色が一定なものである警音器を備えなければならない。

3．自動車（二輪自動車等を除く。）の空気入ゴムタイヤの接地部は滑り止めを施したものであり、滑り止めの溝は、空気入ゴムタイヤの接地部の全幅にわたり滑り止めのために施されている凹部（サイピング、プラットフォーム及びウエア・インジケータの部分を除く。）のいずれの部分においても1.4ミリメートル以上の深さを有すること。

4．電力により作動する原動機を有する自動車（二輪自動車、側車付二輪自動車、三輪自動車、カタピラ及びそりを有する軽自動車、大型特殊自動車、小型特殊自動車並びに被けん引自動車を除く。）には、当該自動車の接近を歩行者等に通報するものとして、機能、性能等に関し告示で定める基準に適合する車両接近通報装置を備えなければならない。

3．道路交通法関係

問13 道路交通法に定める自動車の種類についての次の記述のうち、【誤っているもの１つ】選びなさい。なお、解答にあたっては、各選択肢に記載されている事項以外は考慮しないものとする。

1．乗車定員が２人、最大積載量が6,250キログラム、及び車両総重量10,110キログラムの貨物自動車の種類は、大型自動車である。
2．乗車定員が２人、最大積載量が4,750キログラム、及び車両総重量8,160キログラムの貨物自動車の種類は、中型自動車である。
3．乗車定員が３人、最大積載量が3,000キログラム、及び車両総重量5,955キログラムの貨物自動車の種類は、準中型自動車である。
4．乗車定員が２人、最大積載量が1,750キログラム、及び車両総重量3,490キログラムの貨物自動車の種類は、普通自動車である。

問14 道路交通法に定める車両の交通方法等について次の記述のうち、【正しいものを２つ】選びなさい。なお、解答にあたっては、各選択肢に記載されている事項以外は考慮しないものとする。

1．車両の運転者が同一方向に進行しながら進路を左方又は右方に変えるときの合図を行う時期は、その行為をしようとする地点から30メートル手前の地点に達したときである。

2．車両は、道路の中央から左の部分の幅員が８メートルに満たない道路において、他の車両を追い越そうとするとき（道路の中央から右の部分を見とおすことができ、かつ、反対の方向からの交通を妨げるおそれがない場合に限るものとし、道路標識等により追越しのため道路の中央から右の部分にはみ出して通行することが禁止されている場合を除く。）は、道路の中央から右の部分にその全部又は一部をはみ出して通行することができる。

3．車両は、道路外の施設又は場所に出入するためやむを得ない場合において歩道又は路側帯（以下「歩道等」という。）を横断するとき、又は法令の規定により歩道等で停車し、若しくは駐車するため必要な限度において歩道等を通行するときは、一時停止し、かつ、歩行者の通行を妨げないようにしなければならない。

4．一般乗合旅客自動車運送事業者による路線定期運行の用に供する自動車（以下「路線バス等」という。）の優先通行帯であることが道路標識等により表示されている車両通行帯が設けられている道路においては、自動車（路線バス等を除く。）は、路線バス等が後方から接近してきた場合に当該道路における交通の混雑のため当該車両通行帯から出ることができないこととなるときは、当該車両通行帯を通行してはならない。

問15 道路交通法及び道路交通法施行令に定める酒気帯び運転等の禁止等に関する次の文中、A、B、Cに入るべき字句として【いずれか正しいものを1つ】選びなさい。

(1) 何人も、酒気を帯びて車両等を運転してはならない。

(2) 何人も、酒気を帯びている者で、(1)の規定に違反して車両等を運転することとなるおそれがあるものに対し、[A]してはならない。

(3) 何人も、(1)の規定に違反して車両等を運転することとなるおそれがある者に対し、酒類を提供し、又は飲酒をすすめてはならない。

(4) 何人も、車両(トロリーバス及び旅客自動車運送事業の用に供する自動車で当該業務に従事中のものその他の政令で定める自動車を除く。)の運転者が酒気を帯びていることを知りながら、当該運転者に対し、当該車両を運転して自己を運送することを要求し、又は依頼して、当該運転者が(1)の規定に違反して運転する[B]してはならない。

(5) (1)の規定に違反して車両等(軽車両を除く。)を運転した者で、その運転をした場合において身体に血液1ミリリットルにつき0.3ミリグラム又は呼気1リットルにつき[C]ミリグラム以上にアルコールを保有する状態にあったものは、3年以下の懲役又は50万円以下の罰金に処する。

A:① 車両等を提供　② 運転を指示

B:① 機会を提供　② 車両に同乗

C:① 0.15　② 0.25

問16 次に掲げる標識に関する次の記述のうち、【正しいものを２つ】選びなさい。
改

1．車両は、指定された方向以外の方向に進行してはならない。

「道路標識、区画線及び道路標示に関する命令」に定める様式
文字及び記号を青色、斜めの帯及び枠を赤色、縁及び地を白色とする。

2．車両は、黄色又は赤色の灯火の信号にかかわらず左折することができる。

道路交通法施行規則　別記様式第１
矢印及びわくの色彩は青色、地の色彩は白色とする。

3．車両総重量が7,980キログラムで最大積載量が4,000キログラムの中型自動車（専ら人を運搬する構造のもの以外のもの）は通行してはならない。

「道路標識、区画線及び道路標示に関する命令」に定める様式
文字及び記号を青色、斜めの帯及び枠を赤色、縁及び地を白色とする。

4．大型貨物自動車、特定中型貨物自動車及び大型特殊自動車は、最も左側の車両通行帯を通行しなければならない。

「道路標識、区画線及び道路標示に関する命令」に定める様式
文字、記号及び縁を白色、地を青色とする。

※改題している部分は、～～～線で示しています。

問17 道路交通法に定める運転者の遵守事項等についての次の記述のうち、
改 【誤っているものを１つ】選びなさい。なお、解答にあたっては、各選択肢に記載されている事項以外は考慮しないものとする。

1．車両等の運転者は、児童、幼児等の乗降のため、道路運送車両の保安基準に関する規定に定める非常点滅表示灯をつけて停車している通学通園バス（専ら小学校、幼稚園等に通う児童、幼児等を運送するために使用する自動車で政令で定めるものをいう。）の側方を通過するときは、徐行して安全を確認しなければならない。

2．自動車の運転者は、故障その他の理由により高速自動車国道等の本線車道若しくはこれに接する加速車線、減速車線若しくは登坂車線又はこれらに接する路肩若しくは路側帯において当該自動車を運転することができなくなったときは、道路交通法施行令で定めるところにより、停止表示器材を後方から進行してくる自動車の運転者が見やすい位置に置いて、当該自動車が故障その他の理由により停止しているものであることを表示しなければならない。

3．運転免許（仮運転免許を除く。）を受けた者が自動車等の運転に関し、当該自動車等の交通による人の死傷があった場合において、道路交通法第72条第１項前段の規定（交通事故があったときは、直ちに車両等の運転を停止して、負傷者を救護し、道路における危険を防止する等必要な措置を講じなければならない。）に違反したときは、その者が当該違反をしたときにおけるその者の住所地を管轄する公安委員会は、その者の運転免許を取り消すことができる。

4．車両等の運転者は、身体障害者用の車が通行しているときは、その側方を離れて走行し、通行を妨げないようにしなければならない。

※改題している部分は、～～～線で示しています。

4．労働基準法関係

問18 労働基準法（以下「法」という。）に定める労働契約等についての次の記述のうち、【正しいものを２つ】選びなさい。なお、解答にあたっては、各選択肢に記載されている事項以外は考慮しないものとする。

1．使用者は、労働契約の不履行について違約金を定め、又は損害賠償額を予定する契約をしてはならない。
2．法第20条（解雇の予告）の規定は、「季節的業務に４ヵ月以内の期間を定めて使用される者」に該当する労働者について、当該者が法に定める期間を超えて引き続き使用されるに至らない限り適用しない。
3．「平均賃金」とは、これを算定すべき事由の発生した日以前３ヵ月間にその労働者に対し支払われた賃金の総額を、その期間の所定労働日数で除した金額をいう。
4．出来高払制その他の請負制で使用する労働者については、使用者は、労働時間にかかわらず一定額の賃金の保障をしなければならない。

問19 労働基準法（以下「法」という。）に定める労働時間及び休日等に関する次の記述のうち、【誤っているものを１つ】選びなさい。なお、解答にあたっては、各選択肢に記載されている事項以外は考慮しないものとする。

1．使用者は、当該事業場に、労働者の過半数で組織する労働組合がある場合においてはその労働組合、労働者の過半数で組織する労働組合がない場合においては使用者が指名する労働者との書面による協定をし、これを行政官庁に届け出た場合においては、法定労働時間又は法定休日に関する規定にかかわらず、その協定で定めるところによって労働時間を延長し、又は休日に労働させることができる。

2．生後満１年に達しない生児を育てる女性は、法で定める所定の休憩時間のほか、１日２回各々少なくとも30分、その生児を育てるための時間を請求することができる。

3．使用者は、労働者に対して、毎週少くとも１回の休日を与えなければならない。ただし、この規定は、４週間を通じ４日以上の休日を与える使用者については適用しない。

4．使用者が、法の規定により労働時間を延長し、又は休日に労働させた場合においては、その時間又はその日の労働については、通常の労働時間又は労働日の賃金の計算額の２割５分以上５割以下の範囲内でそれぞれ政令で定める率以上の率で計算した割増賃金を支払わなければならない。

問20 「自動車運転者の労働時間等の改善のための基準」に定める貨物自動車運送事業に従事する自動車運転者（以下「トラック運転者」という。）の拘束時間等に関する次の文中、A、B、C、Dに入るべき字句として【いずれか正しいものを1つ】選びなさい。

改

1．拘束時間は、1ヵ月について［ A ］を超えず、かつ、1年について［ B ］を超えないものとすること。ただし、労使協定により、1年について6ヵ月までは、1ヵ月について310時間まで延長することができ、かつ、1年について［ C ］まで延長することができるものとする。

2．トラック運転者がフェリーに乗船している時間は、原則として［ D ］とし、この条の規定により与えるべき休息期間から当該時間を除くことができる。

A：① 284時間　② 293時間

B：① 3,300時間　② 3,336時間

C：① 3,400時間　② 3,436時間

D：① 拘束時間　② 休息期間

※改題している部分は、～～～線で示しています。

問21 改 「自動車運転者の労働時間等の改善のための基準」において定める貨物自動車運送事業に従事する自動車運転者（以下「トラック運転者」という。）の拘束時間等の規定に関する次の記述のうち、【正しいものを２つ】選びなさい。なお、解答にあたっては、各選択肢に記載されている事項以外は考慮しないものとする。

1．使用者は、業務の必要上やむを得ない場合には、当分の間、2暦日についての拘束時間が21時間を超えず、かつ、勤務終了後、継続20時間以上の休息期間を与える場合に限り、トラック運転者を隔日勤務に就かせることができる。

2．使用者は、トラック運転者の運転時間については、２日（始業時刻から起算して48時間をいう。）を平均し１日当たり９時間、２週間を平均し１週間当たり44時間を超えないものとする。

3．使用者は、トラック運転者（隔日勤務に就く運転者以外のもの。）の１日（始業時刻から起算して24時間をいう。以下同じ。）についての拘束時間は、13時間を超えないものとし、当該拘束時間を延長する場合であっても、最大拘束時間は、15時間とすること。この場合において、１日についての拘束時間が13時間を超える回数をできるだけ少なくするよう努めるものとすること。

4．使用者は、業務の必要上、トラック運転者に勤務（宿泊を伴う長距離貨物輸送に該当する場合を除く。）の終了後継続８時間以上の休息期間を与えることが困難な場合、一定の要件を満たすものに限り、当分の間、一定期間における全勤務回数の２分の１を限度に、休息期間を拘束時間の途中及び拘束時間の経過直後に分割して与えることができるものとする。

※改題している部分は、＿＿線で示しています。

問22 下図は、貨物自動車運送事業に従事する自動車運転者の運転時間及び休憩時間の例を示したものであるが、このうち、連続運転の中断方法として「自動車運転者の労働時間等の改善のための基準」に【適合しているものを2つ】選びなさい。

1．

乗務開始	運転	休憩	運転	休憩	運転	休憩	運転	休憩	運転	休憩	運転	休憩	運転	乗務終了
	30分	10分	3時間	10分	30分	10分	1時間	30分	1時間30分	10分	2時間	10分	30分	

2．

乗務開始	運転	休憩	運転	休憩	運転	休憩	運転	休憩	運転	休憩	運転	休憩	運転	乗務終了
	2時間	10分	1時間30分	20分	1時間	10分	2時間	10分	1時間	10分	1時間	5分	2時間	

3．

乗務開始	運転	休憩	運転	休憩	運転	休憩	運転	休憩	運転	休憩	運転	休憩	運転	乗務終了
	2時間	10分	1時間30分	20分	1時間	10分	2時間	30分	1時間	10分	1時間30分	10分	2時間	

4．

乗務開始	運転	休憩	運転	休憩	運転	休憩	運転	休憩	運転	休憩	運転	休憩	運転	乗務終了
	1時間	10分	1時間30分	15分	1時間	5分	1時間	30分	2時間	20分	1時間30分	10分	2時間	

問23 改 下表は、貨物自動車運送事業に従事する自動車運転者（隔日勤務に就く運転者以外のもの。）の1年間における各月の拘束時間の例を示したものであるが、このうち、「自動車運転者の労働時間等の改善のための基準」に【適合するものを1つ】選びなさい。ただし、「1ヵ月及び1年についての拘束時間の延長に関する労使協定」があるものとする。

1.

	4月	5月	6月	7月	8月	9月	10月	11月	12月	1月	2月	3月	1年間合計
拘束時間	295	294	245	267	310	260	250	295	310	300	284	310	3420

2.

	4月	5月	6月	7月	8月	9月	10月	11月	12月	1月	2月	3月	1年間合計
拘束時間	293	284	245	267	300	260	250	295	312	300	284	310	3400

3.

	4月	5月	6月	7月	8月	9月	10月	11月	12月	1月	2月	3月	1年間合計
拘束時間	294	284	245	267	285	260	250	295	310	300	300	310	3400

4.

	4月	5月	6月	7月	8月	9月	10月	11月	12月	1月	2月	3月	1年間合計
拘束時間	295	284	245	267	300	260	250	295	310	300	284	310	3400

※改題している部分は、～～～線で示しています。

5. 実務上の知識及び能力

問24 下表は、貨物自動車運送事業者が、法令の規定により運転者ごとに行う点呼の記録表の一例を示したものである。この記録表に関し、A、B、Cに入る【最もふさわしい事項を下の選択肢（①～⑧）から１つ】選びなさい。

改

年　月　日　曜日　天候

点　呼　記　録　表

所長		統括管理者		運行管理者		補助者	

＿＿＿＿＿営業所

		業務前点呼										中間点呼									業務後点呼								
車番	氏名	点呼時間	点呼場所	点呼方法	アルコール検知器の使用の有無	酒気帯びの有無	疾病・疲労・睡眠不足等の状況	日常点検の確認	A	その他必要な事項	執行者の氏名	点呼時間	点呼場所	点呼方法	アルコール検知器の使用の有無	酒気帯びの有無	B	指示事項	その他必要な事項	執行者の氏名	点呼時間	点呼場所	点呼方法	アルコール検知器の使用の有無	酒気帯びの有無	自動車・道路・運行の状況	C	その他必要な事項	執行者の氏名
		:		面・電	有・無	有・無						:		電	有・無	有・無					:		面・電	有・無	有・無				
		:		面・電	有・無	有・無						:		電	有・無	有・無					:		面・電	有・無	有・無				
		:		面・電	有・無	有・無						:		電	有・無	有・無					:		面・電	有・無	有・無				
		:		面・電	有・無	有・無						:		電	有・無	有・無					:		面・電	有・無	有・無				

① 車両の異常の有無

② 貨物の積載状況

③ 運転者交替時の通告内容

④ 薬物の使用状況

⑤ 指示事項

⑥ 日常点検の状況

⑦ 疾病・疲労・睡眠不足等の状況

⑧ 自動車・道路・運行の状況

※改題している部分は、＿＿＿線で示しています。

問25 一般貨物自動車運送事業者が事業用自動車の運転者に対して行う指導・監督に関する次の記述のうち、【適切なものをすべて】選びなさい。なお、解答にあたっては、各選択肢に記載されている事項以外は考慮しないものとする。

1．運転者が交通事故を起こした場合、事故の被害状況を確認し、負傷者がいるときは、まず最初に運行管理者に連絡した後、負傷者の救護、道路における危険の防止、警察への報告などの必要な措置を講じるよう運転者に対し指導している。
2．他の自動車に追従して走行するときは、常に「秒」の意識をもって自車の速度と制動距離（ブレーキが効きはじめてから止まるまでに走った距離）に留意し、前車への追突の危険が発生した場合でも安全に停止できるよう、制動距離と同程度の車間距離を保って運転するよう指導している。
3．実際の事故事例やヒヤリハット事例のドライブレコーダー映像を活用して、事故前にどのような危険が潜んでいるか、それを回避するにはどのような運転をすべきかなどを運転者に考えさせる等、実事例に基づいた危険予知訓練を実施している。
4．飲酒は、速度感覚の麻痺、視力の低下、反応時間の遅れ、眠気が生じるなど自動車の運転に極めて深刻な影響を及ぼす。個人差はあるものの、体内に入ったビール500ミリリットル（アルコール５％）が分解処理されるのに概ね２時間が目安とされていることから、乗務前日の飲酒・酒量については、運転に影響のないよう十分気をつけることを運転者に指導している。

問26 事業用自動車の運転者の健康管理に関する次の記述のうち、【適切なものをすべて】選びなさい。なお、解答にあたっては、各選択肢に記載されている事項以外は考慮しないものとする。

1．事業者は、業務に従事する運転者に対し法令で定める健康診断を受診させ、その結果に基づいて健康診断個人票を作成して3年間保存している。また、運転者が自ら受けた健康診断の結果を提出したものについても同様に保存している。

2．事業者は、運転者が軽症度の睡眠時無呼吸症候群（SAS）と診断された場合は、残業を控えるなど業務上での負荷の軽減や、睡眠時間を多く取る、過度な飲酒を控えるなどの生活習慣の改善によって、業務が可能な場合があるので、医師と相談して慎重に対応している。

3．常習的な飲酒運転の背景には、アルコール依存症という病気があるといわれている。この病気は専門医による早期の治療をすることにより回復が可能とされているが、一度回復しても飲酒することにより再発することがあるため、事業者は、アルコール依存症から回復した運転者に対しても飲酒に関する指導を行う必要がある。

4．運転者が運転中に安全運転の継続が困難となるような体調不良や異常を感じた場合、速やかに安全な場所に事業用自動車を停止させ、運行管理者に連絡し、指示を受けるよう指導している。また、交替運転者が配置されていない場合は、その後の運行再開の可否については、体調の状況を運転者が自ら判断し決定するよう指導している。

問27 交通事故防止対策に関する次の記述のうち、【適切なものをすべて】選びなさい。なお、解答にあたっては、各選択肢に記載されている事項以外は考慮しないものとする。

1．ドライブレコーダーは、事故時の映像だけでなく、運転者のブレーキ操作やハンドル操作などの運転状況を記録し、解析することにより運転のクセ等を読み取ることができるものがあり、運行管理者が行う運転者の安全運転の指導に活用されている。
2．前方の自動車を大型車と乗用車から同じ距離で見た場合、それぞれの視界や見え方が異なり、大型車の場合には運転席が高いため、車間距離をつめてもあまり危険に感じない傾向となるので、この点に注意して常に適正な車間距離をとるよう運転者を指導する必要がある。
3．四輪車を運転する場合、二輪車との衝突事故を防止するための注意点として、①二輪車は死角に入りやすいため、その存在に気づきにくく、また、②二輪車は速度が実際より速く感じたり、距離が近くに見えたりする特性がある。したがって、運転者に対してこのような点に注意するよう指導する必要がある。
4．自動車のハンドルを左に切り旋回した場合、左側の後輪が左側の前輪の軌跡に対し外側を通ることとなり、この前後輪の軌跡の差を内輪差という。大型車などホイールベースが長いほど内輪差が小さくなることから、運転者に対し、交差点での左折時には、内輪差による歩行者や自転車等との接触、巻き込み事故に注意するよう指導する必要がある。

問28 自動車の運転に関する次の記述のA、B、C、Dに入るべき字句として【いずれか正しいものを１つ】選びなさい。

1．自動車の夜間の走行時において、自車のライトと対向車のライトで、お互いの光が反射し合い、その間にいる歩行者や自転車が見えなくなることを［　A　］という。

2．自動車がカーブを走行するとき、自動車の重量及びカーブの半径が同一の場合に、速度を２分の１に落として走行すると遠心力の大きさは［　B　］になる。

3．長い下り坂などでフット・ブレーキを使い過ぎるとブレーキ・ドラムやブレーキ・ライニングなどが摩擦のため過熱することによりドラムとライニングの間の摩擦力が減り、制動力が低下することを［　C　］という。

4．自動車が衝突するときの衝撃力は、車両総重量が２倍になると［　D　］になる。

A：①　蒸発現象　　②　クリープ現象
B：①　４分の１　　②　２分の１
C：①　ベーパー・ロック現象　　②　フェード現象
D：①　２倍　　②　４倍

問29 改 荷主から貨物自動車運送事業者に対し、往路と復路において、それぞれ荷積みと荷卸しを行うよう運送の依頼があった。これを受けて運行管理者は下の図に示す運行計画を立てた。この運行に関する次の1～3の記述について、解答しなさい。なお、本運行は、高速道路のサービスエリア等に駐停車できないため、やむを得ず連続運転時間を延長できる場合には該当しない。また、本問では、荷積み及び荷卸しの時間は、運転中断の時間として扱うものとする。解答にあたっては<運行計画>及び各選択肢に記載されている事項以外は考慮しないものとする。

<運行計画>

A営業所を出庫し、B地点で荷積みし、E地点で荷卸し、休憩の後、戻りの便にて、F地点で再度荷積みし、G地点で荷卸しした後、A営業所に帰庫する行程とする。当該運行は、車両総重量8トン、最大積載量5トンの貨物自動車（トラック）を使用し、運転者1人乗務とする。

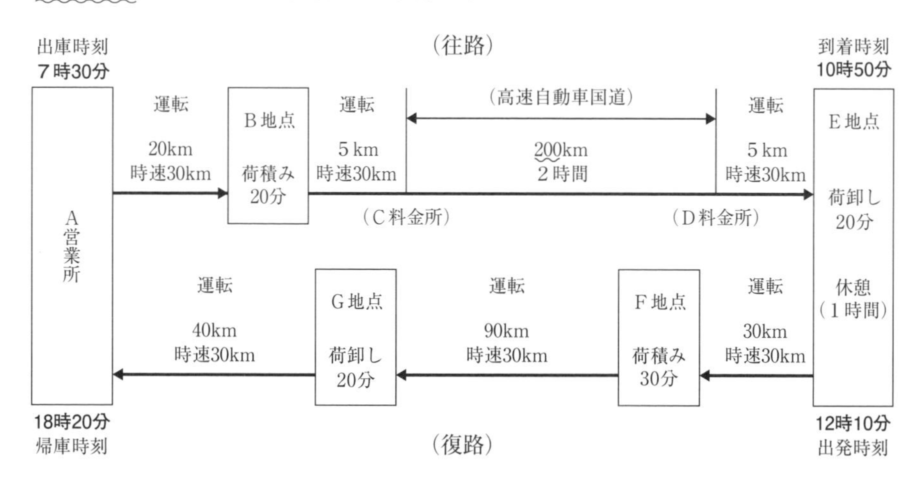

問29 次ページへ続く

1．C料金所からD料金所までの間の高速自動車国道の運転時間を、２時間と設定したことは、道路交通法令に定める制限速度に照らし適切か否かについて、【いずれか正しいものを１つ】選びなさい。

①　適切　　②　不適切

2．当該運転者の前日の運転時間は９時間20分であり、また、当該運転者の翌日の運転時間は９時間20分と予定した場合、当日を特定日とした場合の２日を平均した１日当たりの運転時間は、「自動車運転者の労働時間等の改善のための基準」（以下「改善基準告示」という。）に照らし、違反しているか否かについて、【いずれか正しいものを１つ】選びなさい。

①　違反している　　②　違反していない

3．当日の全運行において、連続運転時間は「改善基準告示」に照らし、違反しているか否かについて、【いずれか正しいものを１つ】選びなさい。

①　違反している　　②　違反していない

※改題している部分は、～～～線で示しています。なお、法改正により、運転中断の時間は、原則として「休憩」でなければなりませんが、特段の事情があれば、「荷役作業等の時間」も運転中断の時間とすることができることから、本問では、「荷積み」「荷卸し」の時間を運転中断の時間として扱うことで、出題当時のままの運行計画（C料金所からD料金所までの間の距離の変更を除く）としています。

問30 **改** 運行管理者が次の事業用普通トラックの事故報告に基づき、この事故の要因分析を行ったうえで、同種事故の再発を防止するための対策として、【最も直接的に有効と考えられる組合せを、下の選択肢（①～⑧）から１つ】選びなさい。なお、解答にあたっては、<事故の概要>及び<事故関連情報>に記載されている事項以外は考慮しないものとする。

<事故の概要>

当該トラックは、17時頃、霧で見通しの悪い高速道路を走行中、居眠り運転により渋滞車列の最後尾にいた乗用車に追突した。当該トラックは当該乗用車を中央分離帯に押し出したのち、前方の乗用車３台に次々と追突し、通行帯上に停止した。

この事故により、最初に追突された乗用車に乗車していた３人が死亡し、当該トラックの運転者を含む７人が重軽傷を負った。当時霧のため当該道路の最高速度は時速50キロメートルに制限されていたが、当該トラックは追突直前には時速80キロメートルで走行していた。

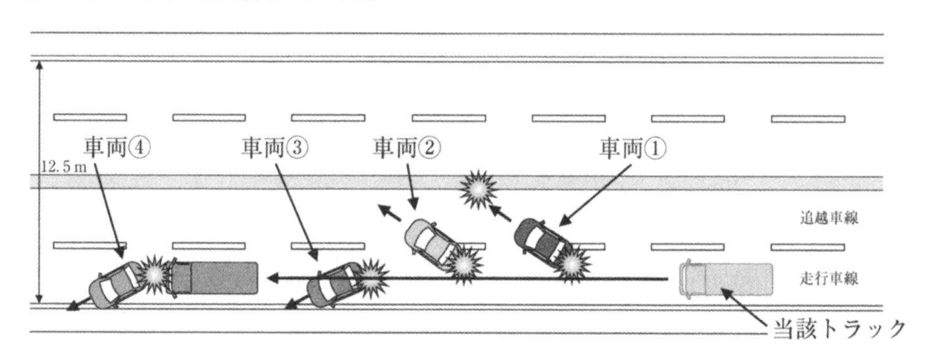

問30 次ページへ続く

<事故関連情報>

○　当該運転者は、事故日前日運行先に積雪があり、帰庫時間が5時間程度遅くなって業務を早朝5時に終了した。その後、事故当日の正午に業務前点呼を受け出庫した。

○　当該運転者は、事故日前1ヵ月間の勤務において、拘束時間及び休息期間について複数回の「自動車運転者の労働時間等の改善のための基準」（以下「改善基準告示」という。）違反があった。

○　当該運転者に対する業務前点呼はアルコール検知器を使用し対面で行われていたが、睡眠不足等の運転者の体調確認は行われていなかった。

○　当該営業所では、年度ごとの教育計画に基づき、所長自ら月1回ミーティングを実施していたが、交通事故を惹起した場合の社会的影響の大きさや、疲労などの生理的要因による交通事故の危険性などについて理解させる指導・教育が不足していた。

○　当該運転者は、採用後2年が経過していたが、初任運転者に対する適性診断を受診していなかった。

○　当該事業者は、年2回の定期健康診断の実施計画に基づき実施しており、当該運転者は、これらの定期健康診断を受診していた。

○　当該トラックは、法令で定められた日常点検及び定期点検を実施していた。また、速度抑制装置（スピードリミッター）が取り付けられていた。

<事故の再発防止対策>

ア　運行管理者は、運転者に対して、法定速度を遵守させるとともに、交通事故を惹起した場合の社会的影響の大きさや過労が運転に及ぼす危険性を認識させ、疲労や眠気を感じた場合は直ちに運転を中止し、休憩するよう指導を徹底する。

イ　事業者は、点呼の際に点呼実施者が不在にならないよう、適正な数の運行管理者又は補助者を配置するなど、運行管理を適切に実施するための体制を整備する。

ウ　運行管理者は、関係法令及び改善基準告示に違反しないよう、日頃から運転者の運行状況を確実に把握し、適切な乗務割を作成する。また、運転者に対しては、点呼の際適切な運行指示を行う。

エ　事業者は、自社の事業用自動車に衝突被害軽減ブレーキ装置の導入を促進する。その際、運転者に対し、当該装置の性能限界を正しく理解させ、装置に頼り過ぎた運転とならないように指導を行う。

オ　事業者は、運転者に対して、疾病が交通事故の要因となるおそれがあることを正しく理解させ、定期的な健康診断結果に基づき、自ら生活習慣の改善を図るなど、適切な心身の健康管理を行うことの重要性を理解させる。

カ　法令で定められた日常点検及び定期点検整備を確実に実施する。その際、速度抑制装置の正常な作動についても、警告灯により確認する。

キ　運行管理者は、点呼を実施する際、運転者の体調や疲労の蓄積などをきちんと確認し、疲労等により安全な運転を継続することができないおそれがあるときは、当該運転者を交替させる措置をとる。

ク　運行管理者は、法に定められた適性診断を、運転者に確実に受診させるとともに、その結果を活用し、個々の運転者の特性に応じた指導を行う。

①　ア・イ・エ・オ
②　ア・イ・カ・キ
③　ア・ウ・エ・キ
④　ア・ウ・オ・カ
⑤　イ・エ・キ・ク
⑥　イ・エ・カ・ク
⑦　ウ・オ・キ・ク
⑧　ウ・オ・カ・ク

※改題している部分は、＿＿線で示しています。

令和２年度 CBT試験出題例 運行管理者〈貨物〉試験

問題編

■注　意

※令和３年度第１回試験からCBT試験に全面移行しました。

①解答にあたっては、各問および各選択肢に記載された事項以外は、考慮しないものとしてください。
また、設問で求める数と異なる数の解答をしたもの、および複数の解答を求める問題で一部不正解のものは、正解としません。

②参考書・携帯電話（その他の通信機器を含む）および電卓その他計算機能があるすべてのものの使用を禁止します。

■合格基準

次の（１）および（２）を同時に満たす得点が必要です。

（１）原則として、総得点が満点の**60%**（30問中**18問**）**以上**

（２）**科目ごとに正解が１問以上**であり、「実務上の知識及び能力」については**正解が２問以上**

■試験時間

90分

1．貨物自動車運送事業法関係

問1 貨物自動車運送事業に関する次の記述のうち、【正しいものを２つ】選びなさい。なお、解答にあたっては、各選択肢に記載されている事項以外は考慮しないものとする。

1．貨物自動車運送事業とは、一般貨物自動車運送事業、特定貨物自動車運送事業及び貨物軽自動車運送事業をいう。
2．一般貨物自動車運送事業とは、特定の者の需要に応じ、有償で、自動車（三輪以上の軽自動車及び二輪の自動車を除く。）を使用して貨物を運送する事業をいう。
3．貨物軽自動車運送事業とは、他人の需要に応じ、有償で、自動車（三輪以上の軽自動車及び二輪の自動車に限る。）を使用して貨物を運送する事業をいう。
4．特別積合せ貨物運送とは、特定の者の需要に応じて有償で自動車を使用し、営業所その他の事業場（以下「事業場」という。）において、限定された貨物の集貨を行い、集貨された貨物を積み合わせて他の事業場に運送し、当該他の事業場において運送された貨物の配達に必要な仕分を行うものであって、これらの事業場の間における当該積合せ貨物の運送を定期的に行うものをいう。

問2 貨物自動車運送事業法に定める一般貨物自動車運送事業者の輸送の安全についての次の文中、A、B、Cに入るべき字句として【いずれか正しいものを1つ】選びなさい。

1．一般貨物自動車運送事業者は、事業用自動車の［ A ］、荷役その他の事業用自動車の運転に附帯する作業の状況等に応じて必要となる員数の運転者及びその他の従業員の確保、事業用自動車の運転者がその休憩又は睡眠のために利用することができる施設の整備及び管理、事業用自動車の運転者の適切な勤務時間及び［ B ］の設定その他事業用自動車の運転者の過労運転を防止するために必要な事項に関し国土交通省令で定める基準を遵守しなければならない。

2．一般貨物自動車運送事業者は、事業用自動車の運転者が疾病により安全な運転ができないおそれがある状態で事業用自動車を運転することを防止するために必要な［ C ］に基づく措置を講じなければならない。

A　1．種類　2．数

B　1．乗務時間　2．休息期間

C　1．医学的知見　2．運行管理規程

問3 次の記述のうち、一般貨物自動車運送事業の運行管理者の行わなければならない業務として、【誤っているものを1つ】選びなさい。なお、解答にあたっては、各選択肢に記載されている事項以外は考慮しないものとする。
改

1. 事業計画に従い業務を行うに必要な員数の事業用自動車の運転者又は特定自動運行保安員（以下「運転者等」という。）を常時選任しておくこと。
2. 運転者に対し、乗務を開始しようとするとき、法令に規定する乗務の途中及び乗務を終了したときは、法令の規定により、点呼を受け、報告をしなければならないことについて、指導及び監督を行うこと。
3. 法令の規定により、運転者として常時選任するために新たに雇い入れた者であって当該貨物自動車運送事業者において初めて事業用自動車に乗務する前3年間に初任診断（初任運転者のための適性診断として国土交通大臣が認定したもの）を受診したことがない者に対して、当該診断を受診させること。
4. 法令の規定により、運転者等に対して点呼を行い、報告を求め、確認を行い、及び指示を与え、並びに記録し、及びその記録を保存し、並びに運転者に対して使用する国土交通大臣が告示で定めるアルコール検知器を常時有効に保持すること。

※改題している部分は、～～～線で示しています。

問4 貨物自動車運送事業の事業用自動車の運転者に対する点呼についての法
改 令等の定めに関する次の記述のうち、【正しいものをすべて】選びなさい。なお、解答にあたっては、各選択肢に記載されている事項以外は考慮しないものとする。

1．業務前の点呼は、対面により、又は対面による点呼と同等の効果を有するものとして国土交通大臣が定める方法（運行上やむを得ない場合は電話その他の方法）により行い、①酒気帯びの有無、②疾病、疲労、睡眠不足その他の理由により安全な運転をすることができないおそれの有無、③道路運送車両法の規定による点検の実施又はその確認について報告を求め、及び確認を行い、並びに事業用自動車の運行の安全を確保するために必要な指示を与えなければならない。

2．業務後の点呼は、対面により、又は対面による点呼と同等の効果を有するものとして国土交通大臣が定める方法（運行上やむを得ない場合は電話その他の方法）により行い、当該業務に係る事業用自動車、道路及び運行の状況について報告を求め、かつ、酒気帯びの有無について確認を行わなければならない。この場合において、当該運転者が他の運転者と交替した場合にあっては、当該運転者が交替した運転者に対して行った法令の規定による通告についても報告を求めなければならない。

3．同一事業者内の全国貨物自動車運送適正化事業実施機関が認定している安全性優良事業所（Gマーク営業所）間でIT点呼を実施した場合、点呼簿に記録する内容を、IT点呼を受ける運転者が所属する営業所で記録、保存すれば、IT点呼を行う営業所で記録、保存することは要しない。

4．貨物自動車運送事業輸送安全規則第7条第4項（点呼等）に規定する「アルコール検知器を営業所ごとに備え」とは、営業所又は営業所の車庫に設置されているアルコール検知器をいい、携帯型アルコール検知器は、これにあたらない。

※改題している部分は、～～～線で示しています。

問5 改 次の自動車事故に関する記述のうち、一般貨物自動車運送事業者が自動車事故報告規則に基づき国土交通大臣への【報告を要するものを2つ】選びなさい。なお、解答にあたっては、各選択肢に記載されている事項以外は考慮しないものとする。

1. 事業用自動車の運転者がハンドル操作を誤り、当該事業用自動車が道路の側壁に衝突した。その衝撃により積載されていた消防法第2条第7項に規定する危険物である灯油の一部が道路に漏えいした。
2. 事業用自動車が右折の際、一般原動機付自転車と接触し、当該一般原動機付自転車が転倒した。この事故で、当該一般原動機付自転車の運転者に通院による30日間の医師の治療を要する傷害を生じさせた。
3. 事業用自動車が雨天時に緩い下り坂の道路を走行中、先頭を走行していた自動車が速度超過によりカーブを曲がりきれずにガードレールに衝突する事故を起こした。そこに当該事業用自動車を含む後続の自動車が止まりきれずに次々と衝突する事故となり、8台の自動車が衝突したが負傷者は生じなかった。
4. 高速自動車国道を走行中の事業用けん引自動車のけん引装置が故障し、事業用被けん引自動車と当該けん引自動車が分離した。

※改題している部分は、〰〰線で示しています。

問6 一般貨物自動車運送事業者（以下「事業者」という。）の過労運転等の防止等についての法令の定めに関する次の記述のうち、【誤っているものを1つ】選びなさい。なお、解答にあたっては、各選択肢に記載されている事項以外は考慮しないものとする。
改

1．事業者は、休憩又は睡眠のための時間及び勤務が終了した後の休息のための時間が十分に確保されるように、国土交通大臣が告示で定める基準に従って、運転者の勤務時間及び乗務時間を定め、当該運転者にこれらを遵守させなければならない。

2．事業者は、運転者が長距離運転又は夜間の運転に従事する場合であって、疲労等により安全な運転を継続することができないおそれがあるときは、あらかじめ、当該運転者と交替するための運転者を配置しておかなければならない。

3．事業者は、運行の途中において、運行の開始及び終了の地点及び日時に変更が生じた場合には、運行指示書の写しに当該変更の内容を記載し、これにより運転者又は特定自動運行保安員（以下「運転者等」という。）に対し電話その他の方法により当該変更の内容について適切な指示を行い、及び当該運転者等が携行している運行指示書に当該変更の内容を記載させなければならない。

4．特別積合せ貨物運送を行う事業者は、当該特別積合せ貨物運送に係る運行系統であって起点から終点までの距離が200キロメートルを超えるものごとに、所定の事項について事業用自動車の運行の業務に関する基準を定め、かつ、当該基準の遵守について乗務員等に対する適切な指導及び監督を行わなければならない。

※改題している部分は、＿＿線で示しています。

問7 一般貨物自動車運送事業者（以下「事業者」という。）の事業用自動車の運行の安全を確保するために、国土交通省告示に基づき運転者に対して行わなければならない指導監督及び特定の運転者に対して行わなければならない特別な指導に関する次の記述のうち、【誤っているものを１つ】選びなさい。なお、解答にあたっては、各選択肢に記載されている事項以外は考慮しないものとする。

1．事業者は、初任運転者に対する特別な指導について、当該事業者において初めて事業用自動車に乗務する前に実施すること。ただし、やむを得ない事情がある場合には、乗務を開始した後１ヵ月以内に実施すること。

2．事業者が行う初任運転者に対する特別な指導は、法令に基づき運転者が遵守すべき事項、事業用自動車の運行の安全を確保するために必要な運転に関する事項などについて、６時間以上実施するとともに、安全運転の実技について、15時間以上実施すること。

3．事業者は、事業用自動車の運行の安全を確保するために必要な運転の技術及び法令に基づき自動車の運転に関して遵守すべき事項等について、運転者に対する適切な指導及び監督をしなければならない。この場合においては、その日時、場所及び内容並びに指導及び監督を行った者及び受けた者を記録し、かつ、その記録を営業所において３年間保存すること。

4．事業者は、法令に基づき事業用自動車の運転者として常時選任するために新たに雇い入れた場合には、当該運転者について、自動車安全運転センターが交付する無事故・無違反証明書又は運転記録証明書等により、雇い入れる前の事故歴を把握し、事故惹起運転者に該当するか否かを確認すること。

問8 一般貨物自動車運送事業者（以下「事業者」という。）の運行管理者の選任等に関する次の記述のうち、【誤っているものを１つ】選びなさい。なお、解答にあたっては、各選択肢に記載されている事項以外は考慮しないものとする。

1．事業者は、事業用自動車（被けん引自動車を除く。）の運行を管理する営業所ごとに、当該営業所が運行を管理する事業用自動車の数を30で除して得た数（その数に１未満の端数があるときは、これを切り捨てるものとする。）に１を加算して得た数以上の運行管理者を選任しなければならない。

2．国土交通大臣は、運行管理者資格者証の交付を受けている者が、貨物自動車運送事業法若しくはこの法律に基づく命令又はこれらに基づく処分に違反したときは、その運行管理者資格者証の返納を命ずることができる。また、運行管理者資格者証の返納を命ぜられ、その日から５年を経過しない者に対しては、運行管理者資格者証の交付を行わないことができる。

3．事業者は、法令に規定する運行管理者資格者証を有する者又は国土交通大臣が告示で定める運行の管理に関する講習であって国土交通大臣の認定を受けたもの（基礎講習）を修了した者のうちから、運行管理者の業務を補助させるための者（補助者）を選任することができる。

4．事業者は、新たに選任した運行管理者に、選任届出をした日の属する年度（やむを得ない理由がある場合にあっては、当該年度の翌年度）に基礎講習又は一般講習（基礎講習を受講していない当該運行管理者にあっては、基礎講習）を受講させなければならない。ただし、他の事業者において運行管理者として選任されていた者にあっては、この限りでない。

2．道路運送車両法関係

問9 自動車の登録等についての次の記述のうち、【誤っているものを１つ】選びなさい。なお、解答にあたっては、各選択肢に記載されている事項以外は考慮しないものとする。

1．登録自動車は、自動車登録番号標を国土交通省令で定める位置に、かつ、被覆しないことその他当該自動車登録番号標に記載された自動車登録番号の識別に支障が生じないものとして国土交通省令で定める方法により表示しなければ、運行の用に供してはならない。
2．臨時運行の許可を受けた者は、臨時運行許可証の有効期間が満了したときは、その日から５日以内に、当該臨時運行許可証及び臨時運行許可番号標を当該行政庁に返納しなければならない。
3．登録自動車の使用者は、当該自動車が滅失し、解体し（整備又は改造のために解体する場合を除く。）、又は自動車の用途を廃止したときは、その事由があった日（使用済自動車の解体である場合には解体報告記録がなされたことを知った日）から15日以内に、当該自動車検査証を国土交通大臣に返納しなければならない。
4．登録自動車の所有者は、当該自動車の使用の本拠の位置に変更があったときは、道路運送車両法で定める場合を除き、その事由があった日から30日以内に、国土交通大臣の行う変更登録の申請をしなければならない。

問10 自動車（検査対象外軽自動車及び小型特殊自動車を除く。）の検査等について次の記述のうち、【正しいものを２つ】選びなさい。なお、解答にあたっては、各選択肢に記載されている事項以外は考慮しないものとする。

改

1．自動車は、指定自動車整備事業者が継続検査の際に交付した有効な保安基準適合標章を表示している場合であっても、自動車検査証を備え付けなければ、運行の用に供してはならない。
2．初めて自動車検査証の交付を受ける車両総重量8,990キログラムの貨物の運送の用に供する自動車については、当該自動車検査証の有効期間は１年である。
3．国土交通大臣は、一定の地域に使用の本拠の位置を有する自動車の使用者が、天災その他やむを得ない事由により、継続検査を受けることができないと認めるときは、当該地域に使用の本拠の位置を有する自動車の自動車検査証の有効期間を、期間を定めて伸長する旨を公示することができる。
4．自動車の使用者は、自動車の長さ、幅又は高さを変更したときは、道路運送車両法で定める場合を除き、その事由があった日から30日以内に、当該変更について、国土交通大臣が行う自動車検査証の変更記録を受けなければならない。

※改題している部分は、＿＿線で示しています。

問11 道路運送車両法に定める自動車の点検整備等に関する次の文中、A、B、C、Dに入るべき字句として【いずれか正しいもの】を選びなさい。

1．自動車運送事業の用に供する自動車の使用者又は当該自動車を運行する者は、[A]、その運行の開始前において、国土交通省令で定める技術上の基準により、自動車を点検しなければならない。

2．車両総重量８トン以上又は乗車定員30人以上の自動車の使用者は、スペアタイヤの取付状態等について、[B]ごとに国土交通省令で定める技術上の基準により自動車を点検しなければならない。

3．自動車の使用者は、自動車の点検及び整備等に関する事項を処理させるため、車両総重量８トン以上の自動車その他の国土交通省令で定める自動車であって国土交通省令で定める台数以上のものの使用の本拠ごとに、自動車の点検及び整備に関する実務の経験その他について国土交通省令で定める一定の要件を備える者のうちから、[C]を選任しなければならない。

4．地方運輸局長は、自動車の[D]が道路運送車両法第54条（整備命令等）の規定による命令又は指示に従わない場合において、当該自動車が道路運送車両の保安基準に適合しない状態にあるときは、当該自動車の使用を停止することができる。

A　①　１日１回　　②　必要に応じて
B　①　３ヵ月　　②　６ヵ月
C　①　安全統括管理者　　②　整備管理者
D　①　所有者　　②　使用者

問12 道路運送車両の保安基準及びその細目を定める告示についての次の記述のうち、【誤っているものを１つ】選びなさい。なお、解答にあたっては、各選択肢に記載されている事項以外は考慮しないものとする。

1．自動車の前面ガラス及び側面ガラス（告示で定める部分を除く。）は、フィルムが貼り付けられた場合、当該フィルムが貼り付けられた状態においても、透明であり、かつ、運転者が交通状況を確認するために必要な視野の範囲に係る部分における可視光線の透過率が70％以上であることが確保できるものでなければならない。

2．貨物の運送の用に供する普通自動車であって、車両総重量が７トン以上のものの後面には、所定の後部反射器を備えるほか、反射光の色、明るさ等に関し告示で定める基準に適合する大型後部反射器を備えなければならない。

3．自動車（法令に規定する自動車を除く。）の後面には、他の自動車が追突した場合に追突した自動車の車体前部が突入することを有効に防止することができるものとして、強度、形状等に関し告示で定める基準に適合する突入防止装置を備えなければならない。ただし、告示で定める構造の自動車にあっては、この限りでない。

4．自動車は、告示で定める方法により測定した場合において、長さ（セミトレーラにあっては、連結装置中心から当該セミトレーラの後端までの水平距離）12メートル（セミトレーラのうち告示で定めるものにあっては、13メートル）、幅2.6メートル、高さ3.8メートルを超えてはならない。

3．道路交通法関係

問13 道路交通法に定める車両の交通方法等についての次の記述のうち、【誤っているものを１つ】選びなさい。なお、解答にあたっては、各選択肢に記載されている事項以外は考慮しないものとする。

1．車両（自転車以外の軽車両を除く。）の運転者は、左折し、右折し、転回し、徐行し、停止し、後退し、又は同一方向に進行しながら進路を変えるときは、手、方向指示器又は灯火により合図をし、かつ、これらの行為が終わるまで当該合図を継続しなければならない。（環状交差点における場合を除く。）

2．一般乗合旅客自動車運送事業者による路線定期運行の用に供する自動車（以下「路線バス等」という。）の優先通行帯であることが道路標識等により表示されている車両通行帯が設けられている道路においては、自動車（路線バス等を除く。）は、路線バス等が後方から接近してきた場合に当該道路における交通の混雑のため当該車両通行帯から出ることができないこととなるときであっても、路線バス等が実際に接近してくるまでの間は、当該車両通行帯を通行することができる。

3．車両は、道路外の施設又は場所に出入するためやむを得ない場合において歩道等を横断するとき、又は法令の規定により歩道等で停車し、若しくは駐車するため必要な限度において歩道等を通行するときは、歩道等に入る直前で一時停止し、かつ、歩行者の通行を妨げないようにしなければならない。

4．貨物自動車運送事業の用に供する車両総重量8,500キログラムの自動車は、法令の規定によりその速度を減ずる場合及び危険を防止するためやむを得ない場合を除き、道路標識等により自動車の最低速度が指定されていない区間の高速自動車国道の本線車道（政令で定めるものを除く。）における最低速度は、時速50キロメートルである。

問14 道路交通法に定める停車及び駐車等についての次の記述のうち、【正しいものを２つ】選びなさい。なお、解答にあたっては、各選択肢に記載されている事項以外は考慮しないものとする。

1．車両は、道路工事が行なわれている場合における当該工事区域の側端から５メートル以内の道路の部分においては、駐車してはならない。

2．車両は、人の乗降、貨物の積卸し、駐車又は自動車の格納若しくは修理のため道路外に設けられた施設又は場所の道路に接する自動車用の出入口から５メートル以内の道路の部分においては、駐車してはならない。

3．車両は、公安委員会が交通がひんぱんでないと認めて指定した区域を除き、法令の規定により駐車する場合に当該車両の右側の道路上に５メートル（道路標識等により距離が指定されているときは、その距離）以上の余地がないこととなる場所においては、駐車してはならない。

4．車両は、消防用機械器具の置場若しくは消防用防火水槽の側端又はこれらの道路に接する出入口から５メートル以内の道路の部分においては、駐車してはならない。

問15 道路交通法に定める交通事故の場合の措置についての次の文中、A、B、Cに入るべき字句として【いずれか正しいものを1つ】選びなさい。

交通事故があったときは、当該交通事故に係る車両等の運転者その他の乗務員は、直ちに車両等の運転を停止して、[A]し、道路における危険を防止する等必要な措置を講じなければならない。この場合において、当該車両等の運転者（運転者が死亡し、又は負傷したためやむを得ないときは、その他の乗務員）は、警察官が現場にいるときは当該警察官に、警察官が現場にいないときは直ちに最寄りの警察署の警察官に当該交通事故が発生した日時及び場所、当該交通事故における[B]及び負傷者の負傷の程度並びに損壊した物及びその損壊の程度、当該交通事故に係る車両等の積載物並びに[C]を報告しなければならない。

A ① 事故状況を確認　② 負傷者を救護

B ① 死傷者の数　② 事故車両の数

C ① 当該交通事故について講じた措置　② 運転者の健康状態

問16 次に掲げる標識に関する次の記述のうち、【誤っているものを１つ】選びなさい。

1．大型貨物自動車、特定中型貨物自動車及び大型特殊自動車は、最も左側の車両通行帯を通行しなければならない。

「道路標識、区画線及び道路標示に関する命令」に定める様式
文字、記号及び縁を白色、地を青色とする。

2．車両は、指定された方向以外の方向に進行してはならない。

「道路標識、区画線及び道路標示に関する命令」に定める様式
文字及び記号を青色、斜めの帯及び枠を赤色、縁及び地を白色とする。

3．車両は、黄色又は赤色の灯火の信号にかかわらず左折することができる。

道路交通法施行規則　別記様式第１
矢印及びわくの色彩は青色、地の色彩は白色とする。

4．車両は、法令の規定若しくは警察官の命令により、又は危険を防止するため一時停止する場合のほか、８時から20時までの間は駐停車してはならない。

「道路標識、区画線及び道路標示に関する命令」に定める様式
斜めの帯及び枠を赤色、文字及び縁を白色、地を青色とする。

問17 道路交通法に定める運転者の遵守事項等についての次の記述のうち、【誤っているものを１つ】選びなさい。なお、解答にあたっては、各選択肢に記載されている事項以外は考慮しないものとする。

1．自動車を運転する場合においては、当該自動車が停止しているときを除き、携帯電話用装置（その全部又は一部を手で保持しなければ送信及び受信のいずれをも行うことができないものに限る。）を通話（傷病者の救護等のため当該自動車の走行中に緊急やむを得ずに行うものを除く。）のために使用してはならない。

2．免許証の更新を受けようとする者で更新期間が満了する日における年齢が70歳以上のもの（当該講習を受ける必要がないものとして法令で定める者を除く。）は、更新期間が満了する日前６ヵ月以内にその者の住所地を管轄する公安委員会が行った「高齢者講習」を受けていなければならない。

3．車両等に積載している物が道路に転落し、又は飛散したときは、必ず道路管理者に通報するものとし、当該道路管理者からの指示があるまでは、転落し、又は飛散した物を除去してはならない。

4．自動車の運転者は、故障その他の理由により高速自動車国道等の本線車道若しくはこれに接する加速車線、減速車線若しくは登坂車線又はこれらに接する路肩若しくは路側帯において当該自動車を運転することができなくなったときは、道路交通法施行令で定めるところにより、停止表示器材を後方から進行してくる自動車の運転者が見やすい位置に置いて、当該自動車が故障その他の理由により停止しているものであることを表示しなければならない。

4．労働基準法関係

問18 労働基準法（以下「法」という。）に定める労働契約についての次の記述のうち、【正しいものを２つ】選びなさい。なお、解答にあたっては、各選択肢に記載されている事項以外は考慮しないものとする。

1．使用者は、労働者が業務上負傷し、又は疾病にかかり療養のために休業する期間及びその後６週間並びに産前産後の女性が法第65条（産前産後）の規定によって休業する期間及びその後６週間は、解雇してはならない。

2．労働者が、退職の場合において、使用期間、業務の種類、その事業における地位、賃金又は退職の事由（退職の事由が解雇の場合にあっては、その理由を含む。）について証明書を請求した場合においては、使用者は、遅滞なくこれを交付しなければならない。

3．使用者は、労働者を解雇しようとする場合においては、法第20条の規定に基づき、少くとも14日前にその予告をしなければならない。14日前に予告をしない使用者は、14日分以上の平均賃金を支払わなければならない。

4．法第20条（解雇の予告）の規定は、法に定める期間を超えない限りにおいて、「日日雇い入れられる者」、「２ヵ月以内の期間を定めて使用される者」、「季節的業務に４ヵ月以内の期間を定めて使用される者」又は「試の使用期間中の者」のいずれかに該当する労働者については適用しない。

問19 労働基準法に定める労働時間及び休日等に関する次の記述のうち、【誤っているものを１つ】選びなさい。なお、解答にあたっては、各選択肢に記載されている事項以外は考慮しないものとする。

1．労働時間は、事業場を異にする場合においても、労働時間に関する規定の適用については通算する。
2．使用者は、労働時間が６時間を超える場合においては少くとも30分、８時間を超える場合においては少くとも45分の休憩時間を労働時間の途中に与えなければならない。
3．使用者は、労働者に対して、毎週少くとも１回の休日を与えなければならない。ただし、この規定は、４週間を通じ４日以上の休日を与える使用者については適用しない。
4．使用者は、その雇入れの日から起算して６ヵ月間継続勤務し全労働日の８割以上出勤した労働者に対して、継続し、又は分割した10労働日の有給休暇を与えなければならない。

問20 「自動車運転者の労働時間等の改善のための基準」に定める貨物自動車運送事業に従事する自動車運転者の拘束時間等に関する次の文中、A、B、C、Dに入るべき字句として【いずれか正しいものを１つ】選びなさい。

改

1．拘束時間は、１ヵ月について［A］を超えず、かつ、１年について［B］を超えないものとすること。ただし、労使協定により、１年について６ヵ月までは、１ヵ月について310時間まで延長することができ、かつ、１年について3,400時間まで延長することができるものとする。

2．１日（始業時刻から起算して24時間をいう。以下同じ。）についての拘束時間は、13時間を超えないものとし、当該拘束時間を延長する場合であっても、１日についての拘束時間の限度（最大拘束時間）は、［C］とすること。この場合において、１日についての拘束時間が［D］を超える回数をできるだけ少なくするよう努めるものとすること。

A：① 284時間　② 293時間

B：① 3,300時間　② 3,336時間

C：① 14時間　② 15時間

D：① 12時間　② 14時間

※改題している部分は、～～線で示しています。

問21 「自動車運転者の労働時間等の改善のための基準」（以下「改善基準告示」という。）において定める貨物自動車運送事業に従事する自動車運転者（以下「トラック運転者」という。）の拘束時間等に関する次の記述のうち、【正しいものを２つ】選びなさい。ただし、１人乗務で、隔日勤務には就いていない場合とする。なお、解答にあたっては、各選択肢に記載されている事項以外は考慮しないものとする。

改

1．使用者は、業務の必要上、トラック運転者に勤務（宿泊を伴う長距離貨物輸送に該当する場合を除く。）の終了後継続８時間以上の休息期間を与えることが困難な場合、一定の要件を満たすものに限り、当分の間、一定期間における全勤務回数の３分の２を限度に、休息期間を拘束時間の途中及び拘束時間の経過直後に分割して与えることができるものとする。

2．使用者は、トラック運転者の休息期間については、当該トラック運転者の住所地における休息期間がそれ以外の場所における休息期間より長くなるように努めるものとする。

3．使用者は、トラック運転者に労働基準法第35条の休日に労働させる場合は、当該労働させる休日は２週間について１回を超えないものとし、当該休日の労働によって改善基準告示第４条第１項に定める拘束時間及び最大拘束時間を超えないものとする。

4．使用者は、トラック運転者の連続運転時間（１回がおおむね連続５分以上で、かつ、合計が30分以上の運転の中断をすることなく連続して運転する時間をいう。）は、原則として、４時間を超えないものとすること。

※改題している部分は、＿＿線で示しています。

問22 下図は、貨物自動車運送事業に従事する自動車運転者（１人乗務で隔日勤務に就く運転者以外のもの。）の５日間の勤務状況の例を示したものであるが、次の１～４の拘束時間のうち、「自動車運転者の労働時間等の改善のための基準」等における１日についての拘束時間として、【正しいものを１つ】選びなさい。

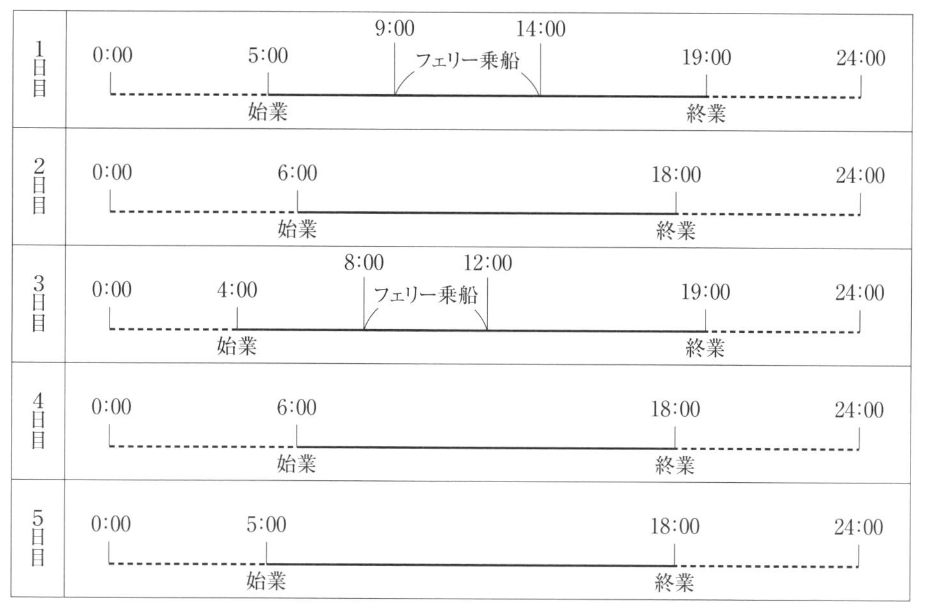

1．１日目： 9時間　２日目：12時間　３日目：15時間　４日目：12時間
2．１日目： 9時間　２日目：12時間　３日目：11時間　４日目：12時間
3．１日目： 9時間　２日目：14時間　３日目：11時間　４日目：13時間
4．１日目：14時間　２日目：14時間　３日目：15時間　４日目：13時間

問23 **改** 下表は、貨物自動車運送事業に従事する自動車運転者の１ヵ月の勤務状況の例を示したものであるが、「自動車運転者の労働時間等の改善のための基準」に定める拘束時間等に照らし、次の１～４の中から【違反している事項を１つ】選びなさい。なお、１人乗務とし、「１ヵ月についての拘束時間の延長に関する労使協定」があり、下表の１ヵ月は、当該協定により１ヵ月についての拘束時間を延長することができる月に該当するものとする。また、いずれの週においても、宿泊を伴う長距離貨物運送（１週間における運行が全て長距離貨物運送であり、かつ、一の運行における休息期間が、運転者の住所地以外の場所になる場合）には該当しないものとする。

		（起算日）1日	2日	3日	4日	5日	6日	7日	週の合計時間
第１週	各日の運転時間	6	7	5	7	9	8	休日	42
	各日の拘束時間	9	13	10	10	13	13		68

		8日	9日	10日	11日	12日	13日	14日	週の合計時間
第２週	各日の運転時間	5	6	8	8	10	9	休日	46
	各日の拘束時間	8	9	10	13	15	13		68

		15日	16日	17日	18日	19日	20日	21日	週の合計時間
第３週	各日の運転時間	4	5	4	9	10	9	休日	41
	各日の拘束時間	8	8	8	11	15	11		61

		22日	23日	24日	25日	26日	27日	28日	週の合計時間
第４週	各日の運転時間	9	10	5	6	5	6	休日	41
	各日の拘束時間	13	14	9	13	13	13		75

		29日	30日	31日	週の合計時間	１ヵ月（第１週～第５週）の合計時間
第５週	各日の運転時間	8	6	7	21	191
	各日の拘束時間	12	10	13	35	307

（注１）　２週間の起算日は１日とする。
（注２）　各労働日の始業時刻は午前８時とする。

1．１日の最大拘束時間
2．当該５週間のすべての日を特定日とした２日を平均した１日当たりの運転時間
3．２週間を平均した１週間当たりの運転時間
4．１ヵ月の拘束時間

※改題している部分は、＿＿＿線で示しています。

5．実務上の知識及び能力

問24 運行管理に関する次の記述のうち、【適切なものをすべて】選びなさい。
改 なお、解答にあたっては、各選択肢に記載されている事項以外は考慮しないものとする。

1．運行管理者は、自動車運送事業者の代理人として事業用自動車の輸送の安全確保に関する業務全般を行い、交通事故を防止する役割を担っている。したがって、事故が発生した場合には、自動車運送事業者に代わって責任を負うこととなる。
2．運行管理者は、運行管理業務に精通し、確実に遂行しなければならない。そのためにも自動車輸送に関連する諸規制を理解し、実務知識を身につけると共に、日頃から運転者と積極的にコミュニケーションを図り、必要な場合にあっては運転者の声を自動車運送事業者に伝え、常に安全で明るい職場環境を築いていくことも重要な役割である。
3．運行管理者は、業務開始及び業務終了後の運転者又は特定自動運行保安員（以下「運転者等」という。）に対し、原則、対面又は対面による点呼と同等の効果を有するものとして国土交通大臣が定める方法で点呼を実施しなければならないが、遠隔地で業務を開始又は終了する場合、車庫と営業所が離れている場合、又は運転者等の出庫・帰庫が早朝・深夜であり、点呼を行う運行管理者が営業所に出勤していない場合等、運行上やむを得ず、対面又は対面による点呼と同等の効果を有するものとして国土交通大臣が定める方法での点呼が実施できないときには、電話、その他の方法で行う必要がある。
4．運行管理者は、事業用自動車が運行しているときにおいては、運行管理業務に従事している必要がある。しかし、1人の運行管理者が毎日、24時間営業所に勤務することは不可能である。そのため自動車運送事業者は、複数の運行管理者を選任して交替制で行わせるか、又は、運行管理者の補助者を選任し、点呼の一部を実施させるなど、確実な運行管理業務を遂行させる必要がある。

※改題している部分は、＿＿＿線で示しています。

問25 一般貨物自動車運送事業者が事業用自動車の運転者に対して行う指導・監督に関する次の記述のうち、【適切なものをすべて】選びなさい。なお、解答にあたっては、各選択肢に記載されている事項以外は考慮しないものとする。

1. 時速36キロメートルで走行中の自動車を例に取り、運転者が前車との追突の危険を認知しブレーキ操作を行い、ブレーキが効きはじめるまでに要する空走時間を1秒間とし、ブレーキが効きはじめてから停止するまでに走る制動距離を8メートルとすると、当該自動車の停止距離は約13メートルとなるなど、危険が発生した場合でも安全に止まれるような速度と車間距離を保って運転するよう指導している。
2. 運転者は貨物の積載を確実に行い、積載物の転落防止や、転落させたときに危険を防止するために必要な措置をとることが遵守事項として法令で定められている。出発前に、スペアタイヤや車両に備えられている工具箱等も含め、車両に積載されているものが転落のおそれがないことを確認しなければならないことを指導している。
3. 運転者の目は、車の速度が速いほど、周辺の景色が視界から消え、物の形を正確に捉えることができなくなるため、周辺の危険要因の発見が遅れ、事故につながるおそれが高まることを理解させるよう指導している。
4. 飲酒により体内に摂取されたアルコールを処理するために必要な時間の目安については、例えばビール500ミリリットル（アルコール5％）の場合、概ね4時間とされている。事業者は、これを参考に個人差も考慮して、体質的にお酒に弱い運転者のみを対象として、飲酒が運転に及ぼす影響等について指導を行っている。

問26 事業用自動車の運転者の健康管理に関する次の記述のうち、【適切なものをすべて】選びなさい。なお、解答にあたっては、各選択肢に記載されている事項以外は考慮しないものとする。

1．事業者は、運転者が医師の診察を受ける際は、自身が職業運転者で勤務時間が不規則であることを伝え、薬を処方されたときは、服薬のタイミングと運転に支障を及ぼす副作用の有無について確認するよう指導している。
2．事業者は、法令により定められた健康診断を実施することが義務づけられているが、運転者が自ら受けた健康診断（人間ドックなど）において、法令で必要な定期健康診断の項目を充足している場合であっても、法定健診として代用することができない。
3．事業者は、健康診断の結果、運転者に心疾患の前兆となる症状がみられたので、当該運転者に医師の診断を受けさせた。その結果、医師より「直ちに入院治療の必要はないが、より軽度な勤務において経過観察することが必要」との所見が出されたが、繁忙期であったことから、運行管理者の判断で短期間に限り従来と同様の乗務を続けさせた。
4．平成29年中のすべての事業用自動車の乗務員に起因する重大事故報告件数は約2,000件であり、このうち、運転者の健康状態に起因する事故件数は約300件となっている。病名別に見てみると、心筋梗塞等の心臓疾患と脳内出血等の脳疾患が多く発生している。

問27 自動車の運転に関する次の記述のうち、【適切なものをすべて】選びなさい。なお、解答にあたっては、各選択肢に記載されている事項以外は考慮しないものとする。

1．運転中の車外への脇見だけでなく、車内にあるカーナビ等の画像表示用装置を注視したり、スマートフォン等を使用することによって追突事故等の危険性が増加することについて、日頃から運転者に対して指導する必要がある。
2．自動車がカーブを走行するとき、自動車の重量及びカーブの半径が同一の場合には、速度が2倍になると遠心力の大きさも2倍になることから、カーブを走行する場合の横転などの危険性について運転者に対し指導する必要がある。
3．自動車の夜間の走行時においては、自車のライトと対向車のライトで、お互いの光が反射し合い、その間にいる歩行者や自転車が見えなくなることがあり、これを蒸発現象という。蒸発現象は暗い道路で特に起こりやすいので、夜間の走行の際には十分注意するよう運転者に対し指導する必要がある。
4．四輪車を運転する場合、二輪車との衝突事故を防止するための注意点として、①二輪車は死角に入りやすいため、その存在に気づきにくく、また、②二輪車は速度が実際より遅く感じたり、距離が実際より遠くに見えたりする特性がある。したがって、運転者に対してこのような点に注意するよう指導する必要がある。

問28 交通事故防止対策に関する次の記述のうち、【適切なものをすべて】選びなさい。なお、解答にあたっては、各選択肢に記載されている事項以外は考慮しないものとする。

1．大型トラックの原動機に備えなければならない「速度抑制装置」とは、当該トラックが時速100キロメートルを超えて走行しないよう燃料の供給を調整し、かつ、自動車の速度の制御を円滑に行うためのものである。したがって、運行管理者はこの速度を考慮して運行の計画を立てる必要があり、運転者に対しては、速度抑制装置の機能等を理解させるとともに、追突事故の防止等安全運転に努めさせる必要がある。

2．指差呼称は、運転者の錯覚、誤判断、誤操作等を防止するための手段であり、信号や標識などを指で差し、その対象が持つ名称や状態を声に出して確認することをいうが、安全確認に重要な運転者の意識レベルは、個人差があるため有効な交通事故防止対策の手段となっていない。

3．交通事故の防止対策を効率的かつ効果的に講じていくためには、事故情報を多角的に分析し、事故実態を把握したうえで、①計画の策定、②対策の実施、③効果の評価、④対策の見直し及び改善、という一連の交通安全対策のPDCAサイクルを繰り返すことが重要である。

4．デジタル式運行記録計は、自動車の運行中、交通事故や急ブレーキ、急ハンドルなどにより当該自動車が一定以上の衝撃を受けると、その前後数十秒の映像などを記録する装置、または、自動車の運行中常時記録する装置であり、事故防止対策の有効な手段の一つとして活用されている。

問29 荷主から貨物自動車運送事業者に対し、往路と復路において、それぞれ荷積みと荷下ろしを行うよう運送の依頼があった。これを受けて運行管理者は下の図に示す運行計画を立てた。この運行に関する次の１～３の記述について、解答しなさい。なお、本運行は、高速道路のサービスエリア等に駐停車できないため、やむを得ず連続運転時間を延長できる場合には該当しない。また、本問では、荷積み及び荷下ろしの時間は、運転中断の時間として扱うものとする。解答にあたっては、<運行計画>及び各選択肢に記載されている事項以外は考慮しないものとする。

改

<運行計画>

Ｂ地点から、重量が5,500キログラムの荷物をＣ地点に運び、その後、戻りの便にて、Ｄ地点から5,250キログラムの荷物をＦ地点に運ぶ行程とする。当該運行は、最大積載量6,250キログラムの貨物自動車を使用し、運転者１人乗務とする。

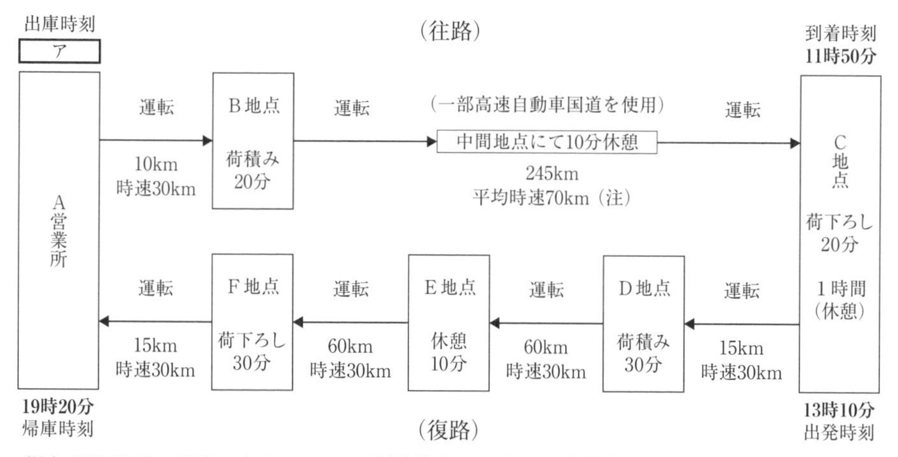

（注）平均時速の算出にあたっては、中間地点における10分休憩は含まれない。

問29 次ページへ続く

1．当該運行においてＣ地点に11時50分に到着させるためにふさわしいＡ営業所の出庫時刻［ア］について、次の①～③の中から【正しいものを１つ】選びなさい。

① ７時30分　② ７時40分　③ ７時50分

2．当該運転者は前日の運転時間が９時間10分であり、また、翌日の運転時間を９時間20分とした場合、当日を特定の日とした場合の２日を平均して１日当たりの運転時間が自動車運転者の労働時間等の改善のための基準告示（以下「改善基準告示」という。）に違反しているか否について、【正しいものを１つ】選びなさい。

① 違反していない　② 違反している

3．当日の全運行において、連続運転時間は「改善基準告示」に、違反しているか否かについて、【正しいものを１つ】選びなさい。

① 違反していない　② 違反している

※改題している部分は、～～～線で示しています。なお、法改正により、運転中断の時間は、原則として「休憩」でなければなりませんが、特段の事情があれば、「荷役作業等の時間」も運転中断の時間とすることができることから、本問では、「荷積み」「荷下ろし」の時間を運転中断の時間として扱うことで、出題当時のままの運行計画としています。

問30 運行管理者が運転者に対し実施する危険予知訓練に関し、下図の交通場面の状況において考えられる<運転者が予知すべき危険要因>とそれに対応する<運行管理者による指導事項>として、【最もふさわしい<選択肢の組み合わせ>１～10の中から３つ】選びなさい。

【交通場面の状況】
・住宅街の道路を走行している。
・前方に二輪車が走行している。
・右側の脇道から車や自転車が出ようとしている。
・前方の駐車車両の向こうに人影が見える。

1．<運転者が予知すべき危険要因>

① 二輪車を避けようとしてセンターラインをはみ出すと、対向車と衝突する危険がある。

② 駐車車両に進路を塞がれた二輪車が右に進路を変更してくることが予測されるので、このまま進行すると二輪車と衝突する危険がある。

③ 前方右側の脇道から左折しようとしている車の影に見える自転車が道路を横断してくると衝突する危険がある。

④ 後方の状況を確認せずに右側に進路変更をすると、後続の二輪車と接触する危険がある。

問30 次ページへ続く

⑤　駐車車両の先に歩行者が見えるが、この歩行者が道路を横断してくるとはねる危険がある。

2．<運行管理者による指導事項>

ア　住宅街を走行する際に駐車車両があるときは、その付近の歩行者の動きにも注意しスピードを落として走行する。

イ　単路でも、いつ前車が進路変更などのために減速や停止をするかわからないので、常に車間距離を保持しておく。

ウ　進路変更するときは、必ず後続車の有無を確認するとともに、後続車があるときは、決して強引な進路変更はしない。

エ　右側の脇道から自転車が出ようとしているので、周辺の交通状況を確認のうえ、脇道の自転車の動きに注意し走行する。仮に出てきた場合は先に行かせる。

オ　二輪車は、後方の確認をしないまま進路を変更することがよくあるので、二輪車を追い越そうとはせず先に行かせる。

3．<選択肢の組み合わせ>

1：①―イ

2：①―ウ

3：②―エ

4：②―オ

5：③―ア

6：③―エ

7：④―イ

8：④―オ

9：⑤―ア

10：⑤―ウ

令和２年度　第２回
運行管理者〈貨物〉試験

問題編

■注　意

※令和３年度第１回試験からCBT試験に全面移行しました。

①解答にあたっては、各問および各選択肢に記載された事項以外は、考慮しないものとしてください。
また、設問で求める数と異なる数の解答をしたもの、および複数の解答を求める問題で一部不正解のものは、正解としません。

②参考書・携帯電話（その他の通信機器を含む）および電卓その他計算機能があるすべてのものの使用を禁止します。

■合格基準

次の（１）および（２）を同時に満たす得点が必要です。

（１）原則として、総得点が満点の**60%**（30問中**18問**）**以上**

（２）**科目ごとに正解が１問以上**であり、「実務上の知識及び能力」については**正解が２問以上**

■試験時間

90分

1．貨物自動車運送事業法関係

問1 一般貨物自動車運送事業者（以下「事業者」という。）の事業計画の変
改 更に関する次の記述のうち、正しいものを２つ選び、解答用紙の該当する欄にマークしなさい。なお、解答にあたっては、各選択肢に記載されている事項以外は考慮しないものとする。

1．事業者は、「主たる事務所の名称及び位置」の事業計画の変更をしたときは、遅滞なくその旨を、国土交通大臣に届け出なければならない。
2．事業者は、「各営業所に配置する事業用自動車の種別ごとの数」の事業計画の変更をしたときは、遅滞なくその旨を、国土交通大臣に届け出なければならない。
3．事業者は、「自動車車庫の位置及び収容能力」の事業計画の変更をするときは、あらかじめその旨を、国土交通大臣に届け出なければならない。
4．事業者は、運賃及び料金（個人（事業として又は事業のために運送契約の当事者となる場合におけるものを除く。）を対象とするものに限る。）、運送約款その他国土交通省令で定める事項について、主たる事務所その他の営業所において公衆に見やすいように掲示するとともに、その事業の規模が著しく小さい場合その他の国土交通省令で定める場合を除き、国土交通省令で定めるところにより、電気通信回線に接続して行う自動公衆送信（公衆によって直接受信されることを目的として公衆からの求めに応じ自動的に送信を行うことをいい、放送又は有線放送に該当するものを除く。）により公衆の閲覧に供しなければならない。

※改題している部分は、～～～線で示しています。

問2 次の記述のうち、貨物自動車運送事業の運行管理者の行わなければならない業務として誤っているものを1つ選び、解答用紙の該当する欄にマークしなさい。なお、解答にあたっては、各選択肢に記載されている事項以外は考慮しないものとする。

改

1. 運転者又は特定自動運行保安員（以下「運転者等」という。）に対して、法令の規定により点呼を行い、報告を求め、確認を行い、及び指示をしたときは、運転者等ごとに点呼を行った旨、報告、確認及び指示の内容並びに法令で定める所定の事項を記録し、かつ、その記録を1年間保存すること。
2. 事業用自動車に係る事故が発生した場合には、法令の規定により「事故の発生場所」等の所定の事項を記録し、及びその記録を3年間保存すること。
3. 事業用自動車に備えられた非常信号用具及び消火器の取扱いについて、当該事業用自動車の乗務員等に対する適切な指導を行うこと。
4. 休憩又は睡眠のための時間及び勤務が終了した後の休息のための時間が十分に確保されるように、国土交通大臣が告示で定める基準に従って、運転者の勤務時間及び乗務時間を定め、当該運転者にこれらを遵守させること。

※改題している部分は、～～線で示しています。

問3 貨物自動車運送事業輸送安全規則に定める貨物自動車運送事業者の過労
改 運転等の防止についての次の文中、A、B、C、Dに入るべき字句としていずれか正しいものを１つ選び、解答用紙の該当する欄にマークしなさい。

1．一般貨物自動車運送事業者等は、事業計画に従い業務を行うに必要な員数の事業用自動車の運転者（以下「運転者」という。）又は特定自動運行保安員を常時選任しておかなければならず、この場合、選任する運転者及び特定自動運行保安員は、日々雇い入れられる者、［A］以内の期間を定めて使用される者又は試みの使用期間中の者（14日を超えて引き続き使用されるに至った者を除く。）であってはならない。

2．貨物自動車運送事業者は、運転者、特定自動運行保安員及び事業用自動車の運行の業務の補助に従事する従業員（以下「乗務員等」という。）が有効に利用することができるように、休憩に必要な施設を整備し、及び乗務員等に睡眠を与える必要がある場合にあっては睡眠に必要な施設を整備し、並びにこれらの施設を、［B］しなければならない。

3．貨物自動車運送事業者は、乗務員等の［C］に努め、疾病、疲労、睡眠不足その他の理由により安全に運行の業務を遂行し、又はその補助をすることができないおそれがある乗務員等を事業用自動車の運行の業務に従事させてはならない。

4．一般貨物自動車運送事業者等は、運転者が長距離運転又は夜間の運転に従事する場合であって、［D］により安全な運転を継続することができないおそれがあるときは、あらかじめ、当該運転者と交替するための運転者を配置しておかなければならない。

A ① 1ヵ月　② 2ヵ月
B ① 維持するための要員を確保　② 適切に管理し、及び保守
C ① 運転履歴の把握　② 健康状態の把握
D ① 疲労等　② 酒気帯び

※改題している部分は、〰〰線で示しています。

問4 貨物自動車運送事業の事業用自動車の運転者（以下「運転者」という。）

改 に対する点呼に関する次の記述のうち、正しいものをすべて選び、解答用紙の該当する欄にマークしなさい。なお、解答にあたっては、各選択肢に記載されている事項以外は考慮しないものとする。

1．業務前の点呼は、対面により、又は対面による点呼と同等の効果を有するものとして国土交通大臣が定める方法（運行上やむを得ない場合は電話その他の方法）により行わなければならない。

2．運転者が所属する営業所において、対面により業務前の点呼を行う場合は、法令の規定により酒気帯びの有無について、運転者の顔色、呼気の臭い、応答の声の調子等を目視等により確認するほか、当該営業所に備えられたアルコール検知器を用いて確認を行わなければならない。

3．２日間にわたる運行（１日目の業務が営業所以外の遠隔地で終了し、２日目の業務開始が１日目の業務を終了した地点となるもの。）については、１日目の業務後の点呼及び２日目の業務前の点呼のいずれも対面又は対面による点呼と同等の効果を有するものとして国土交通大臣が定める方法で行うことができないことから、２日目の業務については、業務前の点呼及び業務後の点呼（業務後の点呼は対面又は対面による点呼と同等の効果を有するものとして国土交通大臣が定める方法で行う。）のほかに、当該業務途中において少なくとも１回対面による点呼と同等の効果を有するものとして国土交通大臣が定める方法（この方法により点呼を行うことが困難である場合には、電話その他の方法）により点呼（中間点呼）を行わなければならない。

4．業務終了後の点呼においては、「道路運送車両法第47条の２第１項及び第２項の規定による点検（日常点検）の実施又はその確認」について報告を求め、及び確認を行わなければならない。

※改題している部分は、＿＿＿線で示しています。

問5 自動車事故に関する次の記述のうち、一般貨物自動車運送事業者が自動車事故報告規則に基づき運輸支局長等に速報を要するものを２つ選び、解答用紙の該当する欄にマークしなさい。なお、解答にあたっては、各選択肢に記載されている事項以外は考慮しないものとする。

1．事業用自動車の運転者が一般道路を走行中、ハンドル操作を誤り積載されたコンテナを落下させた。

2．事業用自動車が、交差点で信号待ちで停車していた乗用車の発見が遅れ、ブレーキをかける間もなく追突した。この事故で、当該事業用自動車の運転者が30日の医師の治療を要する傷害を負うとともに、追突された乗用車の運転者１人が死亡した。

3．事業用自動車が高速道路を走行中、前方に渋滞により乗用車が停止していることに気づくのが遅れ、追突事故を引き起こした。この事故で、乗用車に乗車していた５人が重傷（自動車事故報告規則で定める傷害をいう。）を負い、当該高速道路の通行が２時間禁止された。

4．消防法に規定する危険物である灯油を積載した事業用のタンク車が、運搬途中の片側１車線の一般道のカーブ路においてハンドル操作を誤り、転覆し、積み荷の灯油の一部がタンクから漏えいする単独事故を引き起こした。この事故で、当該タンク車の運転者が軽傷を負った。

問6 改 一般貨物自動車運送事業者（以下「事業者」という。）の事業用自動車の運行等の記録に関する次の記述のうち、誤っているものを1つ選び、解答用紙の該当する欄にマークしなさい。なお、解答にあたっては、各選択肢に記載されている事項以外は考慮しないものとする。

1．事業者は、法令の規定により運行指示書を作成した場合には、当該運行指示書及びその写しを、運行の終了の日から1年間保存しなければならない。

2．事業用自動車の運転者等の業務について、道路交通法に規定する交通事故若しくは自動車事故報告規則に規定する事故又は著しい運行の遅延その他の異常な事態が発生した場合にあっては、その概要及び原因を「業務の記録」に記録させ、かつ、その記録を1年間保存すること。

3．事業者は、特別積合せ貨物運送に係る運行系統に配置する事業用自動車に係る運転者等の業務について、運行記録計による記録を行わなければならない。

4．事業者が、貨物自動車運送事業輸送安全規則に定める「事故の記録」として記録しなければならない事故とは、死者又は負傷者を生じさせたものと定められており、物損事故については、当該記録をしなければならないものに該当しない。

※改題している部分は、＿＿＿線で示しています。

問7 改 次の記述のうち、一般貨物自動車運送事業者の事業用自動車の運転者（以下「運転者」という。）が遵守しなければならない事項として正しいものを２つ選び、解答用紙の該当する欄にマークしなさい。なお、解答にあたっては、各選択肢に記載されている事項以外は考慮しないものとする。

1．運転者は、①乗務を開始しようとするとき、②業務前及び業務後の点呼のいずれも対面又は対面による点呼と同等の効果を有するものとして国土交通大臣が定める方法で行うことができない乗務の途中、③乗務を終了したときは、法令に規定する点呼を受け、事業者に所定の事項について報告をすること。

2．運転者は、踏切を通過するときは変速装置を操作しないで通過しなければならず、また、事業用自動車の故障等により踏切内で運行不能となったときは、速やかに列車に対し適切な防護措置をとること。

3．運転者は、乗務を終了して他の運転者と交替するときは、交替する運転者に対し、当該乗務に係る事業用自動車、道路及び運行の状況について通告すること。この場合において、交替して乗務する運転者は、当該通告を受け、当該事業用自動車の制動装置、走行装置その他の重要な装置の機能について異常のおそれがあると認められる場合には、点検すること。

4．運転者は、運行指示書の作成を要する運行の途中において、運行の経路並びに主な経過地における発車及び到着の日時に変更が生じた場合には、営業所の運行指示書の写しをもって、運転者が携行している運行指示書への当該変更内容の記載を省略することができる。

※改題している部分は、～～～線で示しています。

問8 一般貨物自動車運送事業者（以下「事業者」という。）の貨物の積載等
改 に関する次の記述のうち、誤っているものを１つ選び、解答用紙の該当する欄にマークしなさい。なお、解答にあたっては、各選択肢に記載されている事項以外は考慮しないものとする。

1．事業者は、車両総重量が８トン以上又は最大積載量が５トン以上の普通自動車である事業用自動車の運行の業務に従事した場合にあっては、貨物の積載状況を当該業務を行った運転者等ごとに業務の記録をさせなければならない。

2．事業者は、事業用自動車に貨物を積載するときに偏荷重が生じないように積載するとともに、運搬中に荷崩れ等により事業用自動車から落下することを防止するため、貨物にロープ又はシートを掛けること等必要な措置を講じなければならないとされている。この措置を講じなければならないとされる事業用自動車は、車両総重量が８トン以上又は最大積載量が５トン以上のものに限られる。

3．事業者は、運送条件が明確でない運送の引受け、運送の直前若しくは開始以降の運送条件の変更、荷主の都合による集貨地点等における待機又は運送契約によらない附帯業務の実施に起因する運転者の過労運転又は過積載による運送その他の輸送の安全を阻害する行為を防止するため、荷主と密接に連絡し、及び協力して、適正な取引の確保に努めなければならない。

4．国土交通大臣は、事業者が過積載による運送を行ったことにより、貨物自動車運送事業法の規定による命令又は処分をする場合において、当該命令又は処分に係る過積載による運送が荷主の指示に基づき行われたことが明らかであると認められ、かつ、当該事業者に対する命令又は処分のみによっては当該過積載による運送の再発を防止することが困難であると認められるときは、当該荷主に対しても、当該過積載による運送の再発の防止を図るため適当な措置を執るべきことを勧告することができる。

※改題している部分は、～～～線で示しています。

2．道路運送車両法関係

問9 道路運送車両法の自動車の登録等についての次の記述のうち、誤っているものを１つ選び、解答用紙の該当する欄にマークしなさい。なお、解答にあたっては、各選択肢に記載されている事項以外は考慮しないものとする。

1．登録自動車について所有者の変更があったときは、新所有者は、その事由があった日から15日以内に、国土交通大臣の行う移転登録の申請をしなければならない。
2．登録自動車の所有者は、当該自動車が滅失し、解体し（整備又は改造のために解体する場合を除く。）、又は自動車の用途を廃止したときは、その事由があった日（使用済自動車の解体である場合には解体報告記録がなされたことを知った日）から15日以内に、永久抹消登録の申請をしなければならない。
3．自動車登録番号標及びこれに記載された自動車登録番号の表示は、国土交通省令で定めるところにより、自動車登録番号標を自動車の前面及び後面の任意の位置に確実に取り付けることによって行うものとする。
4．何人も、国土交通大臣若しくは封印取付受託者が取付けをした封印又はこれらの者が封印の取付けをした自動車登録番号標は、これを取り外してはならない。ただし、整備のため特に必要があるときその他の国土交通省令で定めるやむを得ない事由に該当するときは、この限りでない。

問10 道路運送車両法の自動車の検査等についての次の記述のうち、正しいものを２つ選び、解答用紙の該当する欄にマークしなさい。なお、解答にあたっては、各選択肢に記載されている事項以外は考慮しないものとする。

改

1．自動車運送事業の用に供する自動車は、自動車検査証を当該自動車又は当該自動車の所属する営業所に備え付けなければ、運行の用に供してはならない。

2．自動車は、その構造が、長さ、幅及び高さ並びに車両総重量（車両重量、最大積載量及び55キログラムに乗車定員を乗じて得た重量の総和をいう。）等道路運送車両法に定める事項について、国土交通省令で定める保安上又は公害防止その他の環境保全上の技術基準に適合するものでなければ、運行の用に供してはならない。

3．車両総重量８トン以上又は乗車定員30人以上の自動車の使用者は、スペアタイヤの取付状態等について、１ヵ月ごとに国土交通省令で定める技術上の基準により自動車を点検しなければならない。

4．自動車検査証の有効期間の起算日については、自動車検査証の有効期間が満了する日の１ヵ月前（離島に使用の本拠の位置を有する自動車を除く。）から当該期間が満了する日までの間に継続検査を行い、当該自動車検査証に係る有効期間を記録する場合は、当該自動車検査証の有効期間が満了する日の翌日とする。

※改題している部分は、＿＿線で示しています。

問11 道路運送車両法に定める自動車の点検整備等に関する次の文中、A、B、C、Dに入るべき字句としていずれか正しいものを１つ選び、解答用紙の該当する欄にマークしなさい。

1．事業用自動車の使用者は、自動車の点検をし、及び必要に応じ［　A　］をすることにより、当該自動車を道路運送車両の保安基準に適合するように維持しなければならない。

2．事業用自動車の使用者又は当該自動車を［　B　］する者は、１日１回、その［　C　］において、国土交通省令で定める技術上の基準により、自動車を点検しなければならない。

3．事業用自動車の使用者は、当該自動車について定期点検整備をしたときは、遅滞なく、点検整備記録簿に点検の結果、整備の概要等所定事項を記載して当該自動車に備え置き、その記載の日から［　D　］間保存しなければならない。

A　①　検査　　　　②　整備

B　①　運行　　　　②　管理

C　①　運行の開始前　②　運行の終了後

D　①　１年　　　　②　２年

問12 道路運送車両の保安基準及びその細目を定める告示についての次の記述のうち、誤っているものを１つ選び、解答用紙の該当する欄にマークしなさい。なお、解答にあたっては、各選択肢に記載されている事項以外は考慮しないものとする。

1．自動車（二輪自動車等を除く。）の空気入ゴムタイヤの接地部は滑り止めを施したものであり、滑り止めの溝は、空気入ゴムタイヤの接地部の全幅にわたり滑り止めのために施されている凹部（サイピング、プラットフォーム及びウエア・インジケータの部分を除く。）のいずれの部分においても1.6ミリメートル以上の深さを有すること。
2．乗用車等に備える事故自動緊急通報装置は、当該自動車が衝突等による衝撃を受ける事故が発生した場合において、その旨及び当該事故の概要を所定の場所に自動的かつ緊急に通報するものとして、機能、性能等に関し告示で定める基準に適合するものでなければならない。
3．貨物の運送の用に供する普通自動車であって、車両総重量が７トン以上のものの後面には、所定の後部反射器を備えるほか、反射光の色、明るさ等に関し告示で定める基準に適合する大型後部反射器を備えなければならない。
4．自動車に備えなければならない非常信号用具は、夜間150メートルの距離から確認できる赤色の灯光を発するものでなければならない。

3．道路交通法関係

問13 道路交通法に定める灯火及び合図等についての次の記述のうち、誤っているものを１つ選び、解答用紙の該当する欄にマークしなさい。なお、解答にあたっては、各選択肢に記載されている事項以外は考慮しないものとする。

1．車両の運転者が同一方向に進行しながら進路を左方又は右方に変えるときの合図を行う時期は、その行為をしようとする地点から30メートル手前の地点に達したときである。
2．車両の運転者が左折又は右折するときの合図を行う時期は、その行為をしようとする地点（交差点においてその行為をする場合にあっては、当該交差点の手前の側端）から30メートル手前の地点に達したときである。（環状交差点における場合を除く。）
3．車両は、トンネルの中、濃霧がかかっている場所その他の場所で、視界が高速自動車国道及び自動車専用道路においては200メートル、その他の道路においては50メートル以下であるような暗い場所を通行する場合及び当該場所に停車し、又は駐車している場合においては、前照灯、車幅灯、尾灯その他の灯火をつけなければならない。
4．停留所において乗客の乗降のため停車していた乗合自動車が発進するため進路を変更しようとして手又は方向指示器により合図をした場合においては、その後方にある車両は、その速度又は方向を急に変更しなければならないこととなる場合を除き、当該合図をした乗合自動車の進路の変更を妨げてはならない。

問14 道路交通法に定める停車及び駐車等についての次の記述のうち、正しいものを２つ選び、解答用紙の該当する欄にマークしなさい。なお、解答にあたっては、各選択肢に記載されている事項以外は考慮しないものとする。

1．車両は、人の乗降、貨物の積卸し、駐車又は自動車の格納若しくは修理のため道路外に設けられた施設又は場所の道路に接する自動車用の出入口から５メートル以内の道路の部分においては、駐車してはならない。

2．車両は、法令の規定により駐車しようとする場合には、当該車両の右側の道路上に３メートル（道路標識等により距離が指定されているときは、その距離）以上の余地があれば駐車してもよい。

3．車両は、交差点の側端又は道路の曲がり角から５メートル以内の道路の部分においては、法令の規定若しくは警察官の命令により、又は危険を防止するため一時停止する場合のほか、停車し、又は駐車してはならない。

4．車両は、踏切の前後の側端からそれぞれ前後に10メートル以内の道路の部分においては、法令の規定若しくは警察官の命令により、又は危険を防止するため一時停止する場合のほか、停車し、又は駐車してはならない。

問15 道路交通法に定める自動車の法定速度に関する次の文中、A、B、C、
改 Dに入るべき字句を下の枠内の選択肢（①～⑤）から選び、解答用紙の該当する欄にマークしなさい。

1．自動車の最高速度は、道路標識等により最高速度が指定されていない片側一車線の一般道路においては、［　A　］である。
2．自動車の最低速度は、法令の規定によりその速度を減ずる場合及び危険を防止するためやむを得ない場合を除き、道路標識等により自動車の最低速度が指定されていない区間の高速自動車国道の本線車道（政令で定めるものを除く。）においては、［　B　］である。
3．貸切バス（乗車定員47名）の最高速度は、道路標識等により最高速度が指定されていない高速自動車国道の本線車道（政令で定めるものを除く。）においては、［　C　］である。
4．トラック（車両総重量12,000キログラム、最大積載量8,000キログラムであって乗車定員３名）の最高速度は、道路標識等により最高速度が指定されていない高速自動車国道の本線車道（政令で定めるものを除く。）においては、［　D　］である。

①　時速40キロメートル	②　時速50キロメートル
③　時速60キロメートル	④　時速90キロメートル
⑤　時速100キロメートル	

※改題している部分は、～～～線で示しています。

問16 貨物自動車に係る道路交通法に定める乗車、積載及び過積載（車両に積載をする積載物の重量が法令による制限に係る重量を超える場合における当該積載。以下同じ。）等についての次の記述のうち、誤っているものを1つ選び、解答用紙の該当する欄にマークしなさい。なお、解答にあたっては、各選択肢に記載されている事項以外は考慮しないものとする。

改

1．自動車の使用者は、その者の業務に関し、自動車の運転者に対し、道路交通法第57条（乗車又は積載の制限等）第1項の規定に違反して政令で定める積載物の重量、大きさ又は積載の方法の制限を超えて積載をして運転することを命じ、又は自動車の運転者がこれらの行為をすることを容認してはならない。

2．車両（軽車両を除く。）の運転者は、当該車両について政令で定める乗車人員又は積載物の重量、大きさ若しくは積載の方法の制限を超えて乗車をさせ、又は積載をして車両を運転してはならない。ただし、当該車両の出発地を管轄する警察署長による許可を受けてもっぱら貨物を運搬する構造の自動車の荷台に乗車させる場合にあっては、当該制限を超える乗車をさせて運転することができる。

3．警察署長は、荷主が自動車の運転者に対し、過積載をして自動車を運転することを要求するという違反行為を行った場合において、当該荷主が当該違反行為を反復して行うおそれがあると認めるときは、内閣府令で定めるところにより、当該自動車の運転者に対し、当該過積載による運転をしてはならない旨を命ずることができる。

4．積載物の長さは、自動車（大型自動二輪車及び普通自動二輪車を除く。以下同じ。）の長さにその長さの10分の2の長さを加えたものを超えてはならず、積載の方法は、自動車の車体の前後から自動車の長さの10分の1の長さを超えてはみ出してはならない。

※改題している部分は、＿＿＿線で示しています。

問17 道路交通法に定める運転者及び使用者の義務等についての次の記述のうち、正しいものを２つ選び、解答用紙の該当する欄にマークしなさい。なお、解答にあたっては、各選択肢に記載されている事項以外は考慮しないものとする。

1．車両等の運転者は、児童、幼児等の乗降のため、道路運送車両の保安基準に関する規定に定める非常点滅表示灯をつけて停車している通学通園バスの側方を通過するときは、徐行して安全を確認しなければならない。

2．車両等の運転者は、高齢の歩行者でその通行に支障のあるものが通行しているときは、一時停止し、又は徐行して、その通行を妨げないようにしなければならない。

3．車両等に積載している物が道路に転落し、又は飛散したときは、必ず道路管理者に通報するものとし、当該道路管理者からの指示があるまでは、転落し、又は飛散した物を除去してはならない。

4．自動車の運転者は、故障その他の理由により高速自動車国道等の本線車道若しくはこれに接する加速車線、減速車線若しくは登坂車線（以下「本線車道等」という。）において当該自動車を運転することができなくなったときは、政令で定めるところにより、当該自動車が故障その他の理由により停止しているものであることを表示しなければならない。ただし、本線車道等に接する路肩若しくは路側帯においては、この限りでない。

4. 労働基準法関係

問18 労働基準法（以下「法」という。）の定めに関する次の記述のうち、誤っているものを１つ選び、解答用紙の該当する欄にマークしなさい。なお、解答にあたっては、各選択肢に記載されている事項以外は考慮しないものとする。

1. 平均賃金とは、これを算定すべき事由の発生した日以前３ヵ月間にその労働者に対し支払われた賃金の総額を、その期間の総日数で除した金額をいう。
2. 法で定める労働条件の基準は最低のものであるから、労働関係の当事者は、当事者間の合意がある場合を除き、この基準を理由として労働条件を低下させてはならないことはもとより、その向上を図るように努めなければならない。
3. 労働者が、退職の場合において、使用期間、業務の種類、その事業における地位、賃金又は退職の事由（退職の事由が解雇の場合にあっては、その理由を含む。）について証明書を請求した場合においては、使用者は、遅滞なくこれを交付しなければならない。
4. 使用者は、労働者の国籍、信条又は社会的身分を理由として、賃金、労働時間その他の労働条件について、差別的取扱をしてはならない。

問19 労働基準法（以下「法」という。）に定める労働時間及び休日等に関する次の記述のうち、誤っているものを１つ選び、解答用紙の該当する欄にマークしなさい。なお、解答にあたっては、各選択肢に記載されている事項以外は考慮しないものとする。

1．使用者は、当該事業場に、労働者の過半数で組織する労働組合がある場合においてはその労働組合、労働者の過半数で組織する労働組合がない場合においては労働者の過半数を代表する者との書面による協定をし、これを行政官庁に届け出た場合においては、法定労働時間又は法定休日に関する規定にかかわらず、その協定で定めるところによって労働時間を延長し、又は休日に労働させることができる。

2．使用者は、災害その他避けることのできない事由によって、臨時の必要がある場合においては、行政官庁の許可を受けて、その必要の限度において法に定める労働時間を延長し、又は休日に労働させることができる。ただし、事態急迫のために行政官庁の許可を受ける暇がない場合においては、事後に遅滞なく届け出なければならない。

3．使用者は、２週間を通じ４日以上の休日を与える場合を除き、労働者に対して、毎週少なくとも２回の休日を与えなければならない。

4．使用者が、法の規定により労働時間を延長し、又は休日に労働させた場合においては、その時間又はその日の労働については、通常の労働時間又は労働日の賃金の計算額の２割５分以上５割以下の範囲内でそれぞれ政令で定める率以上の率で計算した割増賃金を支払わなければならない。

問20 「自動車運転者の労働時間等の改善のための基準」（以下「改善基準告示」という。）に定める貨物自動車運送事業に従事する自動車運転者（以下「トラック運転者」という。）の拘束時間等についての次の文中、A、B、C、Dに入るべき字句としていずれか正しいものを１つ選び、解答用紙の該当する欄にマークしなさい。

改

1．労使当事者は、時間外労働協定においてトラック運転者に係る一定期間についての延長時間について協定するに当たっては、当該一定期間は、［ A ］及び［ B ］以内の一定の期間とするものとする。

記述１の内容は、改善基準告示の改正により、時間外労働協定に関する規定が変更されたため、不成立となります。

2．使用者は、トラック運転者に労働基準法第35条の休日に労働させる場合は、当該労働させる休日は［ C ］について［ D ］を超えないものとし、当該休日の労働によって改善基準告示第４条第１項に定める拘束時間及び最大拘束時間を超えないものとする。

	①	②
A	2週間	4週間
B	1ヵ月以上3ヵ月	3ヵ月以上6ヵ月
C	2週間	4週間
D	1回	2回

※改題している部分は、～～～線で示しています。

問21 「自動車運転者の労働時間等の改善のための基準」に定める貨物自動車運送事業に従事する自動車運転者（以下「トラック運転者」という。）の拘束時間等に関する次の記述のうち、正しいものを２つ選び、解答用紙の該当する欄にマークしなさい。なお、解答にあたっては、各選択肢に記載されている事項以外は考慮しないものとする。
改

1. 拘束時間とは、始業時間から終業時間までの時間で、休憩時間を除く労働時間の合計をいう。
2. 使用者は、トラック運転者の休息期間については、当該トラック運転者の住所地における休息期間がそれ以外の場所における休息期間より長くなるように努めるものとする。
3. 連続運転時間（１回がおおむね連続10分以上で、かつ、合計が30分以上の運転の中断をすることなく連続して運転する時間をいう。）は、原則として、４時間を超えないものとする。
4. 使用者は、業務の必要上、トラック運転者（１人乗務の場合）に勤務（宿泊を伴う長距離貨物輸送に該当する場合を除く。）の終了後継続８時間以上の休息期間を与えることが困難な場合、一定の要件を満たすものに限り、当分の間、一定期間における全勤務回数の２分の１を限度に、休息期間を拘束時間の途中及び拘束時間の経過直後に分割して与えることができるものとする。

※改題している部分は、＿＿線で示しています。

問22 改 下図は、貨物自動車運送事業に従事する自動車運転者の１週間の勤務状況の例を示したものであるが、「自動車運転者の労働時間等の改善のための基準」（以下「改善基準告示」という。）に定める拘束時間等に関する次の記述のうち、誤っているものを１つ選び、解答用紙の該当する欄にマークしなさい。ただし、すべて１人乗務の場合とする。なお、本運行は、宿泊を伴う長距離貨物運送（１週間における運行が全て長距離貨物運送であり、かつ、一の運行における休息期間が、運転者の住所地以外の場所になる場合）には該当しないものとする。また、解答にあたっては、下図に示された内容及び各選択肢に記載されている事項以外は考慮しないものとする。

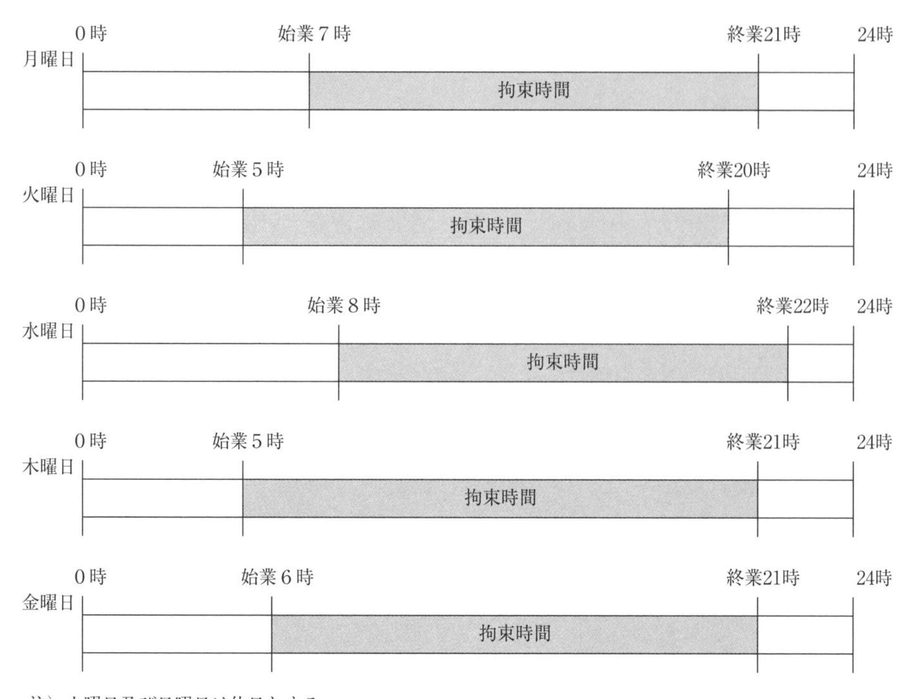

注）土曜日及び日曜日は休日とする。

問22　次ページへ続く

1．１日についての拘束時間が改善基準告示に定める最大拘束時間に違反する勤務がある。
2．勤務終了後の休息期間が改善基準告示に違反するものがある。
3．１日についての拘束時間が14時間を超えることができる１週間についての回数は、改善基準告示における目安に違反している。
4．木曜日に始まる勤務の１日についての拘束時間は、この１週間の勤務の中で１日についての拘束時間が最も長い。

※改題している部分は、＿＿＿線で示しています。

問23 下表は、貨物自動車運送事業に従事する自動車運転者の5日間の運転時間の例を示したものであるが、5日間すべての日を特定日とした2日を平均し1日当たりの運転時間が「自動車運転者の労働時間等の改善のための基準」に違反しているものをすべて選び、解答用紙の該当する欄にマークしなさい。

1.

	休日	1日目	2日目	3日目	4日目	5日目	休日
運転時間	−	10時間	7時間	11時間	10時間	8時間	−

2.

	休日	1日目	2日目	3日目	4日目	5日目	休日
運転時間	−	7時間	8時間	9時間	10時間	9時間	−

3.

	休日	1日目	2日目	3日目	4日目	5日目	休日
運転時間	−	8時間	9時間	10時間	9時間	8時間	−

4.

	休日	1日目	2日目	3日目	4日目	5日目	休日
運転時間	−	10時間	9時間	9時間	9時間	10時間	−

5．実務上の知識及び能力

問24 改 貨物自動車運送事業の事業用自動車の運転者に対する点呼の実施等に関する次の記述のうち、適切なものには解答用紙の「適」の欄に、適切でないものには解答用紙の「不適」の欄にマークしなさい。なお、解答にあたっては、各選択肢に記載されている事項以外は考慮しないものとする。

1．運行管理者は、業務開始及び業務終了後の運転者に対し、原則、対面又は対面による点呼と同等の効果を有するものとして国土交通大臣が定める方法で点呼を実施しなければならないが、遠隔地で業務を開始又は終了する場合、車庫と営業所が離れている場合、又は運転者の出庫・帰庫が早朝・深夜であり、点呼を行う運行管理者が営業所に出勤していない場合等、運行上やむを得ず、対面での点呼が実施できないときには、電話、その他の方法で行っている。

2．３日間にわたる事業用トラックの運行で、２日目は業務前及び業務後の点呼を対面又は対面による点呼と同等の効果を有するものとして国土交通大臣が定める方法で行うことができない業務のため、携帯電話による業務前及び業務後の点呼を実施するほか、業務の途中において、法令に定める所定の方法による中間点呼を１回実施した。

3．同一の事業者内の輸送の安全の確保に関する取組が優良であると認められる営業所において、Ａ営業所とＢ営業所間で実施するIT点呼については、１営業日のうち連続する18時間以内としている。

4．業務前の点呼においてアルコール検知器を使用するのは、身体に保有している酒気帯びの有無を確認するためのものであり、道路交通法施行令で定める呼気中のアルコール濃度１リットル当たり0.15ミリグラム以上であるか否かを判定するためのものではない。

※改題している部分は、〰〰線で示しています。

問25 一般貨物自動車運送事業者が事業用自動車の運転者に対して行う指導・監督に関する次の記述のうち、適切なものをすべて選び、解答用紙の該当する欄にマークしなさい。なお、解答にあたっては、各選択肢に記載されている事項以外は考慮しないものとする。

1．自動車が追越しをするときは、前の自動車の走行速度に応じた追越し距離、追越し時間が必要になるため、前の自動車と追越しをする自動車の速度差が大きい場合には追越しに長い時間と距離が必要になることから、無理な追越しをしないよう指導した。

2．ある運転者が、昨年今年と連続で追突事故を起こしたので、運行管理者は、ドライブレコーダーの映像等をもとに事故の原因を究明するため、専門的な知識及び技術を有する外部機関に事故分析を依頼し、その結果に基づき指導した。

3．１人ひとりの運転者が行う日常点検や運転行動、または固縛作業は、慣れとともに、各動作を漫然と行ってしまうことがある。その行動や作業を確実に実施させるために、「指差呼称」や「安全呼称」を習慣化することで事故防止に有効であるという意識を根付かせるよう指導した。

4．平成30年中に発生した事業用トラックによる人身事故のうち、追突事故が最も多く全体の約５割を占めており、このうち昼間の時間での追突事故が多く発生している。追突事故を防止するために、適正な車間距離の確保や前方不注意の危険性等に関し指導した。

問26 事業用自動車の運転者の健康管理に関する次の記述のうち、適切なものには解答用紙の「適」の欄に、適切でないものには解答用紙の「不適」の欄にマークしなさい。なお、解答にあたっては、各選択肢に記載されている事項以外は考慮しないものとする。

1．事業者は、深夜業（22時～5時）を含む業務に常時従事する運転者に対し、法令に定める定期健康診断を6ヵ月以内ごとに1回、必ず、定期的に受診させるようにしている。
2．一部の運転者から、事業者が指定する医師による定期健康診断ではなく他の医師による当該健康診断に相当する健康診断を受診し、その結果を証明する書面を提出したい旨の申し出があったが、事業者はこの申し出を認めなかった。
3．事業者は、脳血管疾患の予防のため、運転者の健康状態や疾患につながる生活習慣の適切な把握・管理に努めるとともに、法令により義務づけられている定期健康診断において脳血管疾患を容易に発見することができることから、運転者に確実に受診させている。
4．事業者は、運転者が軽症度の睡眠時無呼吸症候群（SAS）と診断された場合は、残業を控えるなど業務上での負荷の軽減や、睡眠時間を多く取る、過度な飲酒を控えるなどの生活習慣の改善によって、業務が可能な場合があるので、医師と相談して慎重に対応している。

問27 交通事故防止対策に関する次の記述のうち、適切なものには解答用紙の「適」の欄に、適切でないものには解答用紙の「不適」の欄にマークしなさい。なお、解答にあたっては、各選択肢に記載されている事項以外は考慮しないものとする。

1．交通事故は、そのほとんどが運転者等のヒューマンエラーにより発生するものである。したがって、事故惹起運転者の社内処分及び再教育に特化した対策を講ずることが、交通事故の再発を未然に防止するには最も有効である。そのためには、発生した事故の要因の調査・分析を行うことなく、事故惹起運転者及び運行管理者に対する特別講習を確実に受講させる等、ヒューマンエラーの再発防止を中心とした対策に努めるべきである。
2．ドライブレコーダーは、事故時の映像だけでなく、運転者のブレーキ操作やハンドル操作などの運転状況を記録し、解析することにより運転のクセ等を読み取ることができるものがあり、運行管理者が行う運転者の安全運転の指導に活用されている。
3．いわゆる「ヒヤリ・ハット」とは、運転者が運転中に他の自動車等と衝突又は接触するおそれなどがあったと認識した状態をいい、1件の重大な事故（死亡・重傷事故等）が発生する背景には多くのヒヤリ・ハットがあるとされており、このヒヤリ・ハットを調査し減少させていくことは、交通事故防止対策に有効な手段となっている。
4．適性診断は、運転者の運転能力、運転態度及び性格等を客観的に把握し、運転の適性を判定することにより、運転に適さない者を運転者として選任しないようにするためのものであり、ヒューマンエラーによる交通事故の発生を未然に防止するための有効な手段となっている。

問28 自動車の運転の際に車に働く自然の力等に関する次の文中、Ａ、Ｂ、Ｃに入るべき字句としていずれか正しいものを１つ選び、解答用紙の該当する欄にマークしなさい。

1．同一速度で走行する場合、カーブの半径が［　Ａ　］ほど遠心力は大きくなる。
2．まがり角やカーブでハンドルを切った場合、自動車の速度が２倍になると遠心力は［　Ｂ　］になる。
3．自動車が衝突するときの衝撃力は、車両総重量が２倍になると［　Ｃ　］になる。

Ａ　①　小さい　　②　大きい
Ｂ　①　２倍　　②　４倍
Ｃ　①　２倍　　②　４倍

問29 荷主から下の運送依頼を受けて、A営業所の運行管理者が次のとおり運行の計画を立てた。この計画に関するア〜イについて解答しなさい。なお、解答にあたっては、＜運行の計画＞及び各選択肢に記載されている事項以外は考慮しないものとする。

＜荷主からの運送依頼＞

B工場で重量が3,000キログラムの電化製品を積み、各拠点（F地点、H地点）の配送先まで運送する。

＜運行の計画＞

○　次の運行経路図に示された経路に従い運行する。

○　道路標識等により最高速度が指定されていない高速自動車国道（高速自動車国道法に規定する道路。以下「高速道路」という。）のC料金所とD料金所間（走行距離135キロメートル）を、運転の中断をすることなく1時間30分で走行する。

○　F地点とG地点間の道路にはが、G地点とH地点間の道路にはの道路標識が設置されているので、これらを勘案して通行可能な事業用自動車を配置する。

（道路標識は、「文字及び記号を青色、斜めの帯及び枠を赤色、縁及び地を白色とする。」）

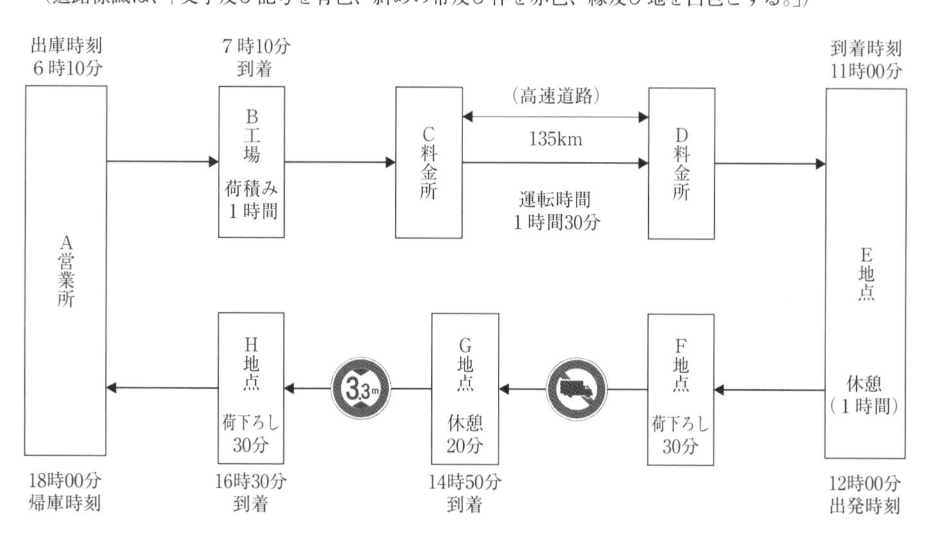

ア　当該運行に適した車両として、次の１～３の事業用自動車の中から正しいものを１つ選び、解答用紙の該当する欄にマークしなさい。

事業用自動車	乗車定員（人）	車両重量（kg）	最大積載量（kg）	車両総重量（kg）	自動車の大きさ（m）		
					長さ	幅	高さ
1	2	8,600	11,200	19,910	11.99	2.49	3.14
2	2	4,270	6,300	10,680	8.18	2.45	3.07
3	2	3,760	3,500	7,370	7.16	2.43	3.00

イ　高速道路のＣ料金所とＤ料金所間の運転時間を１時間30分としたことについて、次の１～２の中から正しいものを１つ選び、解答用紙の該当する欄にマークしなさい。

１．適切

２．不適切

問30 貨物自動車運送事業者の運行管理者は複数の荷主からの運送依頼を受け

改 て、下のとおり4日にわたる運行計画を立てた。この運行に関する、次の1～3の運行管理者の判断について、正しいものをすべて選び、解答用紙の該当する欄にマークしなさい。なお、本運行は、宿泊を伴う長距離貨物運送（1週間における運行が全て長距離貨物運送であり、かつ、一の運行における休息期間が、運転者の住所地以外の場所になる場合）には該当しないものとする。また、本問では、荷積み及び荷下ろしの時間は、運転中断の時間として扱うものとする。解答にあたっては、＜4日にわたる運行計画＞及び各選択肢に記載されている事項以外は考慮しないものとする。

＜4日にわたる運行計画＞

前日	当該運行の前日は、この運行を担当する運転者は、休日とする。

始業時刻 5時00分　出庫時刻 5時30分　　到着時刻 21時45分　終業時刻 22時00分

1日目	業務前点呼等	運転	荷積み	運転	フェリー乗船	運転	休憩	運転	荷下ろし	運転	業務後点呼等	宿泊所
	30分	1時間	1時間	3時間	4時間	3時間	30分	2時間	45分	1時間	15分	

始業時刻 4時00分　出庫時刻 4時30分　　到着時刻 17時15分　終業時刻 17時30分

2日目	業務前点呼等	運転	荷積み	運転	休憩	運転	中間点呼休憩	運転	荷下ろし	運転	業務後点呼等	宿泊所
	30分	1時間	1時間	2時間	15分	2時間30分	1時間	2時間30分	1時間	1時間30分	15分	

始業時刻 4時00分　出庫時刻 4時30分　　到着時刻 17時15分　終業時刻 17時30分

3日目	業務前点呼等	運転	荷積み	運転	休憩	運転	中間点呼休憩	運転	荷下ろし	運転	業務後点呼等	宿泊所
	30分	1時間	1時間	2時間	15分	2時間30分	1時間	2時間30分	1時間	1時間30分	15分	

始業時刻 6時00分　出庫時刻 6時30分　　到着時刻 18時45分　終業時刻 19時00分

4日目	業務前点呼等	運転	荷積み	運転	休憩	運転	休憩	運転	荷下ろし	運転	業務後点呼等
	30分	1時間	1時間	3時間	1時間	2時間	15分	2時間	1時間	1時間	15分

翌日	当該運行の翌日は、この運行を担当する運転者は、休日とする。

問30 次ページへ続く

1．１人乗務とした場合、１日についての最大拘束時間及び休息期間が「自動車運転者の労働時間等の改善のための基準」（以下「改善基準告示」という。）に違反すると判断して、当該運行には交替運転者を配置する。

2．１人乗務とした場合、すべての日を特定の日とした場合の２日を平均して１日当たりの運転時間が改善基準告示に違反すると判断して、当該運行には交替運転者を配置する。

3．１人乗務とした場合、連続運転時間が改善基準告示に違反すると判断して、当該運行には交替運転者を配置する。

※改題している部分は、　　　線で示しています。なお、法改正により、運転中断の時間は、原則として「休憩」でなければなりませんが、特段の事情があれば、「荷役作業等の時間」も運転中断の時間とすることができることから、本問では、「荷積み」「荷下ろし」の時間を運転中断の時間として扱うことで、出題当時のままの運行計画としています。

令和２年度　第１回
運行管理者〈貨物〉試験

問題編

■注　意

※令和３年度第１回試験からCBT試験に全面移行しました。

①解答にあたっては、各問および各選択肢に記載された事項以外は、考慮しないものとしてください。
　また、設問で求める数と異なる数の解答をしたもの、および複数の解答を求める問題で一部不正解のものは、正解としません。

②参考書・携帯電話（その他の通信機器を含む）および電卓その他計算機能があるすべてのものの使用を禁止します。

■合格基準

次の（1）および（2）を同時に満たす得点が必要です。

（1）原則として、総得点が満点の**60%**（30問中**18問**）**以上**

（2）**科目ごとに正解が１問以上**であり、「実務上の知識及び能力」については**正解が２問以上**

■試験時間

90分

1．貨物自動車運送事業法関係

問1 一般貨物自動車運送事業に関する次の記述のうち、正しいものを１つ選び、解答用紙の該当する欄にマークしなさい。なお、解答にあたっては、各選択肢に記載されている事項以外は考慮しないものとする。

1．一般貨物自動車運送事業を経営しようとする者は、国土交通大臣の認可を受けなければならない。

2．貨物自動車利用運送とは、一般貨物自動車運送事業、特定貨物自動車運送事業又は貨物軽自動車運送事業を経営する者が他の一般貨物自動車運送事業、特定貨物自動車運送事業又は貨物軽自動車運送事業を経営する者の行う運送（自動車を使用して行う貨物の運送に係るものに限る。）を利用してする貨物の運送をいう。

3．特別積合せ貨物運送とは、特定の者の需要に応じて有償で自動車を使用し、営業所その他の事業場（以下「事業場」という。）において、限定された貨物の集貨を行い、集貨された貨物を積み合わせて他の事業場に運送し、当該他の事業場において運送された貨物の配達に必要な仕分を行うものであって、これらの事業場の間における当該積合せ貨物の運送を定期的に行うものをいう。

4．国土交通大臣が標準運送約款を定めて公示した場合（これを変更して公示した場合を含む。）において、一般貨物自動車運送事業者が、標準運送約款と同一の運送約款を定め、又は現に定めている運送約款を標準運送約款と同一のものに変更したときは、その運送約款については、国土交通大臣の認可を受けたものとみなす。

問2 一般貨物自動車運送事業者（以下「事業者」という。）の過労運転等の防止等についての法令の定めに関する次の記述のうち、正しいものを２つ選び、解答用紙の該当する欄にマークしなさい。なお、解答にあたっては、各選択肢に記載されている事項以外は考慮しないものとする。

改

1．事業者は、事業計画に従い業務を行うに必要な員数の事業用自動車の運転者（以下「運転者」という。）又は特定自動運行保安員を常時選任しておかなければならず、この場合、選任する運転者及び特定自動運行保安員は、日々雇い入れられる者、３ヵ月以内の期間を定めて使用される者又は試みの使用期間中の者（14日を超えて引き続き使用されるに至った者を除く。）であってはならない。

2．事業者は、運転者、特定自動運行保安員及び事業用自動車の運行の業務の補助に従事する従業員（以下「乗務員等」という。）が有効に利用することができるように、休憩に必要な施設を整備し、及び乗務員等に睡眠を与える必要がある場合にあっては睡眠に必要な施設を整備し、並びにこれらの施設を適切に管理し、及び保守しなければならない。

3．事業者は、運転者が長距離運転又は夜間の運転に従事する場合であって、疲労等により安全な運転を継続することができないおそれがあるときは、あらかじめ、当該運転者と交替するための運転者を配置しておかなければならない。

4．運転者等の業務について、当該事業用自動車の瞬間速度、運行距離及び運行時間を運行記録計により記録しなければならない車両は、車両総重量が８トン以上又は最大積載量が５トン以上の普通自動車である。

※改題している部分は、＿＿線で示しています。

問3 一般貨物自動車運送事業者（以下「事業者」という。）の安全管理規程等及び輸送の安全に係る情報の公表についての次の記述のうち、誤っているものを１つ選び、解答用紙の該当する欄にマークしなさい。なお、解答にあたっては、各選択肢に記載されている事項以外は考慮しないものとする。

1．貨物自動車運送事業法（以下「法」という。）第16条第１項の規定により安全管理規程を定めなければならない事業者は、安全統括管理者を選任したときは、国土交通省令で定めるところにより、遅滞なく、その旨を国土交通大臣に届け出なければならない。
2．事業用自動車（被けん引自動車を除く。）の保有車両数が100両以上の事業者は、安全管理規程を定めて国土交通大臣に届け出なければならない。これを変更しようとするときも、同様とする。
3．事業者は、毎事業年度の経過後100日以内に、輸送の安全に関する基本的な方針その他の輸送の安全に係る情報であって国土交通大臣が告示で定める①輸送の安全に関する基本的な方針、②輸送の安全に関する目標及びその達成状況、③自動車事故報告規則第２条に規定する事故に関する統計について、インターネットの利用その他の適切な方法により公表しなければならない。
4．事業者は、法第23条（輸送の安全確保の命令）、法第26条（事業改善の命令）又は法第33条（許可の取消し等）の規定による処分（輸送の安全に係るものに限る。）を受けたときは、遅滞なく、当該処分の内容並びに当該処分に基づき講じた措置及び講じようとする措置の内容をインターネットの利用その他の適切な方法により公表しなければならない。

問4 貨物自動車運送事業の事業用自動車の運転者に対する点呼についての法令等の定めに関する次の記述のうち、誤っているものを１つ選び、解答用紙の該当する欄にマークしなさい。なお、解答にあたっては、各選択肢に記載されている事項以外は考慮しないものとする。

改

1．次のいずれにも該当する一般貨物自動車運送事業者の営業所にあっては、当該営業所と当該営業所の車庫間で行う点呼に限り、当該営業所で管理するIT点呼機器を使用したIT点呼を行うことができる。
①　開設されてから３年を経過していること。
②　過去３年間所属する貨物自動車運送事業の用に供する事業用自動車の運転者が自らの責に帰する自動車事故報告規則第２条に規定する事故を発生させていないこと。
③　過去３年間点呼の違反に係る行政処分又は警告を受けていないこと。
④　貨物自動車運送適正化事業実施機関が行った直近の巡回指導において、総合評価が「D、E」以外であり、点呼の項目の判定が「適」であること。

2．同一事業者内の全国貨物自動車運送適正化事業実施機関が認定している安全性優良事業所（Gマーク営業所）間でIT点呼を実施した場合、点呼簿に記録する内容を、IT点呼を行う営業所及びIT点呼を受ける運転者が所属する営業所の双方で記録し、保存すること。

3．貨物自動車運送事業者は、点呼に用いるアルコール検知器を常時有効に保持しなければならない。このため、確実に酒気を帯びていない者が当該アルコール検知器を使用した場合に、アルコールを検知しないこと及び洗口液等アルコールを含有する液体又はこれを希釈したものをスプレー等により口内に噴霧した上で、当該アルコール検知器を使用した場合にアルコールを検知すること等により、定期的に故障の有無を確認しなければならない。

4．運行管理者の業務を補助させるために選任された補助者に対し、点呼の一部を行わせる場合にあっても、当該営業所において選任されている運行管理者が行う点呼は、点呼を行うべき総回数の少なくとも２分の１以上でなければならない。

※改題している部分は、〰〰線で示しています。

問5 一般貨物自動車運送事業者の自動車事故報告規則に基づく自動車事故報
改 告書の提出等に関する次の記述のうち、正しいものを２つ選び、解答用紙の該当する欄にマークしなさい。なお、解答にあたっては、各選択肢に記載されている事項以外は考慮しないものとする。

1．事業用自動車が鉄道車両（軌道車両を含む。）と接触する事故を起こした場合には、当該事故のあった日から15日以内に、自動車事故報告規則に定める自動車事故報告書（以下「事故報告書」という。）を当該事業用自動車の使用の本拠の位置を管轄する運輸支局長等を経由して、国土交通大臣に提出しなければならない。

2．事業用自動車の運転者が、運転中に胸に強い痛みを感じたので、直近の駐車場に駐車し、その後の運行を中止した。当該運転者は狭心症と診断された。この場合、事故報告書を国土交通大臣に提出しなければならない。

3．事業用自動車が高速自動車国道法に定める高速自動車国道において、路肩に停車中の車両に追突したため、後続車６台が衝突する多重事故が発生し、この事故により６人が重傷、４人が軽傷を負った。この場合、24時間以内においてできる限り速やかに、その事故の概要を運輸支局長等に速報することにより、国土交通大臣への事故報告書の提出を省略することができる。

4．自動車の装置（道路運送車両法第41条１項各号に掲げる装置をいう。）の故障により、事業用自動車が運行できなくなった場合には、国土交通大臣に提出する事故報告書に当該事業用自動車の自動車検査証の有効期間、使用開始後の総走行距離等所定の事項を記載した書面及び故障の状況を示す略図又は写真を添付しなければならない。

※改題している部分は、～～～線で示しています。

問6　次の記述のうち、一般貨物自動車運送事業の運行管理者が行わなければ
改　ならない業務として、正しいものを２つ選び、解答用紙の該当する欄にマークしなさい。なお、解答にあたっては、各選択肢に記載されている事項以外は考慮しないものとする。

1．自動車事故報告規則第５条（事故警報）の規定により定められた事故防止対策に基づき、事業用自動車の運行の安全の確保について、事故を発生させた運転者に限り、指導及び監督を行うこと。

2．法令の規定により、運転者として常時選任するため新たに雇い入れた者であって当該貨物自動車運送事業者において初めて事業用自動車に乗務する前３年間に初任診断（初任運転者のための適性診断として国土交通大臣が認定したもの）を受診したことがない者に対して、当該診断を受診させること。

3．従業員に対し、効果的かつ適切に指導及び監督を行うため、輸送の安全に関する基本的な方針を策定し、かつ、これに基づき指導及び監督を行うこと。

4．法令の規定により、運行指示書を作成し、及びその写しに変更の内容を記載し、運転者等に対し適切な指示を行い、運行指示書を事業用自動車の運転者等に携行させ、及び変更の内容を記載させ、並びに運行指示書及びその写しの保存をすること。

※改題している部分は、～～～線で示しています。

問7 一般貨物自動車運送事業者の事業用自動車の運行の安全を確保するために、事業者が行う国土交通省告示で定める特定の運転者に対する特別な指導の指針に関する次の文中、A、B、Cに入るべき字句としていずれか正しいものを１つ選び、解答用紙の該当する欄にマークしなさい。

1. 軽傷者（法令で定める傷害を受けた者）を生じた交通事故を引き起こし、かつ、当該事故前の［ A ］間に交通事故を引き起こしたことがある運転者に対し、国土交通大臣が告示で定める適性診断であって国土交通大臣の認定を受けたものを受診させなければならない。
2. 運転者として常時選任するために新たに雇い入れた者（当該貨物自動車運送事業者において初めて事業用自動車に乗務する前［ B ］間に他の一般貨物自動車運送事業者等によって運転者として常時選任されたことがある者を除く。）に対して、特別な指導を行わなければならない。

　この指導の時期については、当該貨物自動車運送事業者において初めて事業用自動車に乗務する前に実施する。ただし、やむを得ない事情がある場合には、乗務を開始した後［ C ］以内に実施する。

A ① 1年 ② 3年
B ① 1年 ② 3年
C ① 1ヵ月 ② 3ヵ月

問8 改 一般貨物自動車運送事業者が運転者又は特定自動運行保安員（以下「運転者等」という。）に記録させる業務の記録についての次の記述のうち、誤っているものを１つ選び、解答用紙の該当する欄にマークしなさい。なお、解答にあたっては、各選択肢に記載されている事項以外は考慮しないものとする。

1．事業用自動車に係る運転者等の業務について、休憩又は睡眠をした場合にあっては、その地点及び日時を、当該業務を行った運転者等ごとに「業務の記録」（法令に規定する運行記録計に記録する場合は除く。以下同じ。）に記録させなければならない。ただし、10分未満の休憩については、その記録を省略しても差しつかえない。

2．事業用自動車に係る運転者等の業務について、道路交通法に規定する交通事故若しくは自動車事故報告規則に規定する事故又は著しい運行の遅延その他の異常な事態が発生した場合にあっては、その概要及び原因について、当該業務を行った運転者等ごとに「業務の記録」に記録をさせなければならない。

3．事業用自動車に係る運転者等の業務について、車両総重量が８トン以上又は最大積載量が５トン以上の普通自動車である事業用自動車の運行の業務に従事した場合にあって、荷主の都合により集貨又は配達を行った地点（以下「集貨地点等」という。）で30分以上待機したときは、①集貨地点等、②集貨地点等に到着した日時、③集貨地点等における積込み又は取卸しの開始及び終了の日時、④集貨地点等から出発した日時等を、当該業務を行った運転者等ごとに「業務の記録」に記録させなければならない。

4．事業用自動車に係る運転者等の業務について、車両総重量が８トン以上又は最大積載量が５トン以上の普通自動車である事業用自動車の運行の業務に従事した場合にあっては、「貨物の積載状況」を「業務の記録」に記録させなければならない。ただし、当該業務において、法令の規定に基づき作成された運行指示書に「貨物の積載状況」が記載されているときは、「業務の記録」への当該事項の記録を省略することができる。

※改題している部分は、～～～線で示しています。

2．道路運送車両法関係

問9 自動車の登録等についての次の記述のうち、誤っているものを1つ選び、解答用紙の該当する欄にマークしなさい。なお、解答にあたっては、各選択肢に記載されている事項以外は考慮しないものとする。

1．一時抹消登録を受けた自動車（国土交通省令で定めるものを除く。）の所有者は、自動車の用途を廃止したときには、その事由があった日から15日以内に、国土交通省令で定めるところにより、その旨を国土交通大臣に届け出なければならない。

2．臨時運行の許可を受けた者は、臨時運行許可証の有効期間が満了したときは、その日から15日以内に、当該臨時運行許可証及び臨時運行許可番号標を行政庁に返納しなければならない。

3．登録自動車の使用者は、当該自動車が滅失し、解体し（整備又は改造のために解体する場合を除く。）、又は自動車の用途を廃止したときは、その事由があった日（使用済自動車の解体である場合には解体報告記録がなされたことを知った日）から15日以内に、当該自動車検査証を国土交通大臣に返納しなければならない。

4．自動車の所有者は、当該自動車の使用の本拠の位置に変更があったときは、道路運送車両法で定める場合を除き、その事由があった日から15日以内に、国土交通大臣の行う変更登録の申請をしなければならない。

問10 自動車の検査等についての次の記述のうち、誤っているものを1つ選び、解答用紙の該当する欄にマークしなさい。なお、解答にあたっては、各選択肢に記載されている事項以外は考慮しないものとする。

1．自動車は、指定自動車整備事業者が継続検査の際に交付した有効な保安基準適合標章を表示しているときは、自動車検査証を備え付けていなくても、運行の用に供することができる。

2．初めて自動車検査証の交付を受ける車両総重量7,990キログラムの貨物の運送の用に供する自動車については、当該自動車検査証の有効期間は1年である。

3．自動車の使用者は、自動車検査証又は検査標章が滅失し、き損し、又はその識別が困難となった場合には、その再交付を受けることができる。

4．検査標章は、自動車検査証がその効力を失ったとき、又は継続検査、臨時検査若しくは構造等変更検査の結果、当該自動車検査証の返付を受けることができなかったときは、当該自動車に表示してはならない。

問11 道路運送車両法に定める検査等についての次の文中、A、B、C、Dに入るべき字句を下の枠内の選択肢（①〜⑥）から選び、解答用紙の該当する欄にマークしなさい。

改

1．登録を受けていない道路運送車両法第４条に規定する自動車又は同法第60条第１項の規定による車両番号の指定を受けていない検査対象軽自動車若しくは二輪の小型自動車を運行の用に供しようとするときは、当該自動車の使用者は、当該自動車を提示して、国土交通大臣の行う［ A ］を受けなければならない。

2．登録自動車又は車両番号の指定を受けた検査対象軽自動車若しくは二輪の小型自動車の使用者は、自動車検査証の有効期間の満了後も当該自動車を使用しようとするときは、当該自動車を提示して、国土交通大臣の行う［ B ］を受けなければならない。この場合において、当該自動車の使用者は、当該自動車検査証を国土交通大臣に提出しなければならない。

3．自動車の使用者は、自動車検査証記録事項について変更があったときは、法令で定める場合を除き、その事由があった日から［ C ］以内に、当該変更について、国土交通大臣が行う自動車検査証の変更記録を受けなければならない。

4．国土交通大臣は、一定の地域に使用の本拠の位置を有する自動車の使用者が、天災その他やむを得ない事由により、［ D ］を受けることができないと認めるときは、当該地域に使用の本拠の位置を有する自動車の自動車検査証の有効期間を、期間を定めて伸長する旨を公示することができる。

① 新規検査	② 継続検査	③ 構造等変更検査
④ 予備検査	⑤ 15日	⑥ 30日

※改題している部分は、～～～線で示しています。

問12 道路運送車両の保安基準及びその細目を定める告示についての次の記述のうち、誤っているものを１つ選び、解答用紙の該当する欄にマークしなさい。なお、解答にあたっては、各選択肢に記載されている事項以外は考慮しないものとする。

1．自動車の前面ガラス及び側面ガラス（告示で定める部分を除く。）は、フィルムが貼り付けられた場合、当該フィルムが貼り付けられた状態においても、透明であり、かつ、運転者が交通状況を確認するために必要な視野の範囲に係る部分における可視光線の透過率が60％以上であることが確保できるものでなければならない。

2．貨物の運送の用に供する普通自動車であって、車両総重量が８トン以上又は最大積載量が５トン以上のものの原動機には、自動車が時速90キロメートルを超えて走行しないよう燃料の供給を調整し、かつ、自動車の速度の制御を円滑に行うことができるものとして、告示で定める基準に適合する速度抑制装置を備えなければならない。

3．自動車の後面には、夜間にその後方150メートルの距離から走行用前照灯で照射した場合にその反射光を照射位置から確認できる赤色の後部反射器を備えなければならない。

4．自動車は、告示で定める方法により測定した場合において、長さ（セミトレーラにあっては、連結装置中心から当該セミトレーラの後端までの水平距離）12メートル（セミトレーラのうち告示で定めるものにあっては、13メートル）、幅2.5メートル、高さ3.8メートルを超えてはならない。

3．道路交通法関係

問13 道路交通法に定める車両の交通方法等についての次の記述のうち、誤っているものを１つ選び、解答用紙の該当する欄にマークしなさい。なお、解答にあたっては、各選択肢に記載されている事項以外は考慮しないものとする。

1．車両は、車両通行帯の設けられた道路においては、道路の左側端から数えて１番目の車両通行帯を通行しなければならない。ただし、自動車（小型特殊自動車及び道路標識等によって指定された自動車を除く。）は、当該道路の左側部分（当該道路が一方通行となっているときは、当該道路）に３以上の車両通行帯が設けられているときは、政令で定めるところにより、その速度に応じ、その最も右側の車両通行帯以外の車両通行帯を通行することができる。
2．車両等は、踏切を通過しようとするときは、踏切の直前（道路標識等による停止線が設けられているときは、その停止線の直前。以下同じ。）で停止し、かつ、安全であることを確認した後でなければ進行してはならない。ただし、信号機の表示する信号に従うときは、踏切の直前で停止しないで進行することができる。
3．車両は、道路外の施設又は場所に出入するためやむを得ない場合において歩道等を横断するとき、又は法令の規定により歩道等で停車し、若しくは駐車するため必要な限度において歩道等を通行するときは、徐行しなければならない。
4．貨物自動車運送事業の用に供する車両総重量8,500キログラムの自動車は、法令の規定によりその速度を減ずる場合及び危険を防止するためやむを得ない場合を除き、道路標識等により自動車の最低速度が指定されていない区間の高速自動車国道の本線車道（政令で定めるものを除く。）における最低速度は、時速50キロメートルである。

問14 道路交通法に定める追越し等についての次の記述のうち、誤っているものを１つ選び、解答用紙の該当する欄にマークしなさい。なお、解答にあたっては、各選択肢に記載されている事項以外は考慮しないものとする。

改

1．車両は、他の車両を追い越そうとするときは、その追い越されようとする車両（以下「前車」という。）の右側を通行しなければならない。ただし、法令の規定により追越しを禁止されていない場所において、前車が法令の規定により右折をするため道路の中央又は右側端に寄って通行しているときは、その左側を通行しなければならない。

2．車両は、法令の規定若しくは警察官の命令により、又は危険を防止するため、停止し、若しくは停止しようとして徐行している車両等に追いついたときは、その前方にある車両等の側方を通過して当該車両等の前方に割り込み、又はその前方を横切ってはならない。

3．車両は、法令に規定する優先道路を通行している場合における当該優先道路にある交差点を除き、交差点の手前の側端から前に30メートル以内の部分においては、他の車両（特定小型原動機付自転車及び軽車両を除く。）を追い越そうとするときは、速やかに進路を変更しなければならない。

4．車両は、進路を変更した場合にその変更した後の進路と同一の進路を後方から進行してくる車両等の速度又は方向を急に変更させることとなるおそれがあるときは、進路を変更してはならない。

※改題している部分は、～～～線で示しています。

問15 道路交通法及び道路交通法施行令に定める酒気帯び運転等の禁止等に関する次の文中、A、B、Cに入るべき字句としていずれか正しいものを1つ選び、解答用紙の該当する欄にマークしなさい。

(1) 何人も、酒気を帯びて車両等を運転してはならない。

(2) 何人も、酒気を帯びている者で、(1)の規定に違反して車両等を運転することとなるおそれがあるものに対し、［ A ］してはならない。

(3) 何人も、(1)の規定に違反して車両等を運転することとなるおそれがある者に対し、酒類を提供し、又は飲酒をすすめてはならない。

(4) 何人も、車両（トロリーバス及び旅客自動車運送事業の用に供する自動車で当該業務に従事中のものその他の政令で定める自動車を除く。）の運転者が酒気を帯びていることを知りながら、当該運転者に対し、当該車両を運転して自己を運送することを要求し、又は依頼して、当該運転者が(1)の規定に違反して運転する［ B ］してはならない。

(5) (1)の規定に違反して車両等（軽車両を除く。）を運転した者で、その運転をした場合において身体に血液1ミリリットルにつき0.3ミリグラム又は呼気1リットルにつき［ C ］ミリグラム以上にアルコールを保有する状態にあったものは、3年以下の懲役又は50万円以下の罰金に処する。

A ① 運転を指示　② 車両等を提供

B ① 車両に同乗　② 機会を提供

C ① 0.15　② 0.25

問16 道路交通法に定める交差点等における通行方法についての次の記述のうち、誤っているものを１つ選び、解答用紙の該当する欄にマークしなさい。なお、解答にあたっては、各選択肢に記載されている事項以外は考慮しないものとする。

1．車両等（優先道路を通行している車両等を除く。）は、交通整理の行われていない交差点に入ろうとする場合において、交差道路が優先道路であるとき、又はその通行している道路の幅員よりも交差道路の幅員が明らかに広いものであるときは、その前方に出る前に必ず一時停止しなければならない。

2．車両等は、交差点に入ろうとし、及び交差点内を通行するときは、当該交差点の状況に応じ、交差道路を通行する車両等、反対方向から進行してきて右折する車両等及び当該交差点又はその直近で道路を横断する歩行者に特に注意し、かつ、できる限り安全な速度と方法で進行しなければならない。

3．車両は、左折するときは、あらかじめその前からできる限り道路の左側端に寄り、かつ、できる限り道路の左側端に沿って（道路標識等により通行すべき部分が指定されているときは、その指定された部分を通行して）徐行しなければならない。

4．左折又は右折しようとする車両が、法令の規定により、それぞれ道路の左側端、中央又は右側端に寄ろうとして手又は方向指示器による合図をした場合においては、その後方にある車両は、その速度又は方向を急に変更しなければならないこととなる場合を除き、当該合図をした車両の進路の変更を妨げてはならない。

問17 道路交通法に定める運転者及び使用者の義務等についての次の記述のうち、正しいものを２つ選び、解答用紙の該当する欄にマークしなさい。なお、解答にあたっては、各選択肢に記載されている事項以外は考慮しないものとする。

改

1．免許を受けた者が自動車等を運転することが著しく道路における交通の危険を生じさせるおそれがあるときは、その者の住所地を管轄する公安委員会は、点数制度による処分に至らない場合であっても運転免許の停止処分を行うことができる。

2．免許証の更新を受けようとする者で更新期間が満了する日における年齢が70歳以上のもの（当該講習を受ける必要がないものとして法令で定める者を除く。）は、更新期間が満了する日前６ヵ月以内にその者の住所地を管轄する公安委員会が行った「高齢者講習」を受けていなければならない。

3．車両等は、横断歩道等に接近する場合には、当該横断歩道等によりその進路の前方を横断し、又は横断しようとする歩行者等があるときは、当該歩行者等の直前で停止することができるような速度で進行し、かつ、その通行を妨げないようにしなければならない。

4．下の道路標識は、「車両は、８時から20時までの間は停車してはならない。」ことを示している。

「道路標識、区画線及び道路標示に関する命令」に定める様式
斜めの帯及び枠を赤色、文字及び縁を白色、地を青色とする。

※改題している部分は、～～～線で示しています。

4．労働基準法関係

問18 労働基準法の定めに関する次の記述のうち、正しいものを２つ選び、解答用紙の該当する欄にマークしなさい。なお、解答にあたっては、各選択肢に記載されている事項以外は考慮しないものとする。

改

1．使用者は、労働者名簿、賃金台帳及び雇入れ、解雇、災害補償、賃金その他労働関係に関する重要な書類を１年間保存しなければならない。

2．使用者は、労働者に、休憩時間を除き１週間について40時間を超えて、労働させてはならない。また、１週間の各日については、労働者に、休憩時間を除き１日について８時間を超えて、労働させてはならない。

3．使用者は、労働時間が６時間を超える場合においては少くとも45分、８時間を超える場合においては少くとも１時間の休憩時間を労働時間の途中に与えなければならない。

4．労働契約は、期間の定めのないものを除き、一定の事業の完了に必要な期間を定めるもののほかは、１年を超える期間について締結してはならない。

※改題している部分は、＿＿＿線で示しています。

問19 労働基準法及び労働安全衛生法の定める健康診断に関する次の記述のうち、誤っているものを1つ選び、解答用紙の該当する欄にマークしなさい。なお、解答にあたっては、各選択肢に記載されている事項以外は考慮しないものとする。

1．事業者は、常時使用する労働者を雇い入れるときは、当該労働者に対し、労働安全衛生規則に定める既往歴及び業務歴の調査等の項目について医師による健康診断を行わなければならない。ただし、医師による健康診断を受けた後、3ヵ月を経過しない者を雇い入れる場合において、その者が当該健康診断の結果を証明する書面を提出したときは、当該健康診断の項目に相当する項目については、この限りでない。

2．事業者は、事業者が行う健康診断を受けた労働者に対し、遅滞なく、当該健康診断の結果を通知しなければならない。

3．事業者は、深夜業を含む業務等に常時従事する労働者に対し、当該業務への配置替えの際及び6ヵ月以内ごとに1回、定期に、労働安全衛生規則に定める所定の項目について医師による健康診断を行わなければならない。

4．事業者は、労働安全衛生規則で定めるところにより、深夜業に従事する労働者が、自ら受けた健康診断の結果を証明する書面を事業者に提出した場合において、その健康診断の結果（当該健康診断の項目に異常の所見があると診断された労働者に係るものに限る。）に基づく医師からの意見聴取は、当該健康診断の結果を証明する書面が事業者に提出された日から4ヵ月以内に行わなければならない。

問20 「自動車運転者の労働時間等の改善のための基準」に定める目的等についての次の文中、A、B、C、Dに入るべき字句としていずれか正しいものを１つ選び、解答用紙の該当する欄にマークしなさい。

1．この基準は、自動車運転者（労働基準法（以下「法」という。）第９条に規定する労働者であって、四輪以上の自動車の運転の業務（厚生労働省労働基準局長が定めるものを除く。）に主として従事する者をいう。以下同じ。）の労働時間等の改善のための基準を定めることにより、自動車運転者の［　A　］等の労働条件の向上を図ることを目的とする。

2．［　B　］は、この基準を理由として自動車運転者の労働条件を低下させてはならないことはもとより、その［　C　］に努めなければならない。

3．使用者は、［　D　］その他の事情により、法第36条第１項の規定に基づき臨時に労働時間を延長し、又は休日に労働させる場合においても、その時間数又は日数を少なくするように努めるものとする。

記述３の内容は、改善基準告示の改正により、削除されたため、不成立となります。

A　①　労働時間　　②　運転時間
B　①　使用者　　②　労働関係の当事者
C　①　維持　　②　向上
D　①　運転者不足　　②　季節的繁忙

問21 「自動車運転者の労働時間等の改善のための基準」（以下「改善基準告示」という。）に関する次の記述のうち、正しいものを２つ選び、解答用紙の該当する欄にマークしなさい。なお、解答にあたっては、各選択肢に記載されている事項以外は考慮しないものとする。

改

1．使用者は、貨物自動車運送事業に従事する自動車運転者（以下「トラック運転者」という。）を使用する場合は、その拘束時間は、１ヵ月について284時間を超えず、かつ、１年について3,300時間を超えないものとすること。ただし、労使協定により、１年について６ヵ月までは、１ヵ月について310時間まで延長することができ、かつ、１年について3,400時間まで延長することができるものとする。

2．使用者は、トラック運転者の１日（始業時刻から起算して24時間をいう。以下同じ。）についての拘束時間は、13時間を超えないものとし、当該拘束時間を延長する場合であっても、最大拘束時間は、15時間とすること。この場合において、１日についての拘束時間が13時間を超える回数をできるだけ少なくするよう努めるものとすること。

3．使用者は、業務の必要上やむを得ない場合には、当分の間、２暦日についての拘束時間が21時間を超えず、かつ、勤務終了後、継続20時間以上の休息期間を与える場合に限り、トラック運転者を隔日勤務に就かせることができる。

4．使用者は、業務の必要上、トラック運転者（１人乗務の場合）に勤務（宿泊を伴う長距離貨物輸送に該当する場合を除く。）の終了後継続８時間以上の休息期間を与えることが困難な場合、一定の要件を満たすものに限り、当分の間、一定期間における全勤務回数の２分の１を限度に、休息期間を拘束時間の途中及び拘束時間の経過直後に分割して与えることができるものとする。

※改題している部分は、＿＿＿線で示しています。

問22 **改** 下図は、貨物自動車運送事業に従事する自動車運転者の3日間の勤務状況の例を示したものであるが、「自動車運転者の労働時間等の改善のための基準」(以下「改善基準告示」という。)に定める拘束時間及び連続運転時間に関する次の記述のうち、正しいものを2つ選び、解答用紙の該当する欄にマークしなさい。なお、本問では、荷積み及び荷下ろしの時間は、運転中断の時間として扱うものとする。

前日:休日

1日目 始業時刻 6:30(営業所) 終業時刻 18:40(営業所)

1日目	業務前点呼	運転	休憩	運転	荷積み	運転	休憩	荷下ろし	運転	休憩	運転	休憩	運転	業務後点呼
	20分	2時間	15分	1時間	20分	1時間30分	1時間	20分	2時間30分	10分	1時間	15分	1時間	30分

2日目 始業時刻 5:00(営業所) 終業時刻 17:05(営業所)

2日目	業務前点呼	運転	荷積み	運転	休憩	運転	荷下ろし	運転	休憩	荷積み	運転	休憩	運転	業務後点呼
	20分	1時間	20分	1時間	15分	1時間30分	20分	1時間	1時間	30分	3時間	10分	1時間10分	30分

3日目 始業時刻 5:30(営業所) 終業時刻 17:50(営業所)

3日目	業務前点呼	運転	休憩	荷下ろし	運転	荷積み	運転	休憩	運転	荷下ろし	運転	休憩	運転	業務後点呼
	20分	2時間	15分	20分	2時間	30分	1時間	1時間	2時間	20分	1時間	5分	1時間	30分

翌日:休日

問22 次ページへ続く

1．各日の拘束時間は、１日目は12時間10分、２日目は12時間５分、３日目は12時間20分である。

2．各日の拘束時間は、１日目は13時間40分、２日目は12時間５分、３日目は12時間20分である。

3．連続運転時間が改善基準告示に違反している勤務日は、１日目及び３日目であり、２日目は違反していない。

4．連続運転時間が改善基準告示に違反している勤務日は、１日目及び２日目であり、３日目は違反していない。

※改題している部分は、＿＿＿線で示しています。なお、法改正により、運転中断の時間は、原則として「休憩」でなければなりませんが、特段の事情があれば、「荷役作業等の時間」も運転中断の時間とすることができることから、本問では、「荷積み」「荷下ろし」の時間を運転中断の時間として扱うことで、出題当時のままの問題としています。

問23 下表は、貨物自動車運送事業に従事する自動車運転者の１ヵ月の勤務状況の例を示したものであるが、「自動車運転者の労働時間等の改善のための基準」に定める拘束時間（拘束時間が14時間を超える１週間の回数についての目安を含む。）及び運転時間等に照らし、次の１～４の中から違反している事項をすべて選び、解答用紙の該当する欄にマークしなさい。なお、１人乗務とし、「１ヵ月についての拘束時間の延長に関する労使協定」があり、下表の１ヵ月は、当該協定により１ヵ月についての拘束時間を延長することができる月に該当するものとする。また、「時間外労働及び休日労働に関する労働協定」があるものとする。さらに、いずれの週においても、宿泊を伴う長距離貨物運送（1週間における運行が全て長距離貨物運送であり、かつ、一の運行における休息期間が、運転者の住所地以外の場所になる場合）には該当しないものとする。

改

（起算日）

第１週		1日	2日	3日	4日	5日	6日	7日	週の合計時間
	各日の運転時間	7	6	8	6	7	9	休日	43
	各日の拘束時間	12	10	12	10	9	13		66

第２週		8日	9日	10日	11日	12日	13日	14日	週の合計時間
	各日の運転時間	9	10	9	5	7	5	休日	45
	各日の拘束時間	13	14	13	9	11	9		69

第３週		15日	16日	17日	18日	19日	20日	21日	週の合計時間
	各日の運転時間	9	5	10	6	9	5	休日	44
	各日の拘束時間	15	9	14	10	15	9		72

第４週		22日	23日	24日	25日	26日	27日	28日	週の合計時間
	各日の運転時間	6	7	5	9	9	8	休日	44
	各日の拘束時間	10	10	9	14	12	13		68

第５週		29日	30日	31日	週の合計時間	１ヵ月（第１週～第５週）の合計時間
	各日の運転時間	8	7	8	23	199
	各日の拘束時間	12	11	12	35	310

（注１）　２週間の起算日は１日とする。
（注２）　各労働日の始業時刻は午前８時とする。

1．１日についての最大拘束時間

2．当該５週間のすべての日を特定日とした２日を平均した１日当たりの運転時間

3．１日を起算日とし、２週間を平均した１週間当たりの運転時間

4．１日についての拘束時間が14時間を超える１週間の回数

※改題している部分は、〰〰線で示しています。

5．実務上の知識及び能力

問24 運行管理者の日常業務の記録等に関する次の記述のうち、適切なものには解答用紙の「適」の欄に、適切でないものには解答用紙の「不適」の欄にマークしなさい。なお、解答にあたっては、各選択肢に記載されている事項以外は考慮しないものとする。

改

1．運行管理者は、事業用自動車の運転者が他の営業所に転出し当該営業所の運転者でなくなったときは、直ちに、運転者等台帳に運転者でなくなった年月日及び理由を記載して1年間保存している。

2．運行管理者は、運行記録計により記録される「瞬間速度」、「運行距離」及び「運行時間」等により運転者の運行の実態や車両の運行の実態を分析し、運転者の日常の乗務を把握し、過労運転の防止及び運行の適正化を図る資料として活用しており、この運行記録計の記録を1年間保存している。

3．運行管理者は、事業用自動車の運転者に対し、事業用自動車の構造上の特性、貨物の正しい積載方法など事業用自動車の運行の安全を確保するために必要な運転の技術及び自動車の運転に関して遵守すべき事項等について、適切に指導を行うとともに、その内容等について記録し、かつ、その記録を営業所において1年間保存している。

4．運行管理者は、事業用自動車の運転者に対する業務前点呼において、酒気帯びの有無については、目視等で確認するほか、アルコール検知器を用いて確認するとともに、点呼を行った旨並びに報告及び指示の内容等を記録し、かつ、その記録を1年間保存している。

※改題している部分は、～～～線で示しています。

問25 一般貨物自動車運送事業者が事業用自動車の運転者に対して行う指導・監督に関する次の記述のうち、適切なものをすべて選び、解答用紙の該当する欄にマークしなさい。なお、解答にあたっては、各選択肢に記載されている事項以外は考慮しないものとする。

1．車長が長い自動車は、①内輪差が大きく、左折時に左側方のバイクや歩行者を巻き込んでしまう、②狭い道路への左折時には、車体がふくらみ、センターラインをはみ出してしまう、③右折時には、車体後部のオーバーハング部が隣接する車線へはみ出して車体後部が後続車に接触する、などの事故の要因となり得る危険性を有していることを運転者に対し指導している。

2．鉄道車両など関係法令の制限を超えた積載物を運搬する場合は、関係当局から発行された許可証を携行するとともに、許可の際に付された通行経路・通行時間等の条件を遵守し、運送するよう指導している。また、運行前には、必ず、通行経路の事前情報を入手し、許可された経路の道路状況を確認するよう指導している。

3．国土交通大臣が認定する適性診断（以下「適性診断」という。）を受診した運転者の診断結果において、「感情の安定性」の項目で、「すぐかっとなるなどの衝動的な傾向」との判定が出た。適性診断は、性格等を客観的に把握し、運転の適性を判定することにより、運転業務に適さない者を選任しないようにするためのものであるため、運行管理者は、当該運転者は運転業務に適さないと判断し、他の業務へ配置替えを行った。

4．飲酒により体内に摂取されたアルコールを処理するために必要な時間の目安については、個人差はあるが、例えばチューハイ350ミリリットル（アルコール７％）の場合、概ね２時間とされている。事業者は、これらを参考に、社内教育の中で酒気帯び運転防止の観点から飲酒が運転に及ぼす影響等について指導している。

問26 事業用自動車の運転者の健康管理及び就業における判断・対処に関する次の記述のうち、適切なものには解答用紙の「適」の欄に、適切でないものには解答用紙の「不適」の欄にマークしなさい。なお、解答にあたっては、各選択肢に記載されている事項以外は考慮しないものとする。

1．自動車の運転中に、心臓疾患（心筋梗塞、心不全等）や、大血管疾患（急性大動脈解離、大動脈瘤破裂等）が起こると、ショック状態、意識障害、心停止等を生じ、運転者が事故を回避するための行動をとることができなくなり、重大事故を引き起こすおそれがある。そのため、健康起因事故を防止するためにも発症する前の早期発見や予防が重要となってくる。

2．事業者は、業務に従事する運転者に対し法令で定める健康診断を受診させ、その結果に基づいて健康診断個人票を作成して５年間保存している。また、運転者が自ら受けた健康診断の結果を提出したものについても同様に保存している。

3．自動車事故報告規則に基づく平成29年中のすべての事業用自動車の乗務員に起因する重大事故報告件数約2,000件の中で、健康起因による事故件数は約300件を占めている。そのうち運転者が死亡に至った事案は60件あり、原因病名別にみると、心臓疾患が半数以上を占めている。

4．睡眠時無呼吸症候群（SAS）は、大きないびきや昼間の強い眠気など容易に自覚症状を感じやすいので、事業者は、自覚症状を感じていると自己申告をした運転者に限定して、SASスクリーニング検査を実施している。

問27 自動車の運転に関する次の記述のうち、適切なものには解答用紙の「適」の欄に、適切でないものには解答用紙の「不適」の欄にマークしなさい。なお、解答にあたっては、各選択肢に記載されている事項以外は考慮しないものとする。

1．四輪車を運転する場合、二輪車との衝突事故を防止するための注意点として、①二輪車は死角に入りやすいため、その存在に気づきにくく、また、②二輪車は速度が実際より速く感じたり、距離が近くに見えたりする特性がある。したがって、運転者に対してこのような点に注意するよう指導する必要がある。

2．アンチロック・ブレーキシステム（ABS）は、急ブレーキをかけた時などにタイヤがロック（回転が止まること）するのを防ぐことにより、車両の進行方向の安定性を保ち、また、ハンドル操作で障害物を回避できる可能性を高める装置である。ABSを効果的に作動させるためには、できるだけ強くブレーキペダルを踏み続けることが重要であり、この点を運転者に指導する必要がある。

3．バン型トラックの後方は、ほとんど死角となって見えない状態となることから、後退時の事故の要因となることがある。その対策として、バックアイカメラを装着して、死角を大きく減少させることができるが、その使用にあたっては、バックアイカメラにも限界があり、過信しないよう運転者に指導する必要がある。

4．車両の重量が重い自動車は、スピードを出すことにより、カーブでの遠心力が大きくなるため横転などの危険性が高くなり、また、制動距離が長くなるため追突の危険性も高くなる。このため、法定速度を遵守し、十分な車間距離を保つことを運転者に指導する必要がある。

問28 高速自動車国道において、A自動車（車両総重量８トンの事業用トラック）が前方のB自動車とともにほぼ同じ速度で50メートルの車間距離を保ちながらB自動車に追従して走行していたところ、突然、前方のB自動車が急ブレーキをかけたのを認め、A自動車も直ちに急ブレーキをかけ、A自動車、B自動車とも停止した。A自動車、B自動車とも安全を確認した後、走行を開始した。この運行に関する次のア〜ウについて解答しなさい。

なお、下図は、A自動車に備えられたデジタル式運行記録計で上記運行に関して記録された６分間記録図表の一部を示す。

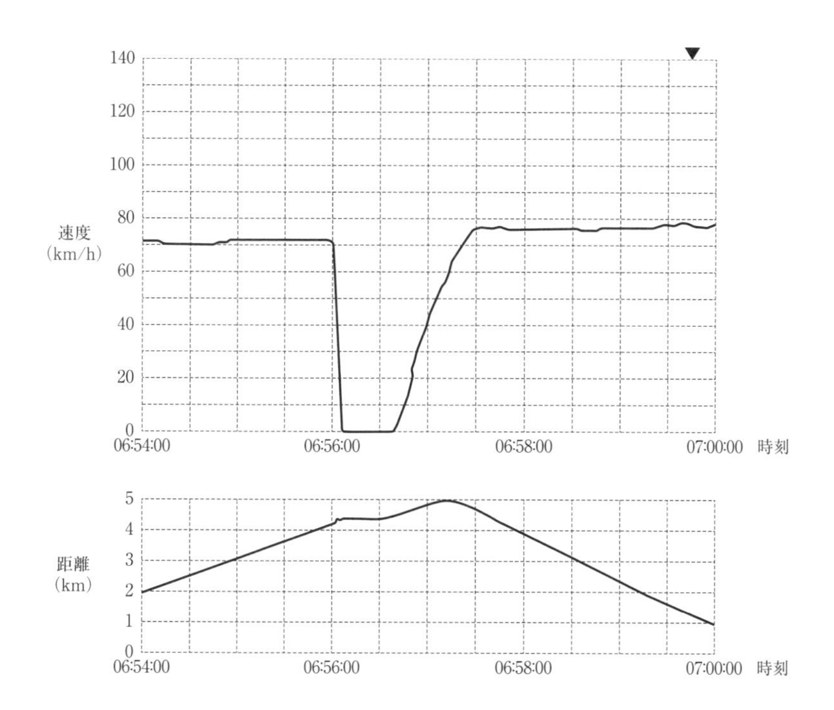

問28 次ページへ続く

ア　左の記録図表からＡ自動車の急ブレーキを操作する直前の速度を読み取ったうえで、当該速度における空走距離（危険認知から、その状況を判断してブレーキを操作するという動作に至る間（空走時間）に自動車が走行した距離）を求めるとおよそ何メートルか。次の①〜②の中から正しいものを１つ選び、解答用紙の該当する欄にマークしなさい。なお、この場合の空走時間は１秒間とする。

①　15メートル　　②　20メートル

イ　Ａ自動車の急ブレーキを操作する直前の速度における制動距離（ブレーキが実際に効き始めてから止まるまでに走行した距離）を40メートルとした場合、Ａ自動車が危険を認知してから停止するまでに走行した距離は、およそ何メートルか。次の①〜②の中から正しいものを１つ選び、解答用紙の該当する欄にマークしなさい。なお、この場合の空走時間は１秒間とする。

①　55メートル　　②　60メートル

ウ　Ｂ自動車が急ブレーキをかけＡ自動車、Ｂ自動車とも停止した際の、Ａ自動車とＢ自動車の車間距離は、およそ何メートルか。次の①〜②の中から正しいものを１つ選び、解答用紙の該当する欄にマークしなさい。なお、この場合において、Ａ自動車の制動距離及び空走時間は上記イに示すとおりであり、また、Ｂ自動車の制動距離は35メートルとする。

①　25メートル　　②　30メートル

問29 荷主から貨物自動車運送事業者に対し、往路と復路において、それぞれ荷積みと荷下ろしを行うよう運送の依頼があった。これを受けて、運行管理者は次に示す「当日の運行計画」を立てた。

改

　この事業用自動車の運行に関する次のア～ウについて解答しなさい。なお、本運行は、高速道路のサービスエリア等に駐停車できないため、やむを得ず連続運転時間を延長できる場合には該当しない。また、本問では、荷積み及び荷下ろしの時間は、運転中断の時間として扱うものとする。解答にあたっては、「当日の運行計画」及び各選択肢に記載されている事項以外は考慮しないものとする。

「当日の運行計画」

往路

○　A営業所を出庫し、30キロメートル離れたB地点まで平均時速30キロメートルで走行する。

○　B地点にて20分間の荷積みを行う。

○　B地点から165キロメートル離れたC地点までの間、一部高速自動車国道を利用し、平均時速55キロメートルで走行して、C地点に12時に到着する。20分間の荷下ろし後、1時間の休憩をとる。

復路

○　C地点にて20分間の荷積みを行い、13時40分に出発し、60キロメートル離れたD地点まで平均時速30キロメートルで走行する。D地点で20分間の休憩をとる。

○　休憩後、D地点からE地点まで平均時速25キロメートルで走行して、E地点に18時に到着し、20分間の荷下ろしを行う。

○　E地点から20キロメートル離れたA営業所まで平均時速30キロメートルで走行し、19時に帰庫する。

問29　次ページへ続く

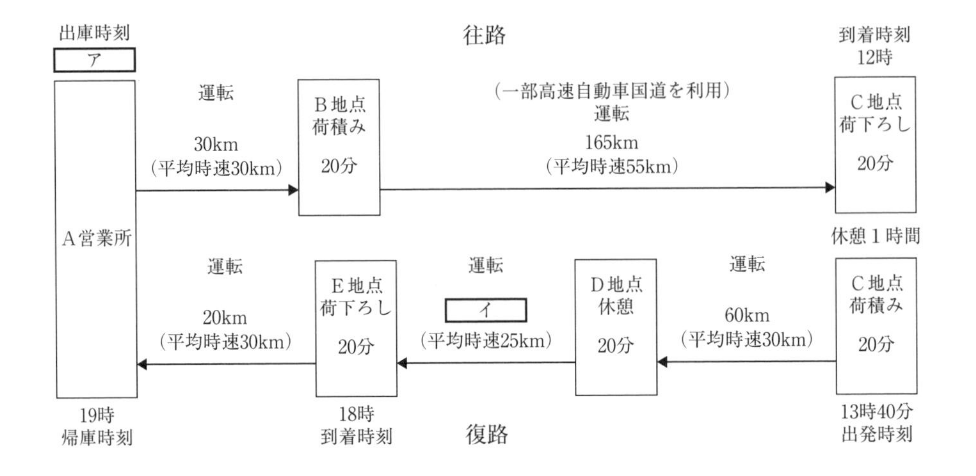

ア　C地点に12時に到着させるためにふさわしいA営業所の出庫時刻［ア］について、次の①～④の中から正しいものを１つ選び、解答用紙の該当する欄にマークしなさい。

①　７時00分　②　７時20分　③　７時40分　④　８時00分

イ　D地点とE地点間の距離［イ］について、次の①～④の中から正しいものを１つ選び、解答用紙の該当する欄にマークしなさい。

①　45キロメートル　②　50キロメートル

③　55キロメートル　④　60キロメートル

ウ　当日の全運行において、連続運転時間は「自動車運転者の労働時間等の改善のための基準」に照らし、違反しているか否かについて、次の①～②の中から正しいものを１つ選び、解答用紙の該当する欄にマークしなさい。

①　違反していない

②　違反している

※改題している部分は、～～～線で示しています。なお、法改正により、運転中断の時間は、原則として「休憩」でなければなりませんが、特段の事情があれば、「荷役作業等の時間」も運転中断の時間とすることができることから、本問では、「荷積み」「荷下ろし」の時間を運転中断の時間として扱うことで、出題当時のままの運行計画としています。

問30 平成28年中のトラック（最大積載量５トン以上）による死亡・重傷事故について、事業用自動車の交通事故統計及び自動車事故報告規則により提出された事故報告書に基づき、下記のとおり、事故の特徴やその要因についての分析結果が導かれた。この分析結果をもとに、【事業者及び運行管理者が実施すべき事故低減対策のポイント】の中から【事故防止のための指導】として、A、B、Cに当てはまる最も直接的に有効と考えられる組合せを下の枠内の選択肢（①～⑧）からそれぞれ１つ選び、解答用紙の該当する欄にマークしなさい。なお、解答にあたっては、下記に記載されている事項以外は考慮しないものとする。

【死亡・重傷事故の特徴】

平成28年中の最大積載量５トン以上のトラックによる死亡・重傷事故381件について、車両の走行等の態様別にみると、直進時が73%、右折時が13%、左折時が９%となっている。		
直進時の事故	右折時の事故	左折時の事故
・直進時の事故のうち72%が他の車両等との事故で、このうち高速道路等での追突事故が一番多い。 ・一般道路での歩行者等との事故は夜間が多い。	右折時の事故は、歩行者等と他の車両等との事故がそれぞれ約半数となっている。	左折時の事故のうち70%が自転車との事故で、バス・タクシーと比べて巻き込み事故が多い。

⬇ ⬇ ⬇

【事故の主な要因】

（高速道路等での事故） ・故障車両などの停止車両への追突 ・たばこや携帯電話の操作 （一般道路での事故） ・飲酒運転 ・動静不注意 ・伝票の整理によるわき見運転	・対向車から譲られた時の安全確認不足 ・二輪自動車等の対向車のスピードの誤認 ・対向車の後方の安全確認不足	・徐行・一時停止の不履行、目視不履行 ・左折前の確認のみで、左折時の再度の確認の不履行 ・前方車両への追従 ・大回りで左折する際の対向車等への意識傾注 ・車体が大きく死角が多い

⬇ ⬇ ⬇

【事故防止のための指導】

A	B	C

【事業者及び運行管理者が実施すべき事故低減対策のポイント】

ア　右折するときは、対向車に注意して徐行するとともに、右折したその先の状況にも十分注意を払い走行するよう運転者に対し指導する。

問30　次ページへ続く

イ　運転中は前方不注視となるのを防ぐため、喫煙や携帯電話の使用などは停車してから行うよう運転者に対し指導する。

ウ　右折するときは、対向車の速度が遅い場合などは自車の速度を落とさず交差点をすばやく右折するよう運転者に対し指導する。

エ　大型車などは、内輪差が大きく、左側方の自転車や歩行者を巻き込んでしまう危険があることから、慎重に安全を確認してから左折するよう運転者に対し指導する。

オ　右折時に対向車が接近しているときは、その通過を待つとともに、対向車の後方にも車がいるかもしれないと予測して、対向車の通過後に必ずその後方の状況を確認してから右折するよう運転者に対し指導する。

カ　運転者の飲酒習慣を把握し、必要と考えられる運転者に対し、運転者の画像が確認できるアルコールチェッカーを運行時に携帯させ、随時運転者の飲酒状況をチェックできるようにする。

キ　衝突被害軽減ブレーキを装着したトラックの運転者に対しては、当該装置は、いかなる走行条件においても、前方の車両等に衝突する危険性が生じた場合には、確実にレーダー等で検知したうえで自動的にブレーキが作動し、衝突を確実に回避できるものであることを十分理解させる。

ク　二輪自動車は車体が小さいため速度を誤認しやすいことから、右折の際は、対向する二輪自動車との距離などに十分注意するよう運転者に対し指導する。

ケ　左折するときは、あらかじめ交差点の手前からできる限り道路の左側端に寄り、かつ、できる限り道路の左側端に沿って徐行するよう運転者に対し指導する。

コ　伝票等の確認は、走行中はわき見が原因で事故につながる可能性が高いことから、安全な場所に移動し停止した後に行うよう運転者に対し指導する。

サ　交差点を左折するときに、その進路の前方にある横断歩道を横断しようとする歩行者がいる場合は、当該横断歩道を徐行し、かつ、できる限り安全な速度と方法で進行するよう運転者に対し指導する。

シ　左折する際は、左折前の確認に加えて、左折時にも再度歩行者や自転車等がいないかをミラーや直視で十分確認するように運転者に対し指導する。

①　アウオ	②　アウク	③　アオク	④　イカキ
⑤　イカコ	⑥　イカサ	⑦　エケサ	⑧　エケシ

令和元年度　第１回
運行管理者〈貨物〉試験

問題編

■注　意

※令和３年度第１回試験からCBT試験に全面移行しました。

①解答にあたっては、各問および各選択肢に記載された事項以外は、考慮しないものとしてください。
また、設問で求める数と異なる数の解答をしたもの、および複数の解答を求める問題で一部不正解のものは、正解としません。

②参考書・携帯電話（その他の通信機器を含む）および電卓その他計算機能があるすべてのものの使用を禁止します。

■合格基準

次の（1）および（2）を同時に満たす得点が必要です。

（1）原則として、総得点が満点の**60%**（30問中**18問**）**以上**

（2）**科目ごとに正解が１問以上**であり、「実務上の知識及び能力」については**正解が２問以上**

■試験時間

90分

1．貨物自動車運送事業法関係

問1　改　貨物自動車運送事業に関する次の記述のうち、正しいものを２つ選び、解答用紙の該当する欄にマークしなさい。なお、解答にあたっては、各選択肢に記載されている事項以外は考慮しないものとする。

1．一般貨物自動車運送事業とは、他人の需要に応じ、有償で、自動車（三輪以上の軽自動車及び二輪の自動車を除く。）を使用して貨物を運送する事業であって、特定貨物自動車運送事業以外のものをいう。
2．貨物自動車運送事業とは、一般貨物自動車運送事業、特定貨物自動車運送事業、貨物軽自動車運送事業及び貨物自動車利用運送事業をいう。
3．一般貨物自動車運送事業者は、「自動車車庫の位置及び収容能力」の事業計画の変更をするときは、あらかじめその旨を、国土交通大臣に届け出なければならない。
4．一般貨物自動車運送事業者は、「事業用自動車の運転者、特定自動運行保安員及び運行の業務の補助に従事する従業員の休憩又は睡眠のための施設の位置及び収容能力」の事業計画の変更をしようとするときは、国土交通大臣の認可を受けなければならない。

※改題している部分は、＿＿＿線で示しています。

郵便はがき

料金受取人払郵便

新宿北局承認

646

差出有効期間
2025年11月
30日まで

切手を貼らずにこのままポストへお入れください。

169-8734

（受取人）
東京都新宿北郵便局
郵便私書箱第2007号
（東京都渋谷区代々木1－11－1）

U-CAN 学び出版部

愛読者係　行

愛読者カード

2025年版　ユーキャンの運行管理者〈貨物〉過去6回問題集

ご購読ありがとうございます。読者の皆さまのご意見、ご要望等を今後の企画・編集の参考にしたいと考えております。お手数ですが、下記の質問にお答えいただきますようお願いします。

1．受験経験と学習期間を教えてください
受験は何回目ですか　　はじめて　／　2回目　／　3回目以上
学習期間・時間（　　　年　　　月より　・　1日　　　時間程度）

2．本書を何でお知りになりましたか？
a.書店で　　b.インターネット書店で　　c.知人・友人から
d.その他（　　　　　　　　　　　　　　　　　　　　）

うら面へ続きます

3．テキストや問題集をお選びになる決め手は何ですか？
2つまでお選びください
①価格　②執筆者（監修者）　③出版社・ブランド　④本のサイズ
⑤字の大きさ　⑥内容量（ページ数や問題数）
⑦オールカラーなど誌面の色味　⑧誌面の見やすさ　⑨表紙のデザイン
⑩赤シートなど付録　⑪クチコミ（SNS・WEBなど）
⑫クチコミ（知人・友人など）　⑬その他（　　　　　　）

4．多くの類書の中から本書を購入された理由は何ですか？
（　　　　　　）

5．本書の内容で良かったこと悪かったことをご自由にお書きください
（　　　　　　）

6．通信講座の案内資料を無料でお送りします。ご希望の講座の欄に○印をおつけください

	危険物取扱者 Zi		ファイナンシャルプランナー 6F

住所	〒□□□-□□□□　都道府県　市郡（区）	
	アパート、マンション等、名称、部屋番号もお書きください	（　様方）
氏名	フリガナ	電話　市外局番（市内局番）番号
		年齢　歳　（男）・（女）

Q900RŌ＊＊Q1

お客様の個人情報は、当社の教材・商品の発送やサービスの提供、当社および当社が適切と認めた企業・団体等の商品・サービスに関する当社からの案内等の送付、ご連絡・お問合せ対応、アンケート・モニター・体験談・取材やレビュー等の依頼、教材・商品・サービス・当社のウェブサイト等の改善や開発、調査・分析・統計など当社事業に関連するマーケティング・研究資料の作成、学習・受験状況や成績の管理、お支払情報等の管理に利用します。その他個人情報の取扱いについては、当社ウェブサイトをご確認ください。

問2 次の記述のうち、貨物自動車運送事業の運行管理者が行わなければならない業務として正しいものを2つ選び、解答用紙の該当する欄にマークしなさい。なお、解答にあたっては、各選択肢に記載されている事項以外は考慮しないものとする。

改

1．運転者が長距離運転又は夜間の運転に従事する場合であって、疲労等により安全な運転を継続することができないおそれがあるときは、あらかじめ、当該運転者と交替するための運転者を配置すること。

2．車両総重量が7トン以上又は最大積載量が4トン以上の普通自動車である事業用自動車について、法令に規定する運行記録計により記録することのできないものを運行の用に供さないこと。

3．法令の規定により、運転者又は特定自動運行保安員に対して点呼を行い、報告を求め、確認を行い、及び指示を与え、並びに記録し、及びその記録を保存し、並びに運転者に対して使用するアルコール検知器を備え置くこと。

4．適齢診断（高齢運転者のための適性診断として国土交通大臣が認定したものをいう。）を運転者が60歳に達した日以後1年以内（60歳以上の者を新たに運転者として選任した場合は、選任の日から1年以内）に1回受診させ、その後3年以内ごとに1回受診させること。

※改題している部分は、～～～線で示しています。

問3 貨物自動車運送事業法に定める一般貨物自動車運送事業者（以下「事業者」という。）の輸送の安全等についての次の記述のうち、誤っているものを１つ選び、解答用紙の該当する欄にマークしなさい。なお、解答にあたっては、各選択肢に記載されている事項以外は考慮しないものとする。

1．事業者は、過積載による運送の引受け、過積載による運送を前提とする事業用自動車の運行計画の作成及び事業用自動車の運転者その他の従業員に対する過積載による運送の指示をしてはならない。
2．事業者は、事業用自動車の運転者が疾病により安全な運転ができないおそれがある状態で事業用自動車を運転することを防止するために必要な医学的知見に基づく措置を講じなければならない。
3．事業者は、運行管理者に対し、国土交通省令で定める業務を行うため必要な権限を与えなければならない。また、事業者及び事業用自動車の運転者その他の従業員は、運行管理者がその業務として行う助言又は指導があった場合は、これを尊重しなければならない。
4．事業者は、運送条件が明確でない運送の引受け、運送の直前若しくは開始以降の運送条件の変更、荷主の都合による集貨地点等における待機又は運送契約によらない附帯業務の実施に起因する運転者の過労運転又は過積載による運送その他の輸送の安全を阻害する行為を防止するため、荷主と密接に連絡し、及び協力して、適正な取引の確保に努めなければならない。

問4 改 貨物自動車運送事業の事業用自動車の運転者に対し、各点呼の際に報告を求め、及び確認を行わなければならない事項として、A、B、Cに入るべき字句を下の枠内の選択肢（1～6）から選び、解答用紙の該当する欄にマークしなさい。

【業務前点呼】
(1) 酒気帯びの有無
(2) [A]
(3) 道路運送車両法の規定による点検の実施又はその確認

【業務後点呼】
(1) 業務に係る事業用自動車、道路及び運行の状況
(2) [B]
(3) 酒気帯びの有無

【中間点呼】
(1) [C]
(2) 疾病、疲労、睡眠不足その他の理由により安全な運転をすることができないおそれの有無

1. 道路運送車両法の規定による点検の実施又はその確認
2. 業務に係る事業用自動車、道路及び運行の状況
3. 貨物の積載状況
4. 疾病、疲労、睡眠不足その他の理由により安全な運転をすることができないおそれの有無
5. 酒気帯びの有無
6. 他の運転者と交替した場合にあっては法令の規定による通告

※改題している部分は、～～～線で示しています。

問5 自動車事故に関する次の記述のうち、一般貨物自動車運送事業者が自動車事故報告規則に基づき運輸支局長等に速報を要するものを２つ選び、解答用紙の該当する欄にマークしなさい。なお、解答にあたっては、各選択肢に記載されている事項以外は考慮しないものとする。

1．事業用自動車が交差点に停車していた貨物自動車に気づくのが遅れ、当該事業用自動車がこの貨物自動車に追突し、さらに後続の自家用乗用自動車３台が関係する玉突き事故となり、この事故により３人が重傷、５人が軽傷を負った。
2．事業用自動車が交差点において乗用車と出会い頭の衝突事故を起こした。双方の運転者は共に軽傷であったが、当該事業用自動車の運転者が事故を警察官に報告した際、その運転者が道路交通法に規定する酒気帯び運転をしていたことが発覚した。
3．事業用自動車が走行中、鉄道施設である高架橋の下を通過しようとしたところ、積載していた建設用機械の上部が橋桁に衝突した。この影響で、２時間にわたり本線において鉄道車両の運転を休止させた。
4．事業用自動車の運転者が高速自動車国道を走行中、ハンドル操作を誤り、道路の中央分離帯に衝突したことにより、当該事業用自動車に積載していた消防法に規定する危険物の灯油がタンクから一部漏えいした。この事故により当該自動車の運転者が軽傷を負った。

問6 一般貨物自動車運送事業者（以下「事業者」という。）の過労運転等の防止等についての法令の定めに関する次の記述のうち、正しいものをすべて選び、解答用紙の該当する欄にマークしなさい。なお、解答にあたっては、各選択肢に記載されている事項以外は考慮しないものとする。

改

1. 事業者は、運転者、特定自動運行保安員及び事業用自動車の運行の業務の補助に従事する従業員（以下「乗務員等」という。）が有効に利用することができるように、休憩に必要な施設を整備し、乗務員等に睡眠を与える必要がある場合にあっては睡眠に必要な施設を整備しなければならない。ただし、寝具等必要な設備が整えられていない施設は、有効に利用することができる施設には該当しない。
2. 事業者は、運行指示書の作成を要する運行の途中において、運行の開始及び終了の地点及び日時に変更が生じた場合には、運行指示書の写しに当該変更の内容を記載し、これにより運転者又は特定自動運行保安員（以下「運転者等」という。）に対し電話その他の方法により、当該変更の内容について適切な指示を行わなければならない。この場合、当該運転者等が携行している運行指示書については、当該変更の内容を記載させることを要しない。
3. 運転者が一の運行における最初の勤務を開始してから最後の勤務を終了するまでの時間（ただし、「自動車運転者の労働時間等の改善のための基準」の規定に定める自動車運転者がフェリーに乗船している時間のうち休息期間とされる時間を除く。）は、144時間を超えてはならない。
4. 特別積合せ貨物運送を行う事業者は、当該特別積合せ貨物運送に係る運行系統であって起点から終点までの距離が150キロメートルを超えるものごとに、所定の事項について事業用自動車の運行の業務に関する基準を定め、かつ、当該基準の遵守について乗務員等に対する適切な指導及び監督を行わなければならない。

※改題している部分は、～～～線で示しています。

問7 一般貨物自動車運送事業者（以下「事業者」という。）の事業用自動車の運行の安全を確保するために、国土交通省告示等に基づき運転者に対して行わなければならない指導監督及び特定の運転者に対して行わなければならない特別な指導に関する次の記述のうち、誤っているものを１つ選び、解答用紙の該当する欄にマークしなさい。なお、解答にあたっては、各選択肢に記載されている事項以外は考慮しないものとする。

1．事業者は、事故惹起運転者に対する特別な指導については、当該交通事故を引き起こした後、再度事業用自動車に乗務する前に実施すること。ただし、やむを得ない事情がある場合には、再度乗務を開始した後１ヵ月以内に実施すること。なお、外部の専門的機関における指導講習を受講する予定である場合は、この限りでない。

2．運転者は、乗務を終了して他の運転者と交替するときは、交替する運転者に対し、当該乗務に係る事業用自動車、道路及び運行の状況について通告すること。この場合において、交替して乗務する運転者は、当該通告を受け、当該事業用自動車の制動装置、走行装置その他の重要な装置の機能について点検の必要性があると認められる場合には、これを点検すること。

3．事業者は、初任運転者に対する特別な指導について、当該事業者において初めて事業用自動車に乗務する前に実施すること。ただし、やむを得ない事情がある場合は、乗務を開始した後１ヵ月以内に実施すること。

4．事業者は、法令に基づき事業用自動車の運転者として常時選任するために新たに雇い入れた場合には、当該運転者について、自動車安全運転センターが交付する無事故・無違反証明書又は運転記録証明書等により、事故歴を把握し、事故惹起運転者に該当するか否かを確認すること。また、確認の結果、当該運転者が事故惹起運転者に該当した場合であって、特別な指導を受けていない場合には、特別な指導を実施すること。

問8 一般貨物自動車運送事業者（以下「事業者」という。）の運行管理者の選任等に関する次の記述のうち、誤っているものを１つ選び、解答用紙の該当する欄にマークしなさい。なお、解答にあたっては、各選択肢に記載されている事項以外は考慮しないものとする。

1．事業者は、事業用自動車（被けん引自動車を除く。）70両を管理する営業所においては、３人以上の運行管理者を選任しなければならない。

2．事業者は、法令に規定する運行管理者資格者証を有する者又は国土交通大臣の認定を受けた基礎講習を修了した者のうちから、運行管理者の業務を補助させるための者（補助者）を選任することができる。

3．運行管理者の補助者が行う補助業務は、運行管理者の指導及び監督のもと行われるものであり、補助者が行う点呼において、疾病、疲労、睡眠不足等により安全な運転をすることができないおそれがあることが確認された場合には、直ちに運行管理者に報告を行い、運行の可否の決定等について指示を仰ぎ、その結果に基づき運転者に対し指示を行わなければならない。

4．事業者は、新たに選任した運行管理者に、選任届出をした日の属する年度（やむを得ない理由がある場合にあっては、当該年度の翌年度）に基礎講習又は一般講習を受講させなければならない。ただし、他の事業者において運行管理者として選任されていた者にあっては、この限りでない。

2．道路運送車両法関係

問9 自動車の登録等についての次の記述のうち、誤っているものを１つ選び、解答用紙の該当する欄にマークしなさい。なお、解答にあたっては、各選択肢に記載されている事項以外は考慮しないものとする。

1．登録自動車の所有者は、当該自動車の使用者が道路運送車両法の規定により自動車の使用の停止を命ぜられ、同法の規定により自動車検査証を返納したときは、その事由があった日から30日以内に、当該自動車登録番号標及び封印を取りはずし、自動車登録番号標について国土交通大臣に届け出なければならない。

2．自動車は、自動車登録番号標を国土交通省令で定める位置に、かつ、被覆しないことその他当該自動車登録番号標に記載された自動車登録番号の識別に支障が生じないものとして国土交通省令で定める方法により表示しなければ、運行の用に供してはならない。

3．道路運送車両法に規定する自動車の種別は、自動車の大きさ及び構造並びに原動機の種類及び総排気量又は定格出力を基準として定められ、その別は、普通自動車、小型自動車、軽自動車、大型特殊自動車、小型特殊自動車である。

4．登録自動車について所有者の変更があったときは、新所有者は、その事由があった日から15日以内に、国土交通大臣の行う移転登録の申請をしなければならない。

問10 **改** 自動車の検査等についての次の記述のうち、正しいものを２つ選び、解答用紙の該当する欄にマークしなさい。なお、解答にあたっては、各選択肢に記載されている事項以外は考慮しないものとする。

1．自動車に表示されている検査標章には、当該自動車の自動車検査証の有効期間の満了する時期が表示されている。

2．自動車の使用者は、自動車の長さ、幅又は高さを変更したときは、道路運送車両法で定める場合を除き、その事由があった日から30日以内に、当該変更について、国土交通大臣が行う自動車検査証の変更記録を受けなければならない。

3．自動車検査証の有効期間の起算日については、自動車検査証の有効期間が満了する日の２ヵ月前（離島に使用の本拠の位置を有する自動車を除く。）から当該期間が満了する日までの間に継続検査を行い、当該自動車検査証に係る有効期間を記録する場合は、当該自動車検査証の有効期間が満了する日の翌日とする。

4．車両総重量８トン以上又は乗車定員30人以上の自動車の使用者は、スペアタイヤの取付状態等について、３ヵ月ごとに国土交通省令で定める技術上の基準により自動車を点検しなければならない。

※改題している部分は、﹏﹏線で示しています。

問11 道路運送車両法に定める自動車の点検整備等に関する次の文中、A、B、C、Dに入るべき字句としていずれか正しいものを１つ選び、解答用紙の該当する欄にマークしなさい。

1．自動車運送事業の用に供する自動車の使用者又は当該自動車を運行する者は、［ A ］、その運行の開始前において、国土交通省令で定める技術上の基準により、自動車を点検しなければならない。

2．自動車運送事業の用に供する自動車の使用者は、［ B ］ごとに国土交通省令で定める技術上の基準により、自動車を点検しなければならない。

3．自動車の使用者は、自動車の点検及び整備等に関する事項を処理させるため、車両総重量８トン以上の自動車その他の国土交通省令で定める自動車であって国土交通省令で定める台数以上のものの使用の本拠ごとに、自動車の点検及び整備に関する実務の経験その他について国土交通省令で定める一定の要件を備える者のうちから、［ C ］を選任しなければならない。

4．地方運輸局長は、自動車の使用者が道路運送車両法第54条（整備命令等）の規定による命令又は指示に従わない場合において、当該自動車が道路運送車両の保安基準に適合しない状態にあるときは、当該自動車の［ D ］することができる。

A	1．1日1回	2．必要に応じて
B	1．３ヵ月	2．６ヵ月
C	1．安全運転管理者	2．整備管理者
D	1．経路を制限	2．使用を停止

問12 道路運送車両の保安基準及びその細目を定める告示についての次の記述のうち、誤っているものを１つ選び、解答用紙の該当する欄にマークしなさい。なお、解答にあたっては、各選択肢に記載されている事項以外は考慮しないものとする。

1．路線を定めて定期に運行する一般乗合旅客自動車運送事業用自動車に備える旅客が乗降中であることを後方に表示する電光表示器には、点滅する灯火又は光度が増減する灯火を備えることができる。
2．自動車に備えなければならない後写鏡は、取付部付近の自動車の最外側より突出している部分の最下部が地上2.0メートル以下のものは、当該部分が歩行者等に接触した場合に衝撃を緩衝できる構造でなければならない。
3．自動車に備えなければならない非常信号用具は、夜間200メートルの距離から確認できる赤色の灯光を発するものでなければならない。
4．自動車（大型特殊自動車、小型特殊自動車を除く。以下同じ。）の車体の外形その他自動車の形状については、鋭い突起がないこと、回転部分が突出していないこと等他の交通の安全を妨げるおそれがないものとして、告示で定める基準に適合するものでなければならない。

3．道路交通法関係

問13 道路交通法に照らし、次の記述のうち、正しいものを１つ選び、解答用紙の該当する欄にマークしなさい。なお、解答にあたっては、各選択肢に記載されている事項以外は考慮しないものとする。

1．路側帯とは、歩行者及び自転車の通行の用に供するため、歩道の設けられていない道路又は道路の歩道の設けられていない側の路端寄りに設けられた帯状の道路の部分で、道路標示によって区画されたものをいう。

2．車両は、道路の中央から左の部分の幅員が6メートルに満たない道路において、他の車両を追い越そうとするとき（道路の中央から右の部分を見とおすことができ、かつ、反対の方向からの交通を妨げるおそれがない場合に限るものとし、道路標識等により追越しのため道路の中央から右の部分にはみ出して通行することが禁止されている場合を除く。）は、道路の中央から右の部分にその全部又は一部をはみ出して通行することができる。

3．自動車を運転する場合において、下図の標識が表示されている自動車は、肢体不自由である者が運転していることを示しているので、危険防止のためやむを得ない場合を除き、進行している当該表示自動車の側方に幅寄せをしてはならない。

道路交通法施行規則で定める様式
縁の色彩は白色
マークの色彩は黄色
地の部分の色彩は緑色

4．高齢運転者等専用時間制限駐車区間においては、高齢運転者等標章自動車以外の車両であっても、空いている場合は駐車できる。

問14 道路交通法に定める停車及び駐車を禁止する場所についての次の文中、
改 A、B、C、Dに入るべき字句を下の枠内の選択肢（①～③）から選び、解答用紙の該当する欄にマークしなさい。なお、各選択肢は、法令の規定若しくは警察官の命令により、又は危険を防止するため一時停止する場合には当たらないものとする。また、解答にあたっては、各選択肢に記載されている事項以外は考慮しないものとする。

1．車両は、交差点の側端又は道路の曲がり角から［ A ］以内の道路の部分においては、停車し、又は駐車してはならない。
2．車両は、横断歩道又は自転車横断帯の前後の側端からそれぞれ前後に［ B ］以内の道路の部分においては、停車し、又は駐車してはならない。
3．車両は、安全地帯が設けられている道路の当該安全地帯の左側の部分及び当該部分の前後の側端からそれぞれ前後に［ C ］以内の道路の部分においては、停車し、又は駐車してはならない。
4．車両は、踏切の前後の側端からそれぞれ前後に［ D ］以内の部分においては、停車し、又は駐車してはならない。

① 3メートル	② 5メートル	③ 10メートル

※改題している部分は、～～～線で示しています。

問15 道路交通法に定める第一種免許の自動車免許の自動車の種類等について、次の記述のうち、正しいものを２つ選び、解答用紙の該当する欄にマークしなさい。なお、解答にあたっては、各選択肢に記載されている事項以外は考慮しないものとする。

1．大型免許を受けた者であって、21歳以上かつ普通免許を受けていた期間（当該免許の効力が停止されていた期間を除く。）が通算して３年以上のものは、車両総重量が11,000キログラム以上のもの、最大積載量が6,500キログラム以上のもの又は乗車定員が30人以上の大型自動車を運転することができる。
2．準中型免許を受けた者であって、21歳以上かつ普通免許を受けていた期間（当該免許の効力が停止されていた期間を除く。）が通算して３年以上のものは、車両総重量が7,500キログラム以上11,000キログラム未満のもの、最大積載量が4,500キログラム以上6,500キログラム未満の準中型自動車を運転することができる。
3．運転免許証の有効期間の更新期間は、道路交通法第101条の２第１項に規定する場合を除き、更新を受けようとする者の当該免許証の有効期間が満了する日の直前のその者の誕生日の１ヵ月前から当該免許証の有効期間が満了する日までの間である。
4．普通自動車免許を平成30年４月10日に初めて取得し、その後令和元年５月21日に準中型免許を取得したが、令和元年８月25日に準中型自動車を運転する場合、初心運転者標識の表示義務はない。

問16 道路交通法に定める徐行及び一時停止についての次の記述のうち、誤っているものを1つ選び、解答用紙の該当する欄にマークしなさい。なお、解答にあたっては、各選択肢に記載されている事項以外は考慮しないものとする。

1．交差点又はその附近において、緊急自動車が接近してきたときは、車両（緊急自動車を除く。）は、交差点を避け、かつ、道路の左側（一方通行となっている道路においてその左側に寄ることが緊急自動車の通行を妨げることとなる場合にあっては、道路の右側）に寄って一時停止しなければならない。
2．車両等は、道路のまがりかど附近、上り坂の頂上附近又は勾配の急な上り坂及び下り坂を通行するときは、徐行しなければならない。
3．車両等は、横断歩道に接近する場合には、当該横断歩道を通過する際に当該横断歩道によりその進路の前方を横断しようとする歩行者又は自転車がないことが明らかな場合を除き、当該横断歩道の直前で停止することができるような速度で進行しなければならない。
4．車両は、環状交差点において左折し、又は右折するときは、あらかじめその前からできる限り道路の左側端に寄り、かつ、できる限り環状交差点の側端に沿って（道路標識等により通行すべき部分が指定されているときは、その指定された部分を通行して）徐行しなければならない。

問17 改 道路交通法に定める自動車の運転者の遵守事項及び故障等の場合の措置に関する次の記述のうち、正しいものを２つ選び、解答用紙の該当する欄にマークしなさい。なお、解答にあたっては、各選択肢に記載されている事項以外は考慮しないものとする。

1．車両等の運転者は、児童、幼児等の乗降のため、道路運送車両の保安基準に関する規定に定める非常点滅表示灯をつけて停車している通学通園バスの側方を通過するときは、できる限り安全な速度と方法で進行しなければならない。
2．自動車の運転者は、故障その他の理由により高速自動車国道等の本線車道若しくはこれに接する加速車線、減速車線若しくは登坂車線又はこれらに接する路肩若しくは路側帯において当該自動車を運転することができなくなったときは、道路交通法施行令で定めるところにより、停止表示器材を後方から進行してくる自動車の運転者が見やすい位置に置いて、当該自動車が故障その他の理由により停止しているものであることを表示しなければならない。
3．運転免許（仮運転免許を除く。）を受けた者が自動車等の運転に関し、当該自動車等の交通による人の死傷があった場合において、道路交通法第72条第１項前段の規定（交通事故があったときは、直ちに車両等の運転を停止して、負傷者を救護し、道路における危険を防止する等必要な措置を講じなければならない。）に違反したときは、その者が当該違反をしたときにおけるその者の住所地を管轄する都道府県公安委員会は、その者の運転免許を取り消すことができる。
4．車両等の運転者は、身体障害者用の車が通行しているときは、その側方を離れて走行し、通行を妨げないようにしなければならない。

※改題している部分は、～～線で示しています。

4．労働基準法関係

問18 労働基準法（以下「法」という。）に定める労働契約に関する次の記述のうち、正しいものを２つ選び、解答用紙の該当する欄にマークしなさい。なお、解答にあたっては、各選択肢に記載されている事項以外は考慮しないものとする。

1．使用者は、労働者を解雇しようとする場合においては、少くとも30日前にその予告をしなければならない。30日前に予告をしない使用者は、30日分以上の平均賃金を支払わなければならない。ただし、天災事変その他やむを得ない事由のために事業の継続が不可能となった場合又は労働者の責に帰すべき事由に基いて解雇する場合においては、この限りでない。

2．試の使用期間中の者に該当する労働者については、法第20条の解雇の予告の規定は適用しない。ただし、当該者が１ヵ月を超えて引き続き使用されるに至った場合においては、この限りでない。

3．労働契約は、期間の定めのないものを除き、一定の事業の完了に必要な期間を定めるもののほかは、３年（法第14条（契約期間等）第１項各号のいずれかに該当する労働契約にあっては、５年）を超える期間について締結してはならない。

4．労働者は、労働契約の締結に際し使用者から明示された賃金、労働時間その他の労働条件が事実と相違する場合においては、少くとも30日前に使用者に予告したうえで、当該労働契約を解除することができる。

問19 労働基準法に定める労働時間及び休日等に関する次の記述のうち、誤っているものを1つ選び、解答用紙の該当する欄にマークしなさい。なお、解答にあたっては、各選択肢に記載されている事項以外は考慮しないものとする。

1. 労働時間は、事業場を異にする場合においても、労働時間に関する規定の適用については通算する。
2. 使用者は、労働時間が６時間を超える場合においては少くとも30分、８時間を超える場合においては少くとも45分の休憩時間を労働時間の途中に与えなければならない。
3. 使用者は、労働者に対して、毎週少くとも１回の休日を与えなければならない。ただし、この規定は、４週間を通じ４日以上の休日を与える使用者については適用しない。
4. 使用者は、その雇入れの日から起算して６ヵ月間継続勤務し全労働日の８割以上出勤した労働者に対して、継続し、又は分割した10労働日の有給休暇を与えなければならない。

問20 **改** 「自動車運転者の労働時間等の改善のための基準」（以下「改善基準告示」という。）に定める貨物自動車運送事業に従事する自動車運転者（以下「トラック運転者」という。）の休息期間及び休日の労働に関する次の文中、A、B、Cに入るべき字句としていずれか正しいものを１つ選び、解答用紙の該当する欄にマークしなさい。

1. 使用者は、トラック運転者の休息期間については、当該自動車運転者の［ A ］における休息期間がそれ以外の場所における休息期間より長くなるように努めるものとする。
2. 使用者は、トラック運転者に労働基準法第35条の休日に労働させる場合は、当該労働させる休日は［ B ］について［ C ］を超えないものとし、当該休日の労働によって改善基準告示第４条第１項に定める拘束時間及び最大拘束時間を超えないものとする。

A　1. 住所地　　2. 勤務地

B　1. ２週間　　2. ４週間

C　1. １回　　2. ２回

※改題している部分は、～～線で示しています。

問21 「自動車運転者の労働時間等の改善のための基準」に関する次の記述のうち、正しいものを２つ選び、解答用紙の該当する欄にマークしなさい。なお、解答にあたっては、各選択肢に記載されている事項以外は考慮しないものとする。

改

1．使用者は、貨物自動車運送事業に従事する自動車運転者（以下「トラック運転者」という。）の運転時間は、２日（始業時刻から起算して48時間をいう。）を平均し１日当たり９時間、２週間を平均し１週間当たり44時間を超えないものとする。

2．使用者は、業務の必要上、トラック運転者（１人乗務の場合）に勤務（宿泊を伴う長距離貨物輸送に該当する場合を除く。）の終了後継続８時間以上の休息期間を与えることが困難な場合、一定の要件を満たすものに限り、当分の間、一定期間における全勤務回数の２分の１を限度に、休息期間を拘束時間の途中及び拘束時間の経過直後に分割して与えることができるものとする。

3．使用者は、トラック運転者（隔日勤務に就く運転者以外のもの。）が同時に１台の事業用自動車に２人以上乗務する場合であって、車両内に身体を伸ばして休息できる設備があるときは、原則として、１日の最大拘束時間を20時間まで延長することができる。

4．使用者は、業務の必要上やむを得ない場合には、当分の間、２暦日についての拘束時間が26時間を超えず、かつ、勤務終了後、継続20時間以上の休息期間を与える場合に限り、トラック運転者を隔日勤務に就かせることができる。

※改題している部分は、＿＿線で示しています。

問22 下図は、貨物自動車運送事業に従事する自動車運転者（１人乗務で隔日勤務に就く運転者以外のもの。）の５日間の勤務状況の例を示したものであるが、次の１～４の拘束時間のうち、「自動車運転者の労働時間等の改善のための基準」における１日についての拘束時間として、正しいものを１つ選び、解答用紙の該当する欄にマークしなさい。

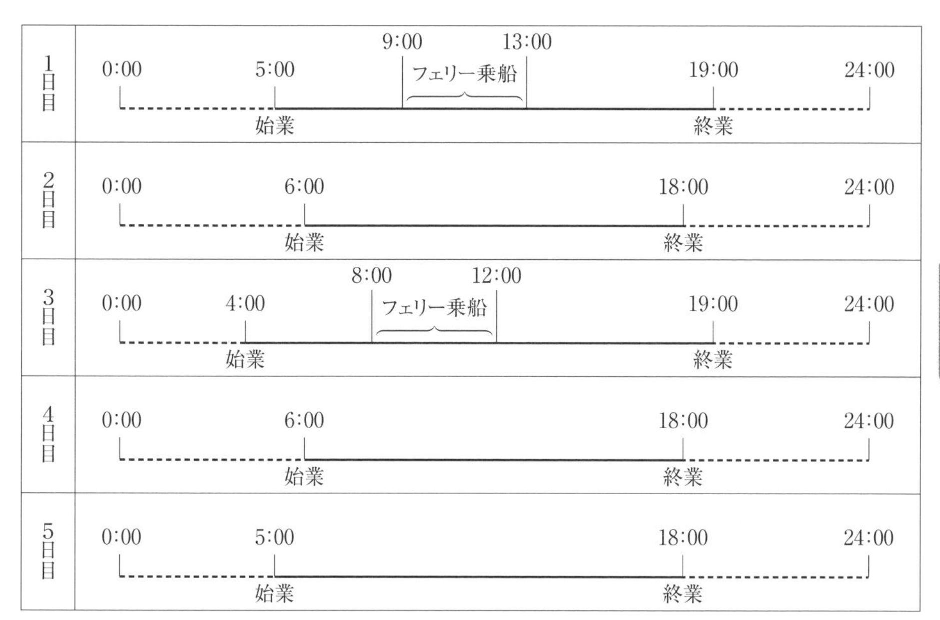

1．１日目：14時間　２日目：12時間　３日目：15時間　４日目：12時間
2．１日目：10時間　２日目：12時間　３日目：11時間　４日目：12時間
3．１日目：10時間　２日目：14時間　３日目：11時間　４日目：13時間
4．１日目：14時間　２日目：14時間　３日目：15時間　４日目：13時間

問23 下表は、貨物自動車運送事業に従事する自動車運転者（隔日勤務に就く
改 運転者以外のもの。）の１年間における各月の拘束時間の例を示したものであるが、このうち、「自動車運転者の労働時間等の改善のための基準」に適合するものを１つ選び、解答用紙の該当する欄にマークしなさい。ただし、「1ヵ月及び１年についての拘束時間の延長に関する労使協定」があるものとする。

1．

	4月	5月	6月	7月	8月	9月	10月	11月	12月	1月	2月	3月	1年間合計
拘束時間	270	280	295	268	300	275	270	260	320	295	283	284	3,400

2．

	4月	5月	6月	7月	8月	9月	10月	11月	12月	1月	2月	3月	1年間合計
拘束時間	283	280	280	290	310	284	280	280	301	280	294	284	3,446

3．

	4月	5月	6月	7月	8月	9月	10月	11月	12月	1月	2月	3月	1年間合計
拘束時間	296	260	290	270	309	285	253	262	286	310	300	278	3,399

4．

	4月	5月	6月	7月	8月	9月	10月	11月	12月	1月	2月	3月	1年間合計
拘束時間	250	265	284	300	310	280	284	269	285	300	284	280	3,391

※改題している部分は、〰〰線で示しています。

5．実務上の知識及び能力

問24 改 点呼の実施等に関する次の記述のうち、適切なものには解答用紙の「適」の欄に、適切でないものには解答用紙の「不適」の欄にマークしなさい。なお、解答にあたっては、各選択肢に記載されている事項以外は考慮しないものとする。

1．A営業所においては、運行管理者は昼間のみの勤務体制となっている。しかし、運行管理者が不在となる時間帯の点呼が当該営業所における点呼の総回数の7割を超えていることから、その時間帯における点呼については、事業者が選任した複数の運行管理者の補助者に実施させている。

2．運行管理者は、業務開始及び業務終了後の運転者又は特定自動運行保安員（以下「運転者等」という。）に対し、原則、対面又は対面による点呼と同等の効果を有するものとして国土交通大臣が定める方法で点呼を実施しなければならないが、遠隔地で業務を開始又は終了する場合、車庫と営業所が離れている場合、又は運転者等の出庫・帰庫が早朝・深夜であり、点呼を行う運行管理者が営業所に出勤していない場合等、運行上やむを得ず、対面又は対面による点呼と同等の効果を有するものとして国土交通大臣が定める方法での点呼が実施できないときには、電話、その他の方法で行っている。

3．業務後の点呼において、運行の業務を終了した運転者等からの当該業務に係る事業用自動車、道路及び運行の状況についての報告は、特に異常がない場合には運転者等から求めないこととしており、点呼記録表に「異常なし」と記録している。

4．業務前の点呼においてアルコール検知器を使用するのは、身体に保有している酒気帯びの有無を確認するためのものであり、道路交通法施行令で定める呼気中のアルコール濃度1リットル当たり0.15ミリグラム以上であるか否かを判定するためのものではない。

※改題している部分は、～～～線で示しています。

問25 一般貨物自動車運送事業者が事業用自動車の運転者に対して行う指導・監督に関する次の記述のうち、適切なものをすべて選び、解答用紙の該当する欄にマークしなさい。なお、解答にあたっては、各選択肢に記載されている事項以外は考慮しないものとする。

1. 他の自動車に追従して走行するときは、常に「秒」の意識をもって自車の速度と制動距離（ブレーキが効きはじめてから止まるまでに走った距離）に留意し、前車への追突の危険が発生した場合でも安全に停止できるよう、制動距離と同程度の車間距離を保って運転するよう指導している。
2. 運転者は貨物の積載を確実に行い、積載物の転落防止や、転落させたときに危険を防止するために必要な措置をとることが遵守事項として法令で定められている。出発前に、スペアタイヤや車両に備えられている工具箱等も含め、車両に積載されているものが転落のおそれがないことを確認しなければならないことを指導している。
3. 運転者の目は、車の速度が速いほど、周辺の景色が視界から消え、物の形を正確に捉えることができなくなるため、周辺の危険要因の発見が遅れ、事故につながるおそれが高まることを理解させるよう指導している。
4. 飲酒により体内に摂取されたアルコールを処理するために必要な時間の目安については、個人差はあるが、例えばビール500ミリリットル（アルコール５％）の場合、概ね４時間とされている。事業者は、これらを参考に、社内教育の中で酒気帯び運転防止の観点から飲酒が運転に及ぼす影響等について指導を行っている。

問26 事業用自動車の運転者の健康管理に関する次の記述のうち、適切なものには解答用紙の「適」の欄に、適切でないものには解答用紙の「不適」の欄にマークしなさい。なお、解答にあたっては、各選択肢に記載されている事項以外は考慮しないものとする。

1．事業者は、脳血管疾患の予防のため、運転者の健康状態や疾患につながる生活習慣の適切な把握・管理に努めるとともに、脳血管疾患は法令により義務づけられている定期健康診断において容易に発見することができることから、運転者に確実に受診させている。

2．事業者は、日頃から運転者の健康状態を把握し、点呼において、意識の異常、目の異常、めまい、頭痛、言葉の異常、手足の異常等の申告又はその症状が見られたら、脳血管疾患の初期症状とも考えられるためすぐに専門医療機関で受診させるよう対応する。

3．事業者は、深夜業（22時～５時）を含む業務に常時従事する運転者に対し、法令に定める定期健康診断を６ヵ月以内ごとに１回、必ず、定期的に受診させるようにしている。

4．平成29年中のすべての事業用自動車の乗務員に起因する重大事故報告件数は約2,000件であり、このうち、運転者の健康状態に起因する事故件数は約300件となっている。病名別に見てみると、心筋梗塞等の心臓疾患と脳血管疾患等の脳疾患が多く発生している。

問27 交通事故防止対策に関する次の記述のうち、適切なものには解答用紙の「適」の欄に、適切でないものには解答用紙の「不適」の欄にマークしなさい。なお、解答にあたっては、各選択肢に記載されている事項以外は考慮しないものとする。

1．交通事故は、そのほとんどが運転者等のヒューマンエラーにより発生するものである。したがって、事故惹起運転者の社内処分及び再教育に特化した対策を講ずることが、交通事故の再発を未然に防止するには最も有効である。そのためには、発生した事故の調査や事故原因の分析よりも、事故惹起運転者及び運行管理者に対する特別講習を確実に受講させる等、ヒューマンエラーの再発防止を中心とした対策に努めるべきである。
2．ドライブレコーダーは、事故時の映像だけでなく、運転者のブレーキ操作やハンドル操作などの運転状況を記録し、解析することにより運転のクセ等を読み取ることができるものがあり、運行管理者が行う運転者の安全運転の指導に活用されている。
3．いわゆるヒヤリ・ハットとは、運転者が運転中に他の自動車等と衝突又は接触するおそれなどがあったと認識した状態をいい、1件の重大な事故（死亡・重傷事故等）が発生する背景には多くのヒヤリ・ハットがあるとされており、このヒヤリ・ハットを調査し減少させていくことは、交通事故防止対策に有効な手段となっている。
4．平成29年中に発生した事業用トラックによる人身事故は、追突事故が最も多く全体の約5割を占めており、このうち昼間の時間での追突事故が多く発生している。追突事故を防止するためには、適正な車間距離の確保や前方不注意の危険性等に関する指導を徹底することが重要である。

問28 交通事故及び緊急事態が発生した場合における事業用自動車の運行管理者又は運転者の措置に関する次の記述のうち、適切なものには解答用紙の「適」の欄に、適切でないものには解答用紙の「不適」の欄にマークしなさい。なお、解答にあたっては、各選択肢に記載されている事項以外は考慮しないものとする。

1．大型トラックに荷物を積載して運送中の運転者から、営業所の運行管理者に対し、「現在走行している地域の天候が急変し、集中豪雨のため、視界も悪くなってきたので、一時運転を中断している。」との連絡があった。連絡を受けた運行管理者は、「営業所では判断できないので、運行する経路を運転者自ら判断し、また、運行することが困難な状況に至った場合は、適当な待避場所を見つけて運転者自らの判断で運送の中断等を行うこと」を指示した。

2．運転者は、中型トラックで高速道路を走行中、大地震が発生したのに気づき当該トラックを路側帯に停車させ様子を見ていた。この地震により高速道路の車両通行が困難となったので、当該運転者は、運行管理者に連絡したうえで、エンジンキーを持ってドアをロックして当該トラックを置いて避難した。

3．運転者は、交通事故を起こしたので、二次的な事故を防ぐため、事故車両を安全な場所に移動させるとともに、ハザードランプの点灯、発炎筒の着火、停止表示器材の設置により他の自動車に事故の発生を知らせるなど、安全に留意しながら道路における危険防止の措置をとった。

4．運転者が中型トラックを運転して踏切にさしかかりその直前で一旦停止した。踏切を渡った先の道路は混んでいるが、前の車両が前進すれば通過できると判断し踏切に進入したところ、車両の後方部分を踏切内に残し停車した。その後、踏切の警報機が鳴り、遮断機が下り始めたが、前方車両が動き出したため遮断機と接触することなく通過することができた。

問29 運行管理者は、荷主からの運送依頼を受けて、次のとおり運行の計画を
改 立てた。この計画を立てた運行管理者の判断に関する次の１～３の記述のうち、適切なものには解答用紙の「適」の欄に、適切でないものには解答用紙の「不適」の欄にマークしなさい。なお、本運行は、高速道路のサービスエリア等に駐停車できないため、やむを得ず連続運転時間を延長できる場合には該当しない。また、本問では、荷積み及び荷下ろしの時間は、運転中断の時間として扱うものとする。解答にあたっては、〈運行の計画〉及び各選択肢に記載されている事項以外は考慮しないものとする。

（荷主の依頼事項）

Ａ地点から、重量が5,500キログラムの荷物を11時30分までにＤ地点に運び、その後戻りの便にて、Ｅ地点から5,250キログラムの荷物を18時30分までにＡ地点に運ぶ。

〈運行の計画〉

ア　乗車定員２名で最大積載量6,250キログラム、車両総重量10,930キログラムの中型貨物自動車を使用する。当該運行は、運転者１人乗務とする。

イ　当日の当該運転者の始業時刻は６時00分とし、業務前点呼後６時30分に営業所を出庫して荷主先のＡ地点に向かう。Ａ地点にて荷積み後、Ａ地点を出発し、一般道を走行した後、Ｂ料金所から高速自動車国道（法令による最低速度を定めない本線車道に該当しないもの。以下「高速道路」という。）に乗り、途中10分の休憩をはさみ、２時間40分運転した後、Ｃ料金所にて高速道路を降りる。（Ｂ料金所とＣ料金所の間の距離は260キロメートル）その後、一般道を経由し、Ｄ地点には11時00分に到着する。荷下ろし後、休憩施設に向かい、当該施設において11時50分から13時00分まで休憩をとる。

ウ　13時00分に休憩施設を出発してＥ地点に向かい、荷積みを行う。その後、13時50分にＥ地点を出発し、一般道を経由し往路と同じ高速道路を走行し、その後、一般道を経由し、荷主先のＡ地点に18時10分に到着する。荷下ろし後、営業所に18時50分に帰庫する。営業所において業務後点呼を受け、19時00分に終業する。

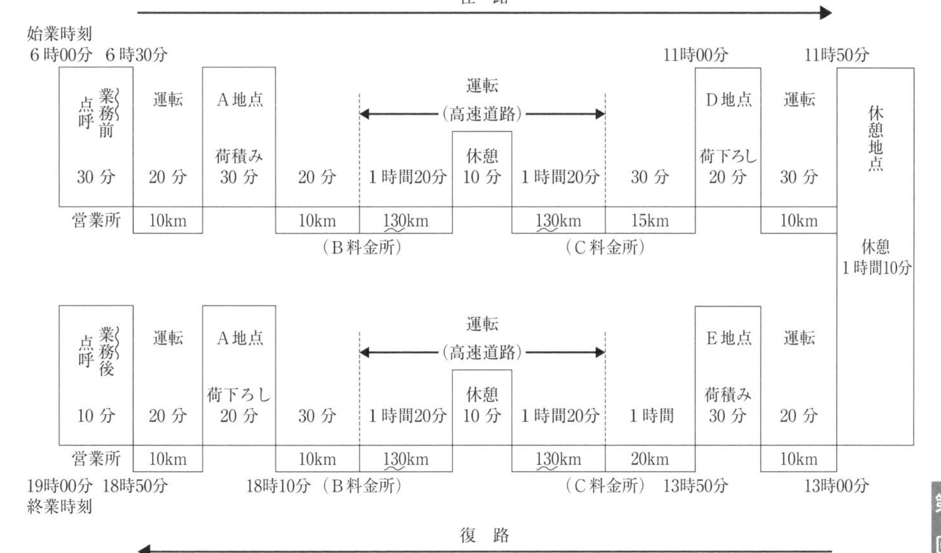

1．B料金所からC料金所までの間の高速道路の運転時間を、制限速度を考慮して2時間40分と設定したこと。

2．当該運転者は前日の運転時間が9時間00分であり、また、当該運転者の翌日の運転時間を8時間50分とし、当日を特定の日とした場合の2日を平均して1日当たりの運転時間が改善基準告示に違反していないと判断したこと。

3．当日の運行における連続運転時間の中断方法は改善基準告示に違反していないと判断したこと。

※改題している部分は、〰〰線で示しています。なお、法改正により、運転中断の時間は、原則として「休憩」でなければなりませんが、特段の事情があれば、「荷役作業等の時間」も運転中断の時間とすることができることから、本問では、「荷積み」「荷下ろし」の時間を運転中断の時間として扱うことで、出題当時のままの問題（B料金所とC料金所の間の距離の変更を除く）としています。

問30 運行管理者が運転者に対して実施する危険予知訓練に関する次の記述において、問題に示す【交通場面の状況等】を前提に、危険要因などを記載した表中のA、Bに最もふさわしいものを【運転者が予知すべき危険要因の例】の①～⑤の中から、また、C、Dに最もふさわしいものを【運行管理者による指導事項】の⑥～⑩の中からそれぞれ１つ選び、解答用紙の該当する欄にマークしなさい。

【交通場面の状況等】

・信号機のある交差点を右折しようとしている。 ・右折先の道路に駐車車両があり，その陰に歩行者が見える。 ・対向直進車が接近している。	・制限速度：時速60キロ ・路　　面：乾燥 ・天　　候：晴 ・車　　両：４トン車 ・運転者：年齢48歳 ・運転経験：17年

運転者が予知すべき危険要因の例		運行管理者による指導事項
対向車が交差点に接近しており、このまま右折をしていくと対向車と衝突する危険がある。	➡	C
A	➡	右折の際は、横断歩道の状況を確認し、特に横断歩道の右側から渡ってくる自転車等を見落としやすいので意識して確認をすること。
右折していく道路の先に駐車車両の陰に歩行者が見えるが、この歩行者が横断してくるとはねる危険がある。	➡	D
B	➡	対向車が通過後、対向車の後方から走行してくる二輪車等と衝突する危険があるため、周辺の交通状況をよく見て安全を確認してから右折すること。

【運転者が予知すべき危険要因の例】

① 右折時の内輪差による二輪車・原動機付自転車などの巻き込みの危険がある。

② 横断歩道の右側から自転車又は歩行者が横断歩道を渡ってくることが考えられ、このまま右折をしていくと衝突する危険がある。

③ 車幅が広いため、右折する交差点で対向車線へはみ出して衝突する危険がある。

④ 右折時に対向車の死角に隠れた二輪車・原動機付自転車を見落とし、対向車が通過直後に右折すると衝突する危険がある。

⑤ 急停止すると後続車に追突される危険がある。

【運行管理者による指導事項】

⑥ 対向車の速度が遅い時などは、交差点をすばやく右折し、自転車横断帯の自転車との衝突の危険を避けること。

⑦ スピードを十分落として交差点に進入すること。

⑧ 対向車があるときは無理をせず、対向車の通過を待ち、左右の安全を確認してから右折をすること。

⑨ 交差点に接近したときは、特に前車との車間距離を十分にとり、信号や前車の動向に注意しながら走行すること。

⑩ 交差点内だけでなく、交差点の右折した先の状況にも十分注意を払い走行すること。

平成30年度　第２回
運行管理者〈貨物〉試験

問題編

■注　意

※令和３年度第１回試験からCBT試験に全面移行しました。

①解答にあたっては、各問および各選択肢に記載された事項以外は、考慮しないものとしてください。
また、設問で求める数と異なる数の解答をしたもの、および複数の解答を求める問題で一部不正解のものは、正解としません。

②参考書・携帯電話（その他の通信機器を含む）および電卓その他計算機能があるすべてのものの使用を禁止します。

■合格基準

次の（１）および（２）を同時に満たす得点が必要です。

（１）原則として、総得点が満点の**60%**（30問中**18問**）**以上**

（２）**科目ごとに正解が１問以上**であり、「実務上の知識及び能力」については**正解が２問以上**

■試験時間

90分

1．貨物自動車運送事業法関係

問1 改 一般貨物自動車運送事業に関する次の記述のうち、誤っているものを1つ選び、解答用紙の該当する欄にマークしなさい。なお、解答にあたっては、各選択肢に記載されている事項以外は考慮しないものとする。

1．国土交通大臣は、一般貨物自動車運送事業の許可の申請において、その事業の計画が過労運転の防止、事業用自動車の安全性その他輸送の安全を確保するため適切なものであること等、法令で定める許可の基準に適合していると認めるときでなければ、その許可をしてはならない。
2．一般貨物自動車運送事業者は、運賃及び料金（個人（事業として又は事業のために運送契約の当事者となる場合におけるものを除く。）を対象とするものに限る。）、運送約款その他国土交通省令で定める事項について、主たる事務所その他の営業所において公衆に見やすいように掲示するとともに、その事業の規模が著しく小さい場合その他の国土交通省令で定める場合を除き、国土交通省令で定めるところにより、電気通信回線に接続して行う自動公衆送信（公衆によって直接受信されることを目的として公衆からの求めに応じ自動的に送信を行うことをいい、放送又は有線放送に該当するものを除く。）により公衆の閲覧に供しなければならない。
3．一般貨物自動車運送事業者は、運送約款を定め、又はこれを変更しようとするときは、あらかじめその旨を、国土交通大臣に届け出なければならない。
4．一般貨物自動車運送事業者（その事業の規模が国土交通省令で定める規模未満であるものを除く。）は、安全管理規程を定め、国土交通省令で定めるところにより、国土交通大臣に届け出なければならない。これを変更しようとするときも、同様とする。

※改題している部分は、＿＿線で示しています。

問2 **改** 貨物自動車運送事業法に定める一般貨物自動車運送事業者の輸送の安全についての次の文中、A、B、C、Dに入るべき字句としていずれか正しいものを1つ選び、解答用紙の該当する欄にマークしなさい。

1．一般貨物自動車運送事業者は、事業用自動車の数、荷役その他の事業用自動車の運転に附帯する作業の状況等に応じて［ A ］運転者及びその他の従業員の確保、事業用自動車の運転者がその休憩又は睡眠のために利用することができる施設の整備及び管理、事業用自動車の運転者の適切な勤務時間及び［ B ］の設定その他事業用自動車の運転者の過労運転を防止するために必要な事項を遵守しなければならない。

2．一般貨物自動車運送事業者は、事業用自動車の運転者が疾病により安全な運転ができないおそれがある状態で事業用自動車を運転することを防止するために必要な［ C ］に基づく措置を講じなければならない。

3．一般貨物自動車運送事業者は、事業用自動車の最大積載量を超える積載をすることとなる運送（以下「過積載による運送」という。）の引受け、過積載による運送を前提とする事業用自動車の運行計画の作成及び事業用自動車の運転者その他の従業員に対する過積載による［ D ］をしてはならない。

A　1．必要となる員数の　　2．必要な資格を有する

B　1．乗務時間　　2．休息期間

C　1．運行管理規程　　2．医学的知見

D　1．運送の指示　　2．輸送の阻害

※改題している部分は、～～～線で示しています。

問3 次の記述のうち、一般貨物自動車運送事業者（以下「事業者」という。）の運行管理者が行わなければならない業務として、正しいものを２つ選び、解答用紙の該当する欄にマークしなさい。なお、解答にあたっては、各選択肢に記載されている事項以外は考慮しないものとする。

1．事業者に対し、事業用自動車の運行の安全の確保に関して緊急を要する事項に限り、遅滞なく、助言を行うこと。

2．運転者に対し、乗務を開始しようとするとき、法令に規定する乗務の途中及び乗務を終了したときは、法令の規定により、点呼を受け、事業者に報告をしなければならないことについて、指導及び監督を行うこと。

3．法令に規定する運行管理者資格者証を有する者又は国土交通大臣が告示で定める運行の管理に関する講習であって国土交通大臣の認定を受けたもの（基礎講習）を修了した者のうちから、運行管理者の業務を補助させるための者（補助者）を選任すること並びにその者に対する指導及び監督を行うこと。

4．法令の規定により、運転者として常時選任するため新たに雇い入れた者であって当該事業者において初めて事業用自動車に乗務する前３年間に初任診断（初任運転者のための適性診断として国土交通大臣が認定したもの。）を受診したことがない者に対して、当該診断を受診させること。

問4 貨物自動車運送事業の事業用自動車の運転者に対する点呼に関する次の
改 記述のうち、正しいものをすべて選び、解答用紙の該当する欄にマークしなさい。なお、解答にあたっては、各選択肢に記載されている事項以外は考慮しないものとする。

1．業務前の点呼は、対面により、又は対面による点呼と同等の効果を有するものとして国土交通大臣が定める方法（運行上やむを得ない場合は電話その他の方法）により行い、①酒気帯びの有無、②疾病、疲労、睡眠不足その他の理由により安全な運転をすることができないおそれの有無、③道路運送車両法の規定による定期点検の実施について報告を求め、及び確認を行い、並びに事業用自動車の運行の安全を確保するために必要な指示を与えなければならない。
2．業務終了後の点呼は、対面により、又は対面による点呼と同等の効果を有するものとして国土交通大臣が定める方法（運行上やむを得ない場合は電話その他の方法）により行い、当該業務に係る事業用自動車、道路及び運行の状況について報告を求め、かつ、酒気帯びの有無について確認を行わなければならない。この場合において、当該運転者が他の運転者と交替した場合にあっては、当該運転者が交替した運転者に対して行った法令の規定による通告についても報告を求めなければならない。
3．業務前及び業務終了後の点呼のいずれも対面又は対面による点呼と同等の効果を有するものとして国土交通大臣が定める方法で行うことができない業務を行う運転者に対しては、業務前及び業務終了後の点呼のほかに、当該業務の途中において少なくとも1回対面による点呼と同等の効果を有するものとして国土交通大臣が定める方法（この方法により点呼を行うことが困難である場合には、電話その他の方法）により点呼（中間点呼）を行わなければならない。当該点呼においては、①酒気帯びの有無、②疾病、疲労、睡眠不足その他の理由により安全な運転をすることができないおそれの有無について報告を求め、及び確認を行い、並びに事業用自動車の運行の安全を確保するために必要な指示をしなければならない。
4．業務終了後の点呼における運転者の酒気帯びの有無については、当該運転者からの報告と目視等による確認で酒気を帯びていないと判断できる場合は、アルコール検知器を用いての確認は実施する必要はない。

※改題している部分は、＿＿＿線で示しています。

問5 次の自動車事故に関する記述のうち、一般貨物自動車運送事業者が自動車事故報告規則に基づく国土交通大臣への報告を要するものを２つ選び、解答用紙の該当する欄にマークしなさい。なお、解答にあたっては、各選択肢に記載されている事項以外は考慮しないものとする。

1．事業用自動車の運転者がハンドル操作を誤り、当該自動車が車道と歩道の区別がない道路を逸脱し、当該道路との落差が0.3メートルの畑に転落した。

2．事業用自動車の運転者が走行中に意識がもうろうとしてきたので直近の駐車場に駐車させ、その後の運行を中止した。後日、当該運転者は脳梗塞と診断された。

3．事業用自動車が走行中、アクセルを踏んでいるものの速度が徐々に落ち、しばらく走行したところでエンジンが停止して走行が不能となった。再度エンジンを始動させようとしたが、燃料装置の故障によりエンジンを再始動させることができず、運行ができなくなった。

4．事業用自動車が左折したところ、左後方から走行してきた自転車を巻き込む事故を起こした。この事故で、当該自転車に乗車していた者に通院による40日間の医師の治療を要する傷害を生じさせた。

問6 一般貨物自動車運送事業者（以下「事業者」という。）の過労運転等の

改 防止等についての法令の定めに関する次の記述のうち、誤っているものを１つ選び、解答用紙の該当する欄にマークしなさい。なお、解答にあたっては、各選択肢に記載されている事項以外は考慮しないものとする。

1．事業用自動車の運転者（以下「運転者」という。）は、酒気を帯びた状態にあるとき、又は疾病、疲労、睡眠不足その他の理由により安全な運転をすることができないおそれがあるときは、その旨を事業者に申し出なければならない。

2．事業者は、運転者が長距離運転又は夜間の運転に従事する場合であって、疲労等により安全な運転を継続することができないおそれがあるときは、あらかじめ、当該運転者と交替するための運転者を配置しておかなければならない。

3．事業者は、事業計画に従い業務を行うに必要な員数の運転者又は特定自動運行保安員を常時選任しておかなければならず、この場合、選任する運転者及び特定自動運行保安員は、日々雇い入れられる者、２ヵ月以内の期間を定めて使用される者又は試みの使用期間中の者（14日を超えて引き続き使用されるに至った者を除く。）であってはならない。

4．事業者は、休憩又は睡眠のための時間及び勤務が終了した後の休息のための時間が十分に確保されるように、国土交通大臣が告示で定める基準に従って、運転者の勤務日数及び乗務距離を定め、当該運転者にこれらを遵守させなければならない。

※改題している部分は、～～～線で示しています。

問7 一般貨物自動車運送事業者（以下「事業者」という。）の事業用自動車の運行の安全を確保するために、国土交通省告示に基づき運転者に対して行わなければならない指導監督及び特定の運転者に対して行わなければならない特別な指導に関する次の記述のうち、誤っているものを１つ選び、解答用紙の該当する欄にマークしなさい。なお、解答にあたっては、各選択肢に記載されている事項以外は考慮しないものとする。

1．事業者は、事業用自動車の運行の安全を確保するために必要な運転の技術及び法令に基づき自動車の運転に関して遵守すべき事項について、運転者に対する適切な指導及び監督をすること。この場合においては、その日時、場所及び内容並びに指導及び監督を行った者及び受けた者を記録し、かつ、その記録を営業所において３年間保存すること。

2．事業者は、軽傷者（法令で定める傷害を受けた者）を生じた交通事故を引き起こし、かつ、当該事故前の１年間に交通事故を引き起こした運転者に対し、国土交通大臣が告示で定める適性診断であって国土交通大臣の認定を受けたものを受診させること。

3．事業者が行う初任運転者に対する特別な指導は、法令に基づき運転者が遵守すべき事項、事業用自動車の運行の安全を確保するために必要な運転に関する事項などについて、15時間以上実施するとともに、安全運転の実技について、20時間以上実施すること。

4．事業者は、適齢診断（高齢運転者のための適性診断として国土交通大臣が認定したもの。）を運転者が65才に達した日以後１年以内に１回受診させ、その後３年以内ごとに１回受診させること。

問8 一般貨物自動車運送事業者（以下「事業者」という。）の貨物の積載等
改 に関する次の記述のうち、誤っているものを１つ選び、解答用紙の該当する欄にマークしなさい。なお、解答にあたっては、各選択肢に記載されている事項以外は考慮しないものとする。

1．事業者は、道路法第47条第２項の規定（車両でその幅、重量、高さ、長さ又は最小回転半径が政令で定める最高限度を超えるものは、道路を通行させてはならない。）に違反し、又は政令で定める最高限度を超える車両の通行に関し道路管理者が付した条件（通行経路、通行時間等）に違反して事業用自動車を通行させることを防止するため、運転者又は特定自動運行保安員（以下「運転者等」という。）に対する適切な指導及び監督を怠ってはならない。
2．事業者は、事業用自動車（車両総重量が８トン以上又は最大積載量が５トン以上のものに限る。）に、貨物を積載するときは、偏荷重が生じないように積載するとともに、運搬中に荷崩れ等により事業用自動車から落下することを防止するため、貨物にロープ又はシートを掛けること等必要な措置を講じなければならない。
3．事業者は、車両総重量が７トン以上又は最大積載量が４トン以上の普通自動車である事業用自動車に係る運転者等の業務について、当該事業用自動車の瞬間速度、運行距離及び運行時間を運行記録計により記録し、かつ、その記録を１年間保存しなければならない。
4．事業者は、車両総重量が８トン以上又は最大積載量が５トン以上の普通自動車である事業用自動車の運行の業務に従事した場合にあっては、貨物の積載状況を当該業務を行った運転者等ごとに業務の記録をさせなければならない。

※改題している部分は、～～～線で示しています。

2．道路運送車両法関係

問9 自動車の登録等についての次の記述のうち、正しいものを２つ選び、解答用紙の該当する欄にマークしなさい。なお、解答にあたっては、各選択肢に記載されている事項以外は考慮しないものとする。

1．自動車の所有者は、当該自動車の使用の本拠の位置に変更があったときは、道路運送車両法で定める場合を除き、その事由があった日から30日以内に、国土交通大臣の行う変更登録の申請をしなければならない。
2．臨時運行の許可を受けた者は、臨時運行許可証の有効期間が満了したときは、その日から15日以内に、当該臨時運行許可証及び臨時運行許可番号標を行政庁に返納しなければならない。
3．登録自動車の所有者は、当該自動車が滅失し、解体し（整備又は改造のために解体する場合を除く。）、又は自動車の用途を廃止したときは、その事由があった日（使用済自動車の解体である場合には解体報告記録がなされたことを知った日）から15日以内に、永久抹消登録の申請をしなければならない。
4．登録自動車の所有者は、当該自動車の自動車登録番号標の封印が滅失した場合には、国土交通大臣又は封印取付受託者の行う封印の取付けを受けなければならない。

問10 自動車の検査等についての次の記述のうち、誤っているものを１つ選び、解答用紙の該当する欄にマークしなさい。なお、解答にあたっては、各選択肢に記載されている事項以外は考慮しないものとする。

改

1．自動車は、指定自動車整備事業者が継続検査の際に交付した有効な保安基準適合標章を表示している場合であっても、自動車検査証を備え付けなければ、運行の用に供してはならない。
2．自動車の使用者は、継続検査を申請する場合において、道路運送車両法第67条（自動車検査証記録事項の変更及び構造等変更検査）の規定による自動車検査証の変更記録の申請をすべき事由があるときは、あらかじめ、その申請をしなければならない。
3．国土交通大臣は、一定の地域に使用の本拠の位置を有する自動車の使用者が、天災その他やむを得ない事由により、継続検査を受けることができないと認めるときは、当該地域に使用の本拠の位置を有する自動車の自動車検査証の有効期間を、期間を定めて伸長する旨を公示することができる。

4．初めて自動車検査証の交付を受ける車両総重量8,990キログラムの貨物の運送の用に供する自動車については、当該自動車検査証の有効期間は1年である。

※改題している部分は、〰〰線で示しています。

問11 道路運送車両法に定める自動車の点検整備等に関する次のア、イ、ウの文中、A、B、C、Dに入るべき字句としていずれか正しいものを1つ選び、解答用紙の該当する欄にマークしなさい。

ア　自動車の［　A　］は、自動車の点検をし、及び必要に応じ整備をすることにより、当該自動車を道路運送車両の保安基準に適合するように維持しなければならない。

イ　自動車運送事業の用に供する自動車の使用者又は当該自動車を［　B　］する者は、［　C　］、その運行の開始前において、国土交通省令で定める技術上の基準により、自動車を点検しなければならない。

ウ　自動車運送事業の用に供する自動車の使用者は、［　D　］ごとに国土交通省令で定める技術上の基準により、自動車を点検しなければならない。

A　1．所有者　　　2．使用者

B　1．運行　　　2．管理

C　1．必要に応じて　　　2．1日1回

D　1．3ヵ月　　　2．6ヵ月

問12 道路運送車両の保安基準及びその細目を定める告示についての次の記述のうち、誤っているものを１つ選び、解答用紙の該当する欄にマークしなさい。なお、解答にあたっては、各選択肢に記載されている事項以外は考慮しないものとする。

1．停止表示器材は、夜間200メートルの距離から走行用前照灯で照射した場合にその反射光を照射位置から確認できるものであることなど告示で定める基準に適合するものでなければならない。
2．自動車（被けん引自動車を除く。）には、警音器の警報音発生装置の音が、連続するものであり、かつ、音の大きさ及び音色が一定なものである警音器を備えなければならない。
3．自動車（二輪自動車等を除く。）の空気入ゴムタイヤの接地部は滑り止めを施したものであり、滑り止めの溝は、空気入ゴムタイヤの接地部の全幅にわたり滑り止めのために施されている凹部（サイピング、プラットフォーム及びウエア・インジケータの部分を除く。）のいずれの部分においても1.6ミリメートル以上の深さを有すること。
4．貨物の運送の用に供する普通自動車であって、車両総重量が８トン以上又は最大積載量が５トン以上のものの原動機には、自動車が時速100キロメートルを超えて走行しないよう燃料の供給を調整し、かつ、自動車の速度の制御を円滑に行うことができるものとして、告示で定める基準に適合する速度抑制装置を備えなければならない。

3．道路交通法関係

問13 道路交通法に定める合図等についての次の記述のうち、正しいものを2つ選び、解答用紙の該当する欄にマークしなさい。なお、解答にあたっては、各選択肢に記載されている事項以外は考慮しないものとする。

1．停留所において乗客の乗降のため停車していた乗合自動車が発進するため進路を変更しようとして手又は方向指示器により合図をした場合においては、その後方にある車両は、その速度を急に変更しなければならないこととなる場合にあっても、当該合図をした乗合自動車の進路の変更を妨げてはならない。
2．車両（自転車以外の軽車両を除く。以下同じ。）の運転者は、左折し、右折し、転回し、徐行し、停止し、後退し、又は同一方向に進行しながら進路を変えるときは、手、方向指示器又は灯火により合図をし、かつ、これらの行為が終わるまで当該合図を継続しなければならない。（環状交差点における場合を除く。）
3．車両の運転者が同一方向に進行しながら進路を左方又は右方に変えるときの合図を行う時期は、その行為をしようとする地点から30メートル手前の地点に達したときである。
4．車両の運転者が左折又は右折するときの合図を行う時期は、その行為をしようとする地点（交差点においてその行為をする場合にあっては、当該交差点の手前の側端）から30メートル手前の地点に達したときである。（環状交差点における場合を除く。）

問14 道路交通法に定める停車及び駐車等についての次の記述のうち、正しいものを２つ選び、解答用紙の該当する欄にマークしなさい。なお、解答にあたっては、各選択肢に記載されている事項以外は考慮しないものとする。

改

1．車両は、交差点の側端又は道路の曲がり角から５メートル以内の道路の部分においては、法令の規定若しくは警察官の命令により、又は危険を防止するため一時停止する場合のほか、停車し、又は駐車してはならない。
2．車両は、人の乗降、貨物の積卸し、駐車又は自動車の格納若しくは修理のため道路外に設けられた施設又は場所の道路に接する自動車用の出入口から５メートル以内の道路の部分においては、駐車してはならない。
3．車両は、消防用機械器具の置場若しくは消防用防火水槽の側端又はこれらの道路に接する出入口から５メートル以内の道路の部分においては、駐車してはならない。
4．車両は、火災報知機から５メートル以内の道路の部分においては、駐車してはならない。

※改題している部分は、～～線で示しています。

問15 道路交通法に定める交通事故の場合の措置についての次の文中、A、B、C、Dに入るべき字句としていずれか正しいものを１つ選び、解答用紙の該当する欄にマークしなさい。

交通事故があったときは、当該交通事故に係る車両等の運転者その他の乗務員は、直ちに車両等の運転を停止して、［ A ］し、道路における［ B ］する等必要な措置を講じなければならない。この場合において、当該車両等の運転者（運転者が死亡し、又は負傷したためやむを得ないときは、その他の乗務員）は、警察官が現場にいるときは当該警察官に、警察官が現場にいないときは直ちに最寄りの警察署の警察官に当該交通事故が発生した日時及び場所、当該交通事故における［ C ］及び負傷者の負傷の程度並びに損壊した物及びその損壊の程度、当該交通事故に係る車両等の積載物並びに［ D ］を報告しなければならない。

A　1．事故状況を確認　　2．負傷者を救護
B　1．危険を防止　　2．安全な駐車位置を確保
C　1．死傷者の数　　2．事故車両の数
D　1．当該交通事故について講じた措置　　2．運転者の健康状態

問16 道路交通法に定める自動車の法定速度についての次の記述のうち、誤っているものを１つ選び、解答用紙の該当する欄にマークしなさい。なお、解答にあたっては、各選択肢に記載されている事項以外は考慮しないものとする。

1．貨物自動車運送事業の用に供する車両総重量5,995キログラムの自動車の最高速度は、道路標識等により最高速度が指定されていない片側一車線の一般道路においては、時速60キロメートルである。
2．貨物自動車運送事業の用に供する車両総重量7,520キログラムの自動車は、法令の規定によりその速度を減ずる場合及び危険を防止するためやむを得ない場合を除き、道路標識等により自動車の最低速度が指定されていない区間の高速自動車国道の本線車道（政令で定めるものを除く。）における最低速度は、時速50キロメートルである。
3．貨物自動車運送事業の用に供する車両総重量7,950キログラム、最大積載量4,500キログラムであって乗車定員２名の自動車の最高速度は、道路標識等により最高速度が指定されていない高速自動車国道の本線車道（政令で定めるものを除く。）においては、時速80キロメートルである。
4．貨物自動車運送事業の用に供する車両総重量が4,995キログラムの自動車が、故障した車両総重量1,500キログラムの普通自動車をロープでけん引する場合の最高速度は、道路標識等により最高速度が指定されていない一般道路においては、時速40キロメートルである。

問17 貨物自動車に係る道路交通法に定める乗車、積載及び過積載（車両に積載をする積載物の重量が法令による制限に係る重量を超える場合における当該積載。以下同じ。）等についての次の記述のうち、誤っているものを１つ選び、解答用紙の該当する欄にマークしなさい。なお、解答にあたっては、各選択肢に記載されている事項以外は考慮しないものとする。

1．積載物の高さは、3.8メートル（公安委員会が道路又は交通の状況により支障がないと認めて定めるものにあっては3.8メートル以上4.1メートルを超えない範囲内において公安委員会が定める高さ）からその自動車の積載をする場所の高さを減じたものを超えてはならない。

2．車両（軽車両を除く。）の運転者は、当該車両について政令で定める乗車人員又は積載物の重量、大きさ若しくは積載の方法の制限を超えて乗車をさせ、又は積載をして車両を運転してはならない。ただし、当該車両の出発地を管轄する警察署長による許可を受けてもっぱら貨物を運搬する構造の自動車の荷台に乗車させる場合にあっては、当該制限を超える乗車をさせて運転することができる。

3．警察署長は、荷主が自動車の運転者に対し、過積載をして自動車を運転することを要求するという違反行為を行った場合において、当該荷主が当該違反行為を反復して行うおそれがあると認めるときは、内閣府令で定めるところにより、当該自動車の運転者に対し、当該過積載による運転をしてはならない旨を命ずることができる。

4．準中型自動車とは、大型自動車、中型自動車、大型特殊自動車、大型自動二輪車、普通自動二輪車及び小型特殊自動車以外の自動車で、車両総重量3,500キログラム以上、7,500キログラム未満のもの又は最大積載量2,000キログラム以上4,500キログラム未満のものをいう。

4．労働基準法関係

問18 **改** 労働基準法（以下「法」という。）に定める労働契約等についての次の記述のうち、誤っているものを１つ選び、解答用紙の該当する欄にマークしなさい。なお、解答にあたっては、各選択肢に記載されている事項以外は考慮しないものとする。

1．使用者は、労働者名簿、賃金台帳及び雇入れ、解雇、災害補償、賃金その他労働関係に関する重要な書類を３年間保存しなければならない。
2．使用者は、労働者が業務上負傷し、又は疾病にかかり療養のために休業する期間及びその後30日間並びに産前産後の女性が法第65条（産前産後）の規定によって休業する期間及びその後30日間は、解雇してはならない。
3．法第20条（解雇の予告）の規定は、法に定める期間を超えない限りにおいて、「日日雇い入れられる者」、「３ヵ月以内の期間を定めて使用される者」、「季節的業務に６ヵ月以内の期間を定めて使用される者」又は「試の使用期間中の者」のいずれかに該当する労働者については適用しない。
4．使用者は、労働契約の締結に際し、労働者に対して賃金、労働時間その他の労働条件を明示しなければならない。この明示された労働条件が事実と相違する場合においては、労働者は、即時に労働契約を解除することができる。

※改題している部分は、＿＿＿線で示しています。

問19 労働基準法（以下「法」という。）に定める労働時間及び休日等に関する次の記述のうち、誤っているものを１つ選び、解答用紙の該当する欄にマークしなさい。なお、解答にあたっては、各選択肢に記載されている事項以外は考慮しないものとする。

1．使用者は、労働者に、休憩時間を除き１週間について40時間を超えて、労働させてはならない。また、１週間の各日については、労働者に、休憩時間を除き１日について８時間を超えて、労働させてはならない。

2．使用者は、法令に定める時間外、休日労働の協定をする場合には、時間外又は休日の労働をさせる必要のある具体的事由、業務の種類、労働者の数並びに１日及び１日を超える一定の期間についての延長することができる時間又は労働させることができる休日について、協定しなければならない。

選択肢２の内容は、労働基準法改正に伴い、労使協定に関する規定が変更されたため、不成立となります。

3．使用者は、災害その他避けることのできない事由によって、臨時の必要がある場合においては、行政官庁の許可を受けて、その必要の限度において法に定める労働時間を延長し、又は休日に労働させることができる。ただし、事態急迫のために行政官庁の許可を受ける暇がない場合においては、事後に遅滞なく届け出なければならない。

4．使用者は、４週間を通じ８日以上の休日を与える場合を除き、労働者に対して、毎週少なくとも２回の休日を与えなければならない。

問20 「自動車運転者の労働時間等の改善のための基準」に定める目的等についての次の文中、A、B、C、Dに入るべき字句としていずれか正しいものを1つ選び、解答用紙の該当する欄にマークしなさい。

1．この基準は、自動車運転者（労働基準法（以下「法」という。）第9条に規定する労働者であって、［　A　］の運転の業務（厚生労働省労働基準局長が定めるものを除く。）に主として従事する者をいう。以下同じ。）の労働時間等の改善のための基準を定めることにより、自動車運転者の労働時間等の［　B　］を図ることを目的とする。

2．労働関係の当事者は、この基準を理由として自動車運転者の労働条件を低下させてはならないことはもとより、その［　C　］に努めなければならない。

3．使用者は、季節的繁忙その他の事情により、法第36条第1項の規定に基づき臨時に［　D　］、又は休日に労働させる場合においても、その時間数又は日数を少なくするように努めるものとする。

記述3の内容は、改善基準告示の改正により、削除されたため、不成立となります。

A	1．四輪以上の自動車	2．二輪以上の自動車
B	1．労働契約の遵守	2．労働条件の向上
C	1．維持	2．向上
D	1．休息期間を短縮し	2．労働時間を延長し

問21 「自動車運転者の労働時間等の改善のための基準」（以下「改善基準告示」という。）において定める貨物自動車運送事業に従事する自動車運転者（以下「トラック運転者」という。）の拘束時間及び運転時間等に関する次の記述のうち、正しいものを２つ選び、解答用紙の該当する欄にマークしなさい。ただし、１人乗務で、隔日勤務には就いていない場合とする。なお、解答にあたっては、各選択肢に記載されている事項以外は考慮しないものとする。

改

1．使用者は、トラック運転者の１日（始業時刻から起算して24時間をいう。）についての拘束時間は、13時間を超えないものとし、当該拘束時間を延長する場合であっても、最大拘束時間は、15時間とすること。この場合において、１日についての拘束時間が13時間を超える回数をできるだけ少なくするよう努めるものとすること。

2．使用者は、トラック運転者の休息期間については、当該トラック運転者の住所地における休息期間がそれ以外の場所における休息期間より長くなるように努めるものとする。

3．使用者は、トラック運転者に労働基準法第35条の休日に労働させる場合は、当該労働させる休日は２週間について１回を超えないものとし、当該休日の労働によって改善基準告示第４条第１項に定める拘束時間及び最大拘束時間を超えないものとする。

4．使用者は、トラック運転者の連続運転時間（１回がおおむね連続５分以上で、かつ、合計が30分以上の運転の中断をすることなく連続して運転する時間をいう。）は、原則として、４時間を超えないものとすること。

※改題している部分は、～～～線で示しています。

問22 下図は、貨物自動車運送事業に従事する自動車運転者の運転時間及び休憩時間の例を示したものであるが、このうち、連続運転の中断方法として「自動車運転者の労働時間等の改善のための基準」に<u>適合しているものを２つ</u>選び、解答用紙の該当する欄にマークしなさい。

1.

乗務開始	運転	休憩	運転	休憩	運転	休憩	運転	休憩	運転	休憩	運転	休憩	運転	乗務終了
	30分	10分	2時間	15分	30分	10分	1時間30分	1時間	2時間	15分	1時間30分	10分	1時間	

2.

乗務開始	運転	休憩	運転	休憩	運転	休憩	運転	休憩	運転	休憩	運転	休憩	運転	乗務終了
	1時間	15分	2時間	10分	1時間	15分	1時間	1時間	1時間30分	10分	1時間	5分	30分	

3.

乗務開始	運転	休憩	運転	休憩	運転	休憩	運転	休憩	運転	休憩	運転	休憩	運転	乗務終了
	2時間	10分	1時間30分	10分	30分	10分	1時間	1時間	1時間	10分	1時間	10分	2時間	

4.

乗務開始	運転	休憩	運転	休憩	運転	休憩	運転	休憩	運転	休憩	運転	休憩	運転	乗務終了
	1時間	10分	1時間30分	15分	30分	5分	1時間30分	1時間	2時間	10分	1時間30分	10分	30分	

問23 下図は、貨物自動車運送事業に従事する自動車運転者の１週間の勤務状況の例を示したものであるが、「自動車運転者の労働時間等の改善のための基準」（以下「改善基準告示」という。）に定める拘束時間等に関する次の記述のうち、誤っているものを１つ選び、解答用紙の該当する欄にマークしなさい。

ただし、すべて１人乗務の場合とする。なお、解答にあたっては、下図に示された内容及び各選択肢に記載されている事項以外は考慮しないものとする。

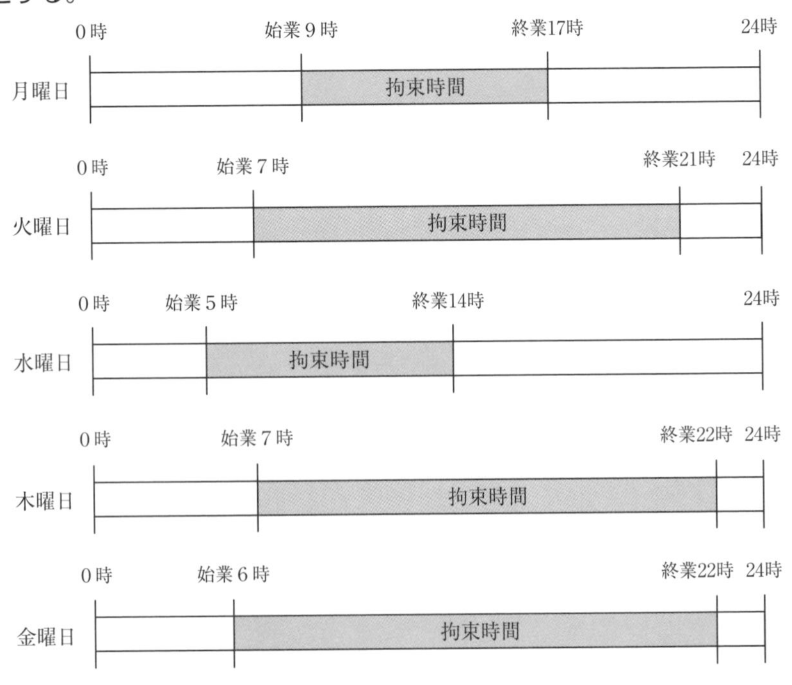

注）土曜日及び日曜日は休日とする。

1．１日についての拘束時間が改善基準告示に定める最大拘束時間に違反する勤務はない。

2．１日についての拘束時間が15時間を超えることができる１週間についての回数は、改善基準告示に違反していない。

3．勤務終了後の休息期間は、改善基準告示に違反しているものはない。

選択肢１～３の内容は、改善基準告示の改正により、変更されたため、不成立となります。

4．水曜日に始まる勤務の１日についての拘束時間は、この１週間の勤務の中で１日についての拘束時間が最も短い。

5．実務上の知識及び能力

問24 運行管理の意義、運行管理者の役割等に関する次の記述のうち、適切なものには解答用紙の「適」の欄に、適切でないものには解答用紙の「不適」の欄にマークしなさい。なお、解答にあたっては、各選択肢に記載されている事項以外は考慮しないものとする。

1．運行管理者は、仮に事故が発生していない場合でも、同業他社の事故防止の取組事例などを参考にしながら、現状の事故防止対策を分析・評価することなどにより、絶えず運行管理業務の改善に向けて努力していくことも重要な役割である。
2．事業用自動車の点検及び整備に関する車両管理については、整備管理者の責務において行うこととされていることから、運転者が整備管理者に報告した場合にあっては、点呼において運行管理者は事業用自動車の日常点検の実施について確認する必要はない。
3．運行管理者は、運転者の指導教育を実施していく際、運転者一人ひとりの個性に応じた助言・指導（カウンセリング）を行うことも重要である。そのためには、日頃から運転者の性格や能力、事故歴のほか、場合によっては個人的な事情についても把握し、そして、これらに基づいて助言・指導を積み重ねることによって事故防止を図ることも重要な役割である。
4．事業者が、事業用自動車の定期点検を怠ったことが原因で重大事故を起こしたことにより、行政処分を受けることになった場合、当該重大事故を含む運行管理業務上に一切問題がなくても、運行管理者は事業者に代わって事業用自動車の運行管理を行っていることから、事業者が行政処分を受ける際に、運行管理者が運行管理者資格者証の返納を命じられる。

問25 一般貨物自動車運送事業者が事業用自動車の運転者に対して行う指導・監督に関する次の記述のうち、適切なものをすべて選び、解答用紙の該当する欄にマークしなさい。なお、解答にあたっては、各選択肢に記載されている事項以外は考慮しないものとする。

1. 自動車が追越しをするときは、前の自動車の走行速度に応じた追越し距離、追越し時間が必要になる。前の自動車と追越しをする自動車の速度差が小さい場合には追越しに長い時間と距離が必要になることから、無理な追越しをしないよう運転者に対し指導する必要がある。
2. 雪道への対応の遅れは、雪道でのチェーンの未装着のため自動車が登り坂を登れないこと等により後続車両が滞留し大規模な立ち往生を発生させることにもつながる。このことから運行管理者は、状況に応じて早めのチェーン装着等を運転者に対し指導する必要がある。
3. 運転中の携帯電話・スマートフォンの使用などは運転への注意力を著しく低下させ、事故につながる危険性が高くなる。このような運転中の携帯電話等の操作は法令違反であることはもとより、いかに危険な行為であるかを運行管理者は運転者に対し理解させて、運転中の使用の禁止を徹底する必要がある。
4. 平成28年中の事業用貨物自動車が第1当事者となった人身事故の類型別発生状況をみると、「出会い頭衝突」が最も多く、全体の約半数を占めており、続いて「追突」の順となっている。このため、運転者に対し、特に、交差点における一時停止の確実な履行と安全確認の徹底を指導する必要がある。

問26 事業用自動車の運転者の健康管理及び就業における判断・対処に関する
改 次の記述のうち、適切なものには解答用紙の「適」の欄に、適切でないものには解答用紙の「不適」の欄にマークしなさい。なお、解答にあたっては、各選択肢に記載されている事項以外は考慮しないものとする。

1. 事業者は、業務に従事する運転者に対し法令で定める健康診断を受診させ、その結果に基づいて健康診断個人票を作成し3年間保存としている。また、運転者が自ら受けた健康診断の結果を提出したものについても同様に保存している。

2. 事業者は、法令により定められた健康診断を実施することが義務づけられているが、運転者が自ら受けた健康診断（人間ドックなど）であっても法令で必要な定期健康診断の項目を充足している場合は、法定健診として代用することができる。

3. 配送業務である早朝の業務前点呼において、これから乗務する運転者の目が赤く眠そうな顔つきであったため、本人に報告を求めたところ、連日、就寝が深夜2時頃と遅く寝不足気味ではあるが、何とか乗務は可能であるとの申告があった。このため運行管理者は、当該運転者に対し途中で眠気等があったときには、自らの判断で適宜、休憩をとるなどして運行するよう指示し、出庫させた。

4. 事業者は、ある高齢運転者が夜間運転業務において加齢に伴う視覚機能の低下が原因と思われる軽微な接触事故が多く見られたため、昼間の運転業務に配置替えをした。しかし、繁忙期であったことから、運行管理者の判断で点呼において当該運転者の健康状態を確認しつつ、以前の夜間運転業務に短期間従事させた。

※改題している部分は、～～～線で示しています。

問27 自動車の走行時に生じる諸現象とその主な対策に関する次の文中、A、B、C、Dに入るべき字句としていずれか正しいものを１つ選び、解答用紙の該当する欄にマークしなさい。

ア ［A］とは、路面が水でおおわれているときに高速で走行するとタイヤの排水作用が悪くなり、水上を滑走する状態になって操縦不能になることをいう。これを防ぐため、日頃よりスピードを抑えた走行に努めるべきことや、タイヤの空気圧及び溝の深さが適当であることを日常点検で確認することの重要性を、運転者に対し指導する必要がある。

1．ハイドロプレーニング現象　　2．ウェットスキッド現象

イ ［B］とは、自動車の夜間の走行時において、自車のライトと対向車のライトで、お互いの光が反射し合い、その間にいる歩行者や自転車が見えなくなることをいう。この状況は暗い道路で特に起こりやすいので、夜間の走行の際には十分注意するよう運転者に対し指導する必要がある。

1．クリープ現象　　2．蒸発現象

ウ ［C］とは、フット・ブレーキを使い過ぎると、ブレーキ・ドラムやブレーキ・ライニングなどが摩擦のため過熱してその熱がブレーキ液に伝わり、液内に気泡が発生することによりブレーキが正常に作用しなくなり効きが低下することをいう。これを防ぐため、長い下り坂などでは、エンジン・ブレーキ等を使用し、フット・ブレーキのみの使用を避けるよう運転者に対し指導する必要がある。

1．ベーパー・ロック現象　　2．スタンディングウェーブ現象

エ ［D］とは、運転者が走行中に危険を認知して判断し、ブレーキ操作に至るまでの間に自動車が走り続けた距離をいう。自動車を運転するとき、特に他の自動車に追従して走行するときは、危険が発生した場合でも安全に停止できるような速度又は車間距離を保って運転するよう運転者に対し指導する必要がある。

1．制動距離　　2．空走距離

問28 自動車運送事業者において最近普及の進んできたデジタル式運行記録計を活用した運転者指導の取組等に関する次の記述のうち、適切なものには解答用紙の「適」の欄に、適切でないものには解答用紙の「不適」の欄にマークしなさい。なお、解答にあたっては、各選択肢に記載されている事項以外は考慮しないものとする。

1．運行管理者は、デジタル式運行記録計の記録図表（24時間記録図表や12分間記録図表）等を用いて、最高速度記録の▼マークなどを確認することにより最高速度超過はないか、また、急発進、急減速の有無についても確認し、その記録データを基に運転者に対し安全運転、経済運転の指導を行う。

2．運行管理者は、大型トラックに装着された運行記録計により記録される「瞬間速度」、「運行距離」及び「運行時間」等により運行の実態を分析して安全運転等の指導を図る資料として活用しており、この運行記録計の記録を6ヵ月間保存している。

3．デジタル式運行記録計は、自動車の運行中、交通事故や急ブレーキ、急ハンドルなどにより当該自動車が一定以上の衝撃を受けると、衝突前と衝突後の前後10数秒間の映像などを記録する装置であり、事故防止対策の有効な手段の一つとして活用されている。

4．衝突被害軽減ブレーキは、いかなる走行条件においても前方の車両等に衝突する危険性が生じた場合に確実にレーダー等で検知したうえで自動的にブレーキが作動し、衝突を確実に回避できるものである。当該ブレーキが備えられている自動車に乗務する運転者に対しては、当該ブレーキ装置の故障を検知し表示による警告があった場合の対応を指導する必要がある。

問29 改 貨物自動車運送事業者の運行管理者は複数の荷主からの運送依頼を受けて、下のとおり４日にわたる２人乗務による運行計画を立てた。この２人乗務を必要とした根拠についての次の１～３の下線部の運行管理者の判断について、正しいものをすべて選び、解答用紙の該当する欄にマークしなさい。なお、荷積み及び荷下ろしは、運転中断の時間と扱うものとする。また、解答にあたっては、〈４日にわたる運行計画〉及び各選択肢に記載されている事項以外は考慮しないものとする。

〈４日にわたる運行計画〉

前日：当該運行の前日は、この運行を担当する運転者は、休日とする。

1日目　始業時刻 6時00分　出庫時刻 6時30分　到着時刻 19時45分　終業時刻 20時00分

業務前点呼（営業所）	運転	荷積み	運転	休憩	運転	休憩	運転	荷下ろし	運転	業務後点呼	宿泊所
	1時間	1時間	3時間	1時間	2時間	15分	3時間	1時間	1時間		

2日目　始業時刻 4時00分　出庫時刻 4時30分　到着時刻 16時45分　終業時刻 17時00分

業務前点呼	運転	荷積み	運転	休憩	運転	中間点呼休憩	運転	荷下ろし	運転	業務後点呼	宿泊所
	1時間	1時間	1時間30分	15分	2時間30分	1時間	3時間	1時間	1時間		

3日目　始業時刻 4時00分　出庫時刻 4時30分　到着時刻 16時45分　終業時刻 17時00分

業務前点呼	運転	荷積み	運転	中間点呼休憩	運転	休憩	運転	荷下ろし	運転	業務後点呼	宿泊所
	1時間	1時間	3時間	1時間	2時間	15分	2時間	1時間	1時間		

4日目　始業時刻 5時00分　出庫時刻 5時30分　到着時刻 21時30分　終業時刻 22時00分

業務前点呼	運転	荷積み	運転	フェリー乗船	運転	休憩	運転	荷下ろし	運転	業務後点呼（営業所）
	1時間30分	1時間	2時間	3時間	2時間	1時間	3時間	1時間	1時間30分	

翌日：当該運行の翌日は、この運行を担当する運転者は、休日とする。

1．１人乗務とした場合、１日についての最大拘束時間及び休息期間が「自動車運転者の労働時間等の改善のための基準」（以下「改善基準告示」という。）に違反すると判断して、当該運行には交替運転者を配置した。

> 選択肢１の内容は、改善基準告示の改正により、最大拘束時間および休息期間に関する規定が変更されたため、不成立となります。

2．１人乗務とした場合、すべての日を特定の日とした場合の２日を平均して１日当たりの運転時間が改善基準告示に違反すると判断して、当該運行には交替運転者を配置した。

3．１人乗務とした場合、連続運転時間が改善基準告示に違反すると判断して、当該運行には交替運転者を配置した。

※改題している部分は、＿＿線で示しています。なお、法改正により、運転中断の時間は、原則として「休憩」でなければなりませんが、特段の事情があれば、「荷役作業等の時間」も運転中断の時間とすることができることから、本問では、「荷積み」「荷下ろし」の時間を運転中断の時間として扱うことで、出題当時のままの問題としています。

問30 運行管理者が次の事業用大型トラックの事故報告に基づき、この事故の要因分析を行ったうえで、同種事故の再発を防止するための対策として、最も直接的に有効と考えられる組合せを、下の枠内の選択肢（1～8）から１つ選び、解答用紙の該当する欄にマークしなさい。なお、解答にあたっては、【事故の概要】及び【事故の推定原因・事故の要因】に記載されている事項以外は考慮しないものとする。

【事故の概要】

当該運転者は、当日早朝に出勤し運行管理者の電話点呼を受けたのち、貨物の納入先へ向け運行中、信号機のない交差点に差しかかり、前方の普通トラックが当該交差点から約10メートル先の踏切で安全確認のため一時停止したため、それに続いて当該交差点の横断歩道上に停止した。その後前方のトラックが発進したことをうけ、車両前方を母子が横断していることに気付かず発進し、母子と接触し転倒させた。この事故により、母親とベビーカーの子供が重傷を負った。

なお、当該車両にはフロントガラス下部を覆う高さ約30センチメートルの装飾板が取り付けられていた。

問30　次ページへ続く

・事故発生：午前10時20分
・天候　　：晴れ
・道路　　：幅員8.0メートル
・運転者　：45歳　運転歴14年

【事故の推定原因・事故の要因】

推定原因

運転者
・発車時の安全確認不良

車両
・装飾板の取り付け

事故の要因

運転者
・発車時に十分な安全確認を行わなかった。
・前車に続き、安易に横断歩道上に停止した。
・装飾板を取り付けたことにより運転者席からの視界が悪化した。

運行管理
・安全運転について、点呼などにおいて適切な指導を実施していなかった。
・当該運転者は、最近３年間に不注意による人身事故を複数回起こしているが、必要な特別な指導などを受けていなかった。

整備管理
・当該車両について装飾板の取り外しを指示しなかった。

【事故の再発防止対策】

ア　対面による点呼が行えるよう要員の配置を整備する。

イ　装飾板等により運転者の視界を妨げるものについては、確実に取り外させるとともに、装飾板等取り付けが運転者の死角要因となることを運転者に対して、適切な指導を実施する。

ウ　運転者に対して、交通事故を惹起した場合の社会的影響の大きさや過労が運転に及ぼす危険性を認識させ、疲労や眠気を感じた場合は直ちに運転を中止し、休憩するよう指導を徹底する。

エ　事故惹起運転者に対して、安全運転のための特別な指導を行うとともに、適性診断結果を活用して、運転上の弱点について助言・指導を徹底することにより、安全運転のための基本動作を励行させる。

オ　運転者に対して、運行開始前に直接見ることができない箇所について後写鏡やアンダーミラー等により適切な視野の確保を図ったうえで、発車時には十分な安全確認を行うよう徹底する。

カ　過労運転の防止を図るため、自動車運転者の労働時間等の改善のための基準に違反しない乗務計画を作成し、運転者に対する適切な運行指示を徹底する。

キ　安全運転教育において、横断歩道、交差点などの部分で停止しないよう徹底するとともに、横断歩道に接近する場合及び通過する際に、横断しようとする者がいないことを確実に確認するよう徹底する。

ク　運転者に対して、疾病が交通事故の要因となるおそれがあることを正しく理解させ、定期的な健康診断結果に基づき、自ら生活習慣の改善を図るなど、適切な心身の健康管理を行うことの重要性を理解させる。

1．ア・イ・オ・ク	2．ア・イ・カ・キ
3．ア・オ・キ・ク	4．ア・ウ・オ・キ
5．イ・ウ・エ・カ	6．イ・エ・オ・キ
7．ウ・エ・キ・ク	8．ウ・エ・オ・カ

●法改正・正誤等の情報につきましては、下記「ユーキャンの本」
ウェブサイト内「追補（法改正・正誤）」をご覧ください。
https://www.u-can.co.jp/book/information

●本書の内容についてお気づきの点は
・「ユーキャンの本」ウェブサイト内「よくあるご質問」をご参照ください。
https://www.u-can.co.jp/book/faq
・郵送・ＦＡＸでのお問い合わせをご希望の方は、書名・発行年月日・お客様のお名前・ご住所・ＦＡＸ番号をお書き添えの上、下記までご連絡ください。
【郵送】〒169-8682 東京都新宿北郵便局 郵便私書箱第2005号
ユーキャン学び出版 運行管理者資格書籍編集部
【FAX】03-3350-7883
◎より詳しい解説や解答方法についてのお問い合わせ、他社の書籍の記載内容等に関しては回答いたしかねます。

●お電話でのお問い合わせ・質問指導は行っておりません。

2025年版 ユーキャンの 運行管理者〈貨物〉過去6回問題集

2018年９月21日 初 版 第１刷発行
2019年９月20日 第２版 第１刷発行
2020年９月18日 第３版 第１刷発行
2021年９月17日 第４版 第１刷発行
2022年９月16日 第５版 第１刷発行
2023年９月19日 第６版 第１刷発行
2024年９月20日 第７版 第１刷発行

編 者 ユーキャン運行管理者試験研究会
発行者 品川泰一
発行所 株式会社 ユーキャン 学び出版
〒151-0053
東京都渋谷区代々木1-11-1
Tel 03-3378-1400

編 集 株式会社 東京コア

発売元 株式会社 自由国民社
〒171-0033
東京都豊島区高田3-10-11
Tel 03-6233-0781（営業部）

印刷・製本 カワセ印刷株式会社

※落丁・乱丁その他不良の品がありましたらお取り替えいたします。お買い求めの書店か自由国民社営業部（Tel 03-6233-0781）へお申し出ください。

 ISBN978-4-426-61586-4

ユーキャンの 運行管理者〈貨物〉過去6回問題集

解答・解説編

解説をよく読んで知識を定着させましょう。また、「解答・解説編」は取り外すことができます。

取り外して使用可

目次

令和３年度 CBT試験出題例 解答一覧

試験科目	問題	解答	試験科目	問題	解答
貨物自動車運送事業法関係	問１	2・3	道路交通法関係	問16	2・4
	問２	A-8　B-3　C-5　D-1		問17	4
	問３	2・4	労働基準法関係	問18	1・2
	問４	1・2		問19	1
	問５	2・4		問20	A-1　B-1　C-1　D-2
	問６	2		問21	1・2
	問７	4		問22	1・2
	問８	1・2		問23	4
道路運送車両法関係	問９	2・4	実務上の知識及び能力	問24	A-5　B-7　C-3
	問10	4		問25	3
	問11	A-1　B-2　C-2　D-1		問26	2・3
	問12	3		問27	1・2
道路交通法関係	問13	1		問28	A-1　B-1　C-2　D-1
	問14	3・4		問29	2・2・1
	問15	A-1　B-2　C-1		問30	3

☆得点を計算してみましょう。

	挑戦した日			挑戦した日	
	１回目	２回目		１回目	２回目
貨物自動車運送事業法関係	／8	／8	労働基準法関係	／6	／6
道路運送車両法関係	／4	／4	実務上の知識及び能力	／7	／7
道路交通法関係	／5	／5	計	／30	／30

令和３年度 CBT試験出題例 解答・解説

1．貨物自動車運送事業法関係

問1 ★★★	事業計画の変更 ⇨ テキスト 2章 L2	解答 **2・3**

関連問題 R2①－1／R1①－1

1．**誤り。**事業者は、「**自動車車庫の位置及び収容能力**」の**事業計画の変更**をしようとするときは、国土交通大臣の**認可**を受けなければならない。変更後に遅滞（ちたい）なく届け出るのではない。

2．**正しい。**記述のとおり。また、「**各営業所に配置する運行車の数**」の事業計画を変更するときも、法令に定める場合を除き、あらかじめその旨を、国土交通大臣に届け出なければならない。

3．**正しい。**記述のとおり。事業者が事業計画を変更しようとするときは、原則として、国土交通大臣の認可を受けなければならない。なお、令和５年４月の法改正により、特定自動運行が認められたことに伴い、一部の文言が変更になった。

4．**誤り。**事業者は、「**主たる事務所の名称及び位置**」の**事業計画の変更**をしたときは、変更後に**遅滞なく**その旨を国土交通大臣に届け出なければならない。あらかじめ届け出るのではない。

ここがPoint 事業計画の変更

一般貨物自動車運送事業者が事業計画を変更しようとするときは、国土交通大臣の認可を受けなければならない。ただし、例外として以下の事項等について変更する場合は、届け出るだけでよい。

① **事業用自動車に関する国土交通省令で定める事項** ・各営業所に配置する事業用自動車の種別ごとの数の変更※ ・各営業所に配置する運行車の数の変更	あらかじめ届出
② **国土交通省令で定める軽微な事項** ・主たる事務所の名称および位置の変更 ・営業所または荷扱所の名称の変更 ・営業所または荷扱所の位置の変更 （貨物自動車利用運送のみに係るものなど） ・貨物自動車利用運送を行う場合の業務の範囲、利用する事業者の概要などの変更	変更後、 遅滞なく届出

※国の定める基準に適合しなくなるような事業用自動車の数の変更については、認可。

問2 ★★★ 運行管理者等の義務

⇨ テキスト 2章 L 12　解答 A-8 B-3 C-5 D-1

1．貨物自動車運送事業法第22条第１項では、「**運行管理者**は、**誠実に**その業務を行わなければならない」としている。したがって、Aには「誠実」が入る。

2．同法第22条第２項では、「一般貨物自動車運送事業者は、運行管理者に対し、第18条第２項の国土交通省令で定める業務を行うため**必要な権限**を与えなければならない」としている。したがって、Bには「権限」が入る。

3．同法第22条第３項では、「一般貨物自動車運送事業者は、運行管理者がその業務として行う**助言を尊重**しなければならず、事業用自動車の**運転者その他の従業員**は、運行管理者がその業務として行う**指導に従わなければならない**」としている。したがって、Cには「助言」が、Dには「指導」が入る。

問3 ★★★ 運行管理者の業務

⇨ テキスト 2章 L 12　解答 2・4

関連問題 R2C－3／R2①－6／R1①－2／H30②－3

1．**誤り。**乗務員等が休憩や睡眠のために利用することができる施設を**適切に管理**することは**運行管理者の業務**だが、これらの**施設を整備**したり**保守**することは、**事業者の義務**である。なお、令和５年４月の法改正により、特定自動運行が認められたことに伴い、一部の文言が変更になった。

2．**正しい。**記述のとおり。「死者又は負傷者（法令に掲げる傷害を受けた者）が生じた事故を引き起こした者」は、適性診断の対象となる**事故惹起**（じゃっき）**運転者**にあたる。

3．**誤り。**運転者等に対して**点呼**を行い、**報告**を求め、**確認**を行い、**指示**を与えること、また、**点呼の記録**をして**１年間保存**し、および運転者に対して使用するアルコール検知器を**常時有効に保持**することは**運行管理者の業務**だが、**アルコール検知器を備え置く**ことは、**事業者の義務**である。なお、令和５年４月の法改正により、特定自動運行が認められたことに伴い、一部の文言が変更になった。

4．**正しい。**記述のとおり。なお、令和５年４月の法改正により、特定自動運行が認められたことに伴い、一部の文言が変更になった。

問4 ★★★ 点呼

⇨ テキスト 2章 L 6　解答 1・2

関連問題 R2C－4／R2②－4／R2①－4／R1①－4／H30②－4

1．**正しい。**記述のとおり。なお、令和５年４月の法改正により、「乗務」が「業務」等のように一部の文言が変更になった。また、令和６年４月の法改正により、中間点呼の方法として、「対面による点呼と同等の効果を有するものとして国土交通大臣が定める方法」（ここでは、IT点呼と遠隔点呼）も可能となったことから、一部の文言が変更になった。

2．**正しい。**記述のとおり。酒気帯びの有無について確認を行う場合には、運転者の状態を**目**

視等で確認するほか、当該運転者の属する営業所に備えられた**アルコール検知器**を用いて行わなければならない。なお、令和5年4月の法改正により、「乗務」が「業務」等のように一部の文言が変更になった。

3．**誤り。Gマーク営業所以外**であっても、当該営業所が①**開設されてから3年**を経過していること、②**過去3年間**、点呼違反にかかる行政処分または警告を受けていないことなどの一定の要件に該当する一般貨物自動車運送事業者等の営業所にあっては、**当該営業所と当該営業所の車庫間**（**当該営業所の車庫と当該営業所の他の車庫間**を含む）で行う点呼に限り、IT点呼を実施することができる。点呼違反にかかる行政処分または警告を受けていない期間は1年間ではなく、3年間である。なお、令和5年4月の法改正により、一部の文言が変更になった。

4．**誤り。**Gマーク営業所である営業所間で行うIT点呼の実施は、1営業日のうち**連続する16時間以内**とされている。20時間以内ではない。

ここがPoint 業務前点呼・業務後点呼・中間点呼の報告事項等

運転者に対する各点呼で報告を求める事項や確認事項は、次のように定められている。

	業務前点呼	業務後点呼	中間点呼
報告を求める事項	① 酒気帯びの有無 ② 疾病、疲労、睡眠不足その他の理由により安全な運転をすることができないおそれの有無 ③ 日常点検の実施またはその確認	① 業務に係る事業用自動車の状況 ② 道路および運行の状況 ③ 他の運転者と交替した場合は、交替した運転者に対して行った法令の規定による通告	① 酒気帯びの有無 ② 疾病、疲労、睡眠不足その他の理由により安全な運転をすることができないおそれの有無
確認事項	上記①～③	酒気帯びの有無	上記①、②
指示事項	事業用自動車の運行の安全を確保するために必要な指示	—	事業用自動車の運行の安全を確保するために必要な指示

問5 ★★★ 事故の報告

⇨ テキスト 2章 L15 解答 **2・4**

関連問題 R2C－5／H30②－5

1．**報告を要しない。死者**または**重傷者**を生じた事故については、**国土交通大臣への報告**が**必要**である。そして、**14日以上の入院を要する傷害**、または入院を要する傷害で医師の**治療を要する期間が30日以上**のものならば、「**重傷者**」に含まれる。しかし、本肢の自転車に乗車していた者は入院はしていないので、「重傷者」には該当せず、国土交通大臣への事故の報告を必要としない。

2．**報告を要する。自動車の装置の故障**により、自動車が運行できなくなった事故については、**国土交通大臣への報告**が**必要**である。

3．**報告を要しない。**自動車が**転落**した事故については、**国土交通大臣への報告**が**必要**である。ここで「**転落**」とは、**道路との落差が0.5m以上**ある場所に落ちた場合をいう。しかし、本肢の事故では道路との落差が0.3mの畑に落ちているので、「転落」には該当せず、国土交通大臣への事故の報告を必要としない。

4．**報告を要する。**自動車に積載された**危険物**、火薬類または高圧ガスなどの全部・一部が飛散し、または漏(ろう)えいした事故については、**国土交通大臣への報告**が**必要**である。

問6 ★★★ 過労運転等の防止等

⇨ テキスト 2章 L 5、6　解答 **2**

関連問題 R2C−6／R2②−3／R2①−2／R1①−6／H30②−6

1．**正しい。**記述のとおり。また、事業者は、運転者、特定自動運行保安員および事業用自動車の運行の業務の補助に従事する従業員（以下「乗務員等」）が有効に利用することができるように、**休憩に必要な施設**を**整備**し、乗務員等に睡眠を与える必要がある場合は**睡眠に必要な施設**を**整備**し、これらの施設を適切に**管理**し、**保守**しなければならない。なお、令和5年4月の法改正により、特定自動運行が認められたことに伴い、一部の文言が変更になった。

2．**誤り。車両総重量7ｔ以上**または**最大積載量4ｔ以上**の普通自動車である事業用自動車の運転者等の業務については、その事業用自動車の**瞬間速度、運行距離**および**運行時間**を**運行記録計**により記録し、その記録を**1年間保存**しなければならないとされている。なお、令和5年4月の法改正により、「乗務」が「業務」等のように一部の文言が変更になった。

3．**正しい。**記述のとおり。また、事業者は、**酒気を帯びた状態**にある乗務員等を事業用自動車の運行の業務に従事させてはならない。なお、令和5年4月の法改正により、特定自動運行が認められたことに伴い、一部の文言が変更になった。

4．**正しい。**記述のとおり。また、事業者は、休憩または睡眠のための時間および勤務が終了した後の休息のための時間が十分に確保されるように、国土交通大臣が告示で定める基準に従って、運転者の**勤務時間**および**乗務時間**を定め、運転者にこれらを遵守(じゅんしゅ)させなければならない。

問7 ★★★ 運転者に対する指導および監督

⇨ テキスト 2章 L 4、10　解答 **4**

関連問題 R2C−7／R2①−7／R1①−7／H30②−7

1．**正しい。**記述のとおり。事故惹起運転者とは、**死者**または**重傷者**を生じた交通事故を引き起こした運転者や、**軽傷者**を生じた交通事故を引き起こし、かつ、その事故前の**3年間**に交通事故を引き起こしたことがある運転者をいう。

2．**正しい。**記述のとおり。指導・監督を行った日時、場所および内容のほか、指導・監督を行った者および受けた者を**記録**して、その記録を営業所で**3年間保存**しなければならない。

3．**正しい。**記述のとおり。**初任運転者**に対する特別な指導の**実施時期**については、事故惹起運転者の場合に認められているような、外部の専門的機関における指導講習を受講する予定の場合に関する**例外はない。**

4．**誤り。**初任運転者に対する特別な指導においては、安全運転の実技以外について**15時間**

以上実施し、安全運転の実技は20時間以上実施する。

ここがPoint 特別な指導と適性診断

一般貨物自動車運送事業者等は、初任運転者に対して、次のような特別な指導を行い、さらに適性診断を受けさせなければならない。

■初任運転者に対する特別な指導・適性診断

実施時間	・安全運転の実技以外について15時間以上 ・安全運転の実技について20時間以上	
実施時期	その貨物自動車運送事業者で初めて事業用自動車に乗務する前	やむを得ない事情がある場合は、乗務開始後1か月以内に実施
適性診断の受診		やむを得ない事情がある場合は、乗務開始後1か月以内に受診

問8 ★★ 運行の記録等

⇨ テキスト 2章 L 7、8、9

解答 **1・2**

関連問題 R2②－6／R2①－8

1．**正しい。**記述のとおり。事業者は、業務前点呼、業務後点呼、または中間点呼を行い、報告を求め、確認を行い、指示をしたときには、運転者等ごとに点呼を行った旨、**報告**、**確認**および**指示の内容**など一定の事項を**記録**し、これを**1年間保存**しなければならない。なお、令和5年4月の法改正により、「運転者」が「運転者等」のように一部の文言が変更になった。

2．**正しい。**記述のとおり。これは**過積載による運送**の有無を判断するために記録するものであるため、貨物の重量または貨物の個数、貨物の荷台等への積付状況などを、可能なかぎりくわしく記録させる。なお、令和5年4月の法改正により、「乗務」が「業務」等のように一部の文言が変更になった。

3．**誤り。**事業者は、法令の規定により**運行指示書**を作成した場合には、当該運行指示書を、**運行の終了の日**から**1年間保存**しなければならない。運行を計画した日からではない。

4．**誤り。**運転者が転任、退職その他の理由により**運転者でなくなった場合**には、直ちにその運転者の運転者等台帳に、運転者でなくなった年月日および理由を記載して、これを**3年間保存**しなければならない。なお、令和5年4月の法改正により、「運転者台帳」が「運転者等台帳」のように一部の文言が変更になった。

2．道路運送車両法関係

問9 ★★★	自動車の登録等 ⇨ テキスト 3章 L 1、2、3	解答 **2・4**

関連問題 R2C－9／R2②－9／R2①－9／R1①－9／H30②－9

1．**誤り。**登録自動車について**所有者の変更**があったときは、新所有者は、**その事由があった日から15日以内**に、国土交通大臣の行う**移転登録**の申請をしなければならない。

2．**正しい。**記述のとおり。抹消（まっしょう）登録には、**永久**抹消登録・**一時**抹消登録・**輸出**抹消登録の3種類がある。

3．**誤り。**臨時運行の許可を受けた者は、臨時運行許可証の**有効期間が満了**したときは、**その日から5日以内**に、**当該臨時運行許可証**および**臨時運行許可番号標**を行政庁に**返納**しなければならない。

4．**正しい。**記述のとおり。これに対して、道路交通法では、**最大積載量**や**車両総重量**などによって大型自動車、中型自動車、準中型自動車、普通自動車などに区分されている。

問10 ★★	自動車の検査等 ⇨ テキスト 3章 L 4、5、6	解答 **4**

関連問題 R2C－10／R2②－10／R1①－10／H30②－10

1．**正しい。**記述のとおり。登録自動車の使用者は、自動車検査証の有効期間満了後もその自動車を使用しようとするときは、その自動車を提示して、国土交通大臣の行う**継続検査（車検）**を受けなければならない。

2．**正しい。**記述のとおり。このときに受ける検査を、**構造等変更検査**という。なお、令和5年1月の法改正により、自動車検査証が電子化（IC化）されたため、一部の文言が電子化に沿った内容に変更になった。

3．**正しい。**記述のとおり。自動車が保安基準に適合しなくなるおそれがある状態、または適合しない状態にあるとき、**地方運輸局長**は、その**自動車の使用者**に対して、保安基準に適合しなくなるおそれをなくするため、または保安基準に適合させるために必要な**整備を行うべきことを命じる**ことができる（**整備命令**）。

4．**誤り。車両総重量8,000kg以上**または**乗車定員30人以上**の自動車のスペアタイヤの取付状態等については、**3か月ごと**に定期点検整備が義務づけられている。1か月ごとではない。

問11 ★★★	自動車の点検整備等 ⇨ テキスト 3章 L 4、5	解答 **A-1 B-2 C-2 D-1**

関連問題 R2C－11／R2②－11／R1①－11／H30②－11

1．事業用自動車の**使用者**は、国土交通省令で定める技術上の基準により、**3か月ごとに定期点検整備**を実施しなければならない。したがって、Aには「3ヵ月」が入る。

2．自動車の点検および整備に関し、特に専門的知識を必要とすると認められる車両総重量**8t以上**の自動車を、国土交通省令で定める一定台数以上使用する場合には、**整備管理者**を選任する必要がある。したがって、Bには「整備管理者」が入る。

3．**地方運輸局長**は、保安基準に適合しない状態にある自動車の使用者に対しては、保安基準に適合するまでの間の運行に関して、その自動車の使用方法、経路の制限などの**保安上**または**公害防止**などの**環境保全上必要な指示**をすることができる。したがって、Cには「公害防止」が入る。

4．事業用自動車の使用者またはこれを運行する者は、**1日1回**、その**運行の開始前**において、国土交通省令で定める**技術上の基準**により、自動車を**点検**しなければならない。これを**日常点検**という。したがって、Dには「点検」が入る。

問12 ★★★ 保安基準および細目告示

⇨ テキスト 3章 L9 解答 **3**

関連科目 R2②－12／H30②－12

1．**正しい。**記述のとおり。また、停止表示器材は、中空の**正立正三角形**の反射部およびけい光部または中空の正立正三角形のけい光反射部を有するものであることとされている。

2．**正しい。**記述のとおり。自動車の警音器は、警報音を発生することにより**他の交通に警告**することができ、かつ、その警報音が他の交通を妨げないものとして、音色、音量等に関し告示で定める基準に適合するものでなければならない。

3．**誤り。**自動車の**空気入ゴムタイヤの接地部**は、**滑り止め**を施したものであり、滑り止めの溝は、空気入ゴムタイヤの接地部の全幅にわたり滑り止めのために施されている凹部（サイピング、プラットフォーム及びウエア・インジケータの部分を除く）のいずれの部分においても**1.6㎜以上**の深さを有することが必要とされている。

4．**正しい。**記述のとおり。**車両接近通報装置**は、ハイブリッド車や電気自動車でモーター音がほとんどしない場合でも、その**自動車の接近**を**歩行者等に知らせる**ために備え付けられる装置である。

ここがPoint 停止表示器材と非常信号用具の違い

停止表示器材と非常信号用具は、その機能が似ているので違いをしっかり把握しよう。

	停止表示器材	非常信号用具
色	赤色の反射光および赤色または橙色のけい光	赤色の灯光
確認可能な距離	① 夜間200m（反射光で確認） ② 昼間200m	夜間200m
形状・形態	中空の正立正三角形の反射部およびけい光部または中空の正立正三角形のけい光反射部を有する	① 自発光式 ② 振動、衝撃等で、損傷・作動しないこと

3．道路交通法関係

問13 ★	自動車の種類	⇨ テキスト 1章 L 2	解答 **1**

関連問題 R30②－17

1．**誤り。**記述のような自動車（乗車定員２人、最大積載量6,250kg、車両総重量10,110kg）の種類は、**中型自動車**になる。大型自動車は、最大積載量が6,500kg以上、車両総重量が11,000kg以上または乗車定員が30人以上の自動車をいう。

2．**正しい。**記述のとおり。最大積載量が4,500kg以上6,500kg未満であり、車両総重量が7,500kg以上11,000kg未満の自動車の種類は、**中型自動車**である。

3．**正しい。**記述のとおり。最大積載量が2,000kg以上4,500kg未満であり、車両総重量が3,500kg以上7,500kg未満の自動車の種類は、**準中型自動車**である。

4．**正しい。**記述のとおり。最大積載量が2,000kg未満であり、車両総重量が3,500kg未満の自動車の種類は、**普通自動車**である。

ここがPoint 自動車の最大積載量、車両総重量、乗車定員

大型自動車、中型自動車、準中型自動車の最大積載量や車両総重量、乗車定員は、次のとおりである。

	大型自動車	中型自動車	準中型自動車
①最大積載量	6,500kg以上	4,500kg以上 6,500kg未満	2,000kg以上 4,500kg未満
②車両総重量	11,000kg以上	7,500kg以上 11,000kg未満	3,500kg以上 7,500kg未満
③乗車定員	30人以上	11人以上 29人以下	10人以下

問14 ★★★	車両の交通方法等	⇨ テキスト 1章 L 3、4、9	解答 **3・4**

関連問題 R2C－13／R2①－13／H30②－13

1．**誤り。**車両の運転者が同一方向に進行しながら進路を左方または右方に変えるときの合図を行う時期は、進路を**左方**または**右方**に変えようとする時の**３秒前**のときである。30m手前の地点に達したときではない。

2．**誤り。**車両は、左側部分の**幅員**（ふくいん）**が６mに満たない道路**において、他の車両を追い越そうとするとき（道路の右側部分を見とおすことができ、かつ、反対の方向からの交通を妨げるおそれがない場合に限るものとし、道路標識等により追越しのため右側部分にはみ出して通行することが禁止されている場合を除く）は、道路の**右側部分**にその**全部または一部をはみ出して通行**することができる。８mではない。

3．**正しい。**記述のとおり。道路交通法第17条第１項ただし書・第２項に、このように定めら

れている。

4．正しい。記述のとおり。同法第20条の２第１項本文に、このように定められている。

ここがPoint 運転者が行う合図

車両（自動車以外の軽車両を除く）の運転者は、左折し、右折し、転回し、徐行し、停止し、後退し、または同一方向に進行しながら進路を変えるときは、手、方向指示器または灯火により合図をし、かつ、これらの行為が終わるまでその合図を継続しなければならない。なお、運転者が合図を行う時期は、次のとおりである（環状交差点における場合を除く）。

合図を行う場合	合図を行う時期
左折するとき	左折しようとする地点（交差点で左折する場合はその交差点の手前の側端）から30m手前の地点に達したとき
右折または転回するとき	右折または転回しようとする地点（交差点で右折する場合はその交差点の手前の側端）から30m手前の地点に達したとき
同一方向に進行しながら進路を左方に変えるとき	進路を左方に変えようとする時の３秒前のとき
同一方向に進行しながら進路を右方に変えるとき	進路を右方に変えようとする時の３秒前のとき
徐行または停止するとき	徐行または停止しようとするとき
後退するとき	後退しようとするとき

問15 ★ 酒気帯び運転等の禁止等

⇨ テキスト 1章 L 8、12

解答 A-1 B-2 C-1

関連問題 R2①－15

道路交通法第65条第１項では、「何人も、酒気を帯びて車両等を運転してはならない」と定め、同条第２項では、「何人も、酒気を帯びている者で、前項の規定に違反して車両等を運転することとなるおそれがあるものに対し、**車両等を提供**してはならない」としている。したがって、Aには「車両等を提供」が入る。

また、同条第４項では、「何人も、車両（トロリーバス及び旅客自動車運送事業の用に供する自動車で当該業務に従事中のものその他の政令で定める自動車を除く。）の運転者が酒気を帯びていることを知りながら、当該運転者に対し、当該車両を運転して**自己を運送することを要求**し、又は依頼して、当該運転者が第１項の規定に違反して運転する**車両に同乗**してはならない」と定めている。したがって、Bには「車両に同乗」が入る。

さらに、第117条の２の２第１項第３号では、「第65条（酒気帯び運転等の禁止）第１項の規定に違反して車両等（軽車両を除く）を運転した者で、その運転をした場合において身体に政令で定める程度以上にアルコールを保有する状態にあったもの」に対して、３年以下の懲役または50万円以下の罰金に処することとしている。そして、この「政令で定める程度」とは、「血液１ミリリットルにつき0.3ミリグラムまたは呼気１リットルにつき**0.15ミリグラム**」と規定されている。したがって、Cには「0.15」が入る。

問16 ★	道路標識	⇨ テキスト 1章 L 2、5、11	解答 **2・4**

関連問題 R2C－16

1．**誤り。**本肢の標識は、「車両の横断を禁止する。ただし、道路外の施設または場所に出入りするための左折を伴う横断は除く」（**車両横断禁止**）ことを示している。「指定された方向以外の方向に進行してはならない」（**指定方向外進行禁止**）ことを示す標識は、右のものである。

2．**正しい。**これは**左折可**の標識である。この標識に似ているが、青地に白い矢印があるものは**一方通行**を表している。

3．**誤り。**本肢の標識は、「大型貨物自動車、特定中型貨物自動車および大型特殊自動車の通行を禁止する」（**大型貨物自動車等通行止め**）ことを示している。**特定中型貨物自動車**とは、**中型自動車**のうち、**車両総重量8,000kg以上**または**最大積載量5,000kg以上**の貨物自動車をいうので、本肢に示された自動車は、この標識が通行を禁止するいずれの自動車にも当てはまらない。

4．**正しい。**記述のとおり。この標識は、**車両通行帯**の設けられた道路において、車両の種類を特定して**通行の区分**を指定するものである。

問17 ★★★	運転者の遵守事項等	⇨ テキスト 1章 L 3、9、10	解答 **4**

関連問題 R2C－17／R2②－17／R1①－17

1．**正しい。**記述のとおり。道路交通法第71条第2号の3に、このように規定されている。

2．**正しい。**記述のとおり。同法第75条の11第1項に、このように規定されている。

3．**正しい。**記述のとおり。同法第103条第2項第4号に、このように規定されている。

4．**誤り。**車両等の運転者は、身体障害者用の車が通行しているときは、**一時停止**または**徐行**して、その**通行を妨げない**ようにしなければならない。なお、令和5年4月の法改正により、「車椅子」が「車」等のように一部の文言が変更になった。

4．労働基準法関係

問18 ★★	労働契約等	⇨ テキスト 4章 L 2、3、4	解答 **1・2**

関連問題 R2C－18／R2②－18／H30②－18

1．**正しい。**使用者は、「途中で辞めたら違約金を支払え」というように、労働契約の不履行について**違約金**を定めたり、「会社に損害を与えたら○円を支払え」というように、**損害賠償額を予定**する契約をしてはならない。

2．**正しい。**記述のとおり。また、日日雇い入れられる者、**2か月以内**の期間を定めて使用される者、**試の使用期間中**の者のいずれかに該当する労働者についても、その者が法に定める期間を超えて引き続き使用されない限り、解雇の予告の規定は適用されない。

3．**誤り。平均賃金**とは、これを算定すべき事由の発生した日以前3か月間（算定期間）に、その労働者に対して支払われた**賃金の総額**を、その期間の**総日数**で除した金額をいう。所定労働日数で除した金額ではない。

4．**誤り。**出来高払制などの**請負**(うけおい)**制**で使用する労働者については、使用者は、**労働時間に応じ、**一定額の賃金の保障をしなければならない。

問19 ★★★	労働時間および休日等 ⇨ テキスト 4章 L5､6	解答 **1**

関連問題 R2C－19／R2②－19／R1①－19／H30②－19

1．**誤り。**使用者は、当該事業場に、労働者の過半数で組織する労働組合がある場合は、その労働組合、事業場に、労働者の過半数で組織する労働組合がない場合は、**労働者の過半数を代表する者**との書面による協定をし、法令で定めるところにより、これを行政官庁（所轄の労働基準監督署長）に届け出た場合には、その協定で定められた限度で、法定労働時間を超えて労働させたり（法定時間外労働）、法定休日に労働させたり（法定休日労働）することができる。使用者が指名する労働者ではない。

2．**正しい。**記述のとおり。このように労働基準法では、妊娠・出産・育児にたずさわる女性労働者について、**母性を保護**するために、男性労働者と比べて、特別な保護の規定を設けている。

3．**正しい。**記述のとおり。**休日**は、労働契約上であらかじめ定められた、労働者が**労働義務を負わない日**である。労働者の疲労回復などのために与える点では休憩時間と同様だが、まとまった時間が保障される点が休憩時間とは異なっている。

4．**正しい。**記述のとおり。また、使用者が労働者に、原則として**午後10時から午前5時まで**の間に労働させた場合にも、**割増**(わりまし)**賃金**を支払わなければならない。

問20 ★★★	トラック運転者の拘束時間等 ⇨ テキスト 4章 L8	解答 **A-1 B-1 C-1 D-2**

関連問題 R2C－20／R2①－21

1．改善基準告示では、トラック運転者の**1年の拘束時間**は**3,300時間以内**、かつ、**1か月の拘束時間**は**284時間以内**が**原則**であるとしている。ただし、労使協定により、1年のうち**6か月**までは、1年の総拘束時間が**3,400時間を超えない**範囲内において、1か月の拘束時間を**310時間まで延長**することができる。したがって、Aには「284時間」が、Bには「3,300時間」が、Cには「3,400時間」が入る。なお、令和6年4月の法改正により、一部の文言が変更になった。

2．改善基準告示では、トラック運転者の**フェリー乗船時間**は、原則として、**休息期間**として取り扱うものとしている。したがって、Dには「休息期間」が入る。

ここがPoint　1年と1か月の拘束時間

1年と1か月の拘束時間については、次のような制限が定められている。

原則	1年：3,300時間以内＋1か月：284時間以内
例外	①　1年の総拘束時間が3,400時間を超えない範囲内において、1か月の拘束時間を310時間まで延長可（労使協定により、1年のうち6か月まで） ②　1か月の拘束時間が284時間を超える月は連続3か月まで ③　1か月の時間外労働および休日労働の合計時間数が100時間未満となるよう努める

問21 ★★★　トラック運転者の拘束時間等

⇨ テキスト 4章 L8

解答 **1・2**

関連問題 R2C－21／R2②－21／R2①－21／R1①－21／H30②－21

1．**正しい。**記述のとおり。これを「**隔日勤務の特例**」という。ただし、例外として、事業場内の仮眠施設等において、**夜間に4時間以上の仮眠**を与える場合には、2週間における総拘束時間が**126時間**（21時間×6勤務）**を超えない範囲**において、**2週間について3回を限度**に、この2暦日(れきじつ)の拘束時間を**24時間まで延長**することができる。なお、令和6年4月の法改正により、一部の文言が変更になった。

2．**正しい。**記述のとおり。**1日の運転時間**については、**「特定日の前日＋特定日」と、「特定日＋特定日の翌日」のそれぞれの運転時間の平均がいずれも9時間を超えている場合**は、改善基準告示に**違反**していることになり、どちらか一方の平均が9時間以内であれば、改善基準告示に違反しない。

3．**誤り。**1日の拘束時間は原則として、**13時間以内**とされており、延長する場合であっても、最大拘束時間は**15時間**となる。この場合、1日の拘束時間が**14時間**を超える回数をできるだけ少なくするよう努めるものとされている。13時間を超える回数ではない。なお、1日の拘束時間が**14時間を超える回数**は、**1週間に2回**以内が目安とされている。また、令和6年4月の法改正により、一部の文言が変更になった。

4．**誤り。**業務の必要上、勤務の終了後、**継続9時間**（宿泊を伴う長距離貨物運送に該当する場合は継続8時間）以上の休息期間を与えることが困難な場合、一定の要件を満たすものに限り、当分の間、一定期間（1か月程度を限度）における全勤務回数の2分の1を限度に、休息期間を拘束時間の途中および拘束時間の経過直後に分割して与えることができるものとされている。8時間ではない。なお、令和6年4月の法改正により、一部の文言が変更になった。

ここがPoint 1日の拘束時間

1日の拘束時間については、次のような制限が定められている。

原則	13時間以内。最大拘束時間は15時間	**延長の制限**	・13時間を超えて延長する場合は、14時間を超える回数をできるだけ少なくするよう努める ・1週間について2回までが目安 ・14時間を超える日が連続することは望ましくない
例外	宿泊を伴う長距離貨物運送の場合は、16時間まで延長可（1週間について2回に限る）		

問22 ★★★ 連続運転の中断方法

⇨  4章 L8

解答 **1・2**

関連問題 R2①－22／H30②－22

改善基準告示では、連続運転時間は、**原則**として**4時間以内**でなければならず、**運転開始後4時間以内**、または**4時間経過直後**に、**30分以上**、**運転を中断**しなければならないとしている。ただし、運転の中断は、1回が**おおむね連続10分以上**とした上で分割することもできるが、1回が**10分未満**の運転の中断は、**3回以上連続**してはいけない。また、運転の中断時には、原則として**休憩**を与えなければならない。

1．**適合している。**本肢の乗務開始後の1回目から3回目までの運転時間を加えると4時間になるが、この間と直後に10分の休憩を3回とっており、合わせて**30分の休憩**になるので、この時点で連続運転は中断している。また、4回目の1時間の運転の後には**30分の休憩**をとっているので、この時点で連続運転は中断している。さらに、その後の5回目から7回目までの運転時間を加えると4時間になるが、その後に乗務終了となるので、休憩時間としては十分である。したがって、本肢の連続運転の中断方法は、改善基準告示に適合している。

2．**適合している。**本肢の乗務開始後の1回目から2回目までの運転時間を加えると3時間30分になるが、この間と直後に10分と20分の休憩をとっており、合わせて**30分の休憩**になるので、この時点で連続運転は中断している。また、3回目から5回目までの運転時間を加えると4時間になるが、この間と直後に10分の休憩を3回とっており、合わせて**30分の休憩**になるので、この時点で連続運転は中断している。さらに、その後の6回目と7回目の運転時間を加えると3時間で、この間の休憩は0分となる（6回目の運転後の5分の休憩は、**おおむね連続10分以上とは認められないので中断時間とは扱われない**）が、7回目の運転の後に乗務終了となるので、休憩時間としては十分である。したがって、本肢の連続運転の中断方法は、改善基準告示に適合している。

3．**適合していない。**本肢の乗務終了前の3回分の運転時間を見ると、1時間＋1時間30分＋2時間＝4時間30分であり、4時間を超えているが、この間の休憩は10分＋10分＝20分となり、**30分に満たない**ので、本肢の連続運転の中断方法は、改善基準告示に適合していない。

4．**適合していない。**本肢の乗務開始後の４回分の運転時間を見ると、１時間＋１時間30分＋１時間＋１時間＝４時間30分であり、４時間を超えているが、この間の休憩は10分＋15分＝25分となる（３回目の運転後の５分の休憩は、**おおむね連続10分以上とは認められないので中断時間とは扱われない**）。したがって、**休憩は30分に満たない**ので、本肢の連続運転の中断方法は、改善基準告示に適合していない。

ここがPoint 連続運転時間の制限

連続運転時間については、次のような制限が定められている。

原則	４時間以内 運転開始後４時間以内、または４時間経過直後に、30分以上、運転を中断しなければならない。ただし、運転の中断は１回がおおむね連続10分以上とした上で分割することもできるが、１回が10分未満の運転の中断は、３回以上連続してはいけない。また、運転の中断時には、原則として休憩を与えなければならない
例外	サービスエリアまたはパーキングエリア等が満車であることなどにより駐車または停車できず、やむを得ず連続運転時間が４時間を超える場合には、４時間30分まで延長できる

問23 ★★★ トラック運転者の拘束時間

⇨ テキスト 4章 L８ 解答 **4**

関連問題 R1①—23

1．**適合しない。**改善基準告示では、原則として、**１年の拘束時間**は**3,300時間以内**、かつ、**１か月の拘束時間**は**284時間以内**に制限している。ただし、例外として①労使協定により、１年のうち**６か月**までは、１年の総拘束時間が**3,400時間**を超えない範囲内において、１か月の拘束時間を**310時間まで延長**することができるが、②１か月の拘束時間が**284時間を超える月**は**連続３か月**までとしなければならない、としている。本肢の例では、１年の総拘束時間が**3,400時間を超えている**ので、例外①に違反している。したがって、改善基準告示に適合しない。なお、令和６年４月の法改正により、一部の文言が変更になった。

2．**適合しない。**１か月の拘束時間を延長する場合でも、**310時間**を超えることはできない。本肢の例では、12月の拘束時間が**312 時間**で、**310時間**を超えているので、例外①に違反している。したがって、改善基準告示に適合しない。なお、令和６年４月の法改正により、一部の文言が変更になった。

3．**適合しない。**本肢の例では、１年の総拘束時間が3,400時間を超えず、１か月の拘束時間が310時間を超える月もない。しかし、１か月の拘束時間が**284時間を超えている月**は、４月、８月、11月、12月、１月、２月、３月の**７か月**で、**６か月**を超えているので、例外①に違反している。また、１か月の拘束時間が**284時間を超えている月が連続している月**は、11月、12月、１月、２月、３月の**５か月**なので、例外②にも違反している。したがって、本肢の例は、改善基準告示に適合しない。なお、令和６年４月の法改正により、一部の文言が変更になった。

４．**適合する。**本肢の例では、１年の総拘束時間が3,400時間を超えず、１か月の拘束時間が310時間を超える月もない。また、１か月の拘束時間が284時間を超えている月は、４月、８月、11月、12月、１月、３月であり、**6か月**を超えていないので、例外①に違反していない。また、１か月の拘束時間が**284時間を超えている月が連続している月**は、11月、12月、１月の**3か月**なので、例外②にも違反していない。したがって、本肢の例は、改善基準告示に適合する。なお、令和６年４月の法改正により、一部の文言が変更になった。

5．実務上の知識及び能力

問24 ★　点呼の記録　⇨ テキスト 2章 L７　解答 **A-5 B-7 C-3**

業務前点呼における記録事項は、①点呼執行者名、②運転者等の氏名、③運転者等が従事する運行の業務にかかる事業用自動車の自動車登録番号または識別できる記号、番号等、④点呼日時、⑤点呼方法（アルコール検知器の使用の有無および対面でない場合は具体的方法）、⑥運転者の酒気帯びの有無、⑦運転者の疾病、疲労、睡眠不足等の状況、⑧日常点検の状況、⑨**指示事項**、⑩その他必要な事項とされている。したがって、Aには「指示事項」が入る。

また、**中間点呼**における記録事項は、①点呼執行者名、②運転者等の氏名、③運転者等が従事している運行の業務にかかる事業用自動車の自動車登録番号または識別できる記号、番号等、④点呼日時、⑤点呼方法（アルコール検知器の使用の有無および具体的方法）、⑥運転者の酒気帯びの有無、⑦運転者の**疾病、疲労、睡眠不足等の状況**、⑧指示事項、⑨その他必要な事項とされている。したがって、Bには「疾病、疲労、睡眠不足等の状況」が入る。

さらに、**業務後点呼**における記録事項は、①点呼執行者名、②運転者等の氏名、③運転者等が従事した運行の業務にかかる事業用自動車の自動車登録番号または識別できる記号、番号等、④点呼日時、⑤点呼方法（アルコール検知器の使用の有無および対面でない場合は具体的方法）、⑥自動車、道路および運行の状況、⑦**交替運転者等に対する通告**、⑧運転者の酒気帯びの有無、⑨その他必要な事項とされている。したがって、Cには「運転者交替時の通告内容」が入る。

なお、令和５年４月の法改正により、「乗務」が「業務」のように一部の文言が変更になった。

問25 ★★ 運転者に対する指導・監督

⇨ テキスト 1章 L 9 5章 L 1、6、8 解答 **3**

関連問題 R2①－25／R1①－25

1．**適切でない。**運転者が交通事故を起こした場合、まず最初に、車両等の**運転を停止**し、**負傷者を救護**し、道路における**危険を防止**するなど必要な措置を講じなければならない。

2．**適切でない。**運転者が危険を認識して自動車を停止させようとしてから、実際に自動車が停止するまでの距離を**停止距離**といい、停止距離には、**空走距離と制動距離**が含まれる。運転中の安全な車間距離は、制動距離ではなく、停止距離と同じ程度以上の距離となる。

3．**適切である。**ヒヤリ・ハットとは、運転者が運転中に他の自動車などと**衝突・接触するおそれがあったと認識**することである。このヒヤリ・ハットを調査し、減少させていくことが、交通事故防止対策に有効な手段となる。したがって、本肢のように、実際の事故事例やヒヤリ・ハット事例のドライブレコーダー映像を活用することにより、実事例に基づいた危険予知訓練を実施することは、運転者に対して行う指導・監督として適切である。

4．**適切でない。**飲酒により体内に摂取されたアルコールを処理するために必要な時間の目安については、個人差はあるが、例えば**ビール500mL**（アルコール５％）の場合、おおむね**4時間**とされている。２時間ではない。

問26 ★★ 運転者の健康管理

⇨ テキスト 5章 L 5・6 解答 **2・3**

関連問題 R2②－26／H30②－26

1．**適切でない。**事業者は、健康診断の結果に基づき**健康診断個人票**を作成し、これを**５年間**保存しなければならない。本肢の事業者は３年間しか保存していないので、この点が適切ではない。

2．**適切である。**睡眠時無呼吸症候群（SAS）になると、睡眠不足により運転中に**強い眠気**（ねむけ）を感じる状態になることから、自動車の運転の仕事を続けていくためには、早期に治療を受けることが必要不可欠となる。したがって、本肢のように医師と相談して慎重に対応することは、適切な措置である。

3．**適切である。**記述のとおり。アルコール依存症は、回復後も節酒ではなく**断酒**が必要であり、断酒会に参加するなどして、アルコールを断つ意志を持ち続けなければならないとされている。

4．**適切でない。**前半の記述は適切だが、交替運転者が配置されていない場合は、その後の**運行再開の可否**については、医師等の意見を聞いたうえで**運行管理者が決定**するのが適切である。体調の状況を運転者自ら判断し決定するよう指導している点は、適切ではない。

問27 ★★★ 交通事故防止対策

⇨ テキスト 5章 L 2、6　解答 **1・2**

関連問題 R2C－27／R2②－27／R2①－27／R1①－27

1．**適切である。**記述のとおり。ドライブレコーダーは、**自動車事故を未然に防止**する有効な手段のひとつとして活用が広がっている。

2．**適切である。**記述のとおり。トラックなどの運転者席が高い位置にある**大型車**の場合は、**実際より車間距離を長く感じ**、余裕があるように錯覚するおそれがあるので、注意が必要である。

3．**適切でない。**二輪車との衝突事故を防止するための注意点として、①二輪車は**死角に入りやすい**ため、その存在に気づきにくいこと、②二輪車は速度が**実際より遅く**感じたり、**距離が遠く**に見えたりする特性があることが挙げられる。

4．**適切でない。内輪差**とは、**後輪が前輪**の軌跡に対して**内側**を通ることになるこの前後輪の軌跡の差をいう。また、大型車などホイールベースが長いほど**内輪差は大きく**なるので、運転者に対し、交差点での左折時には、内輪差による歩行者や自転車等との接触、巻き込み事故に注意するよう指導する必要がある。

問28 ★★ 自動車の運転

⇨ テキスト 5章 L 1、3　解答 **A-1 B-1 C-2 D-1**

関連問題 R2C－27／R2②－28／H30②－27

1．夜間の走行中には、自分の自動車と対向車のライトで、道路の中央付近の歩行者や自転車が見えなくなることがあるので、注意が必要である。これを**蒸発現象**という。したがって、Aには「蒸発現象」が入る。

2．**遠心力**は自動車の**速度の２乗に比例**して大きくなるので、速度が２分の１になれば遠心力は1/2×1/2＝1/4になる。したがって、Bには「４分の１」が入る。

3．長い下り坂などで**フット・ブレーキ**を使いすぎると、ブレーキ・ドラムやブレーキ・ライニングなどが摩擦のため過熱して、ドラムとライニングの間の摩擦力が減り、ブレーキの効(き)きが悪くなる。これを**フェード現象**という。したがって、Cには「フェード現象」が入る。

4．**衝撃力**は、自動車の**重量に比例**して大きくなる。したがって、車両総重量が２倍になると衝撃力は２倍になるので、Dには「２倍」が入る。

問29 ★★★ 運行計画

⇨ テキスト 1章 L 2 4章 L 8 5章 L 8　解答 **2・2・1**

関連問題 R2C－29／R2②－29／R2①－29／R1①－29／H30②－29

1．本問の運行計画では、C料金所からD料金所までの200㎞を２時間で走行するので、その間の平均時速は、200㎞÷２時間＝時速100㎞となる。当該運行計画では、車両総重量８ｔ、最大積載量５ｔの貨物自動車（トラック）を使用するとあり、これは道路交通法上の**特定中**

型貨物自動車（トレーラ等を除く）に当たるので、高速自動車国道での**最高速度は時速90㎞**である。

したがって、C料金所からD料金所までの間の高速自動車国道を２時間で走行することは不可能であり、この時間設定は不適切である。なお、令和６年４月の法改正により、一部の文言が変更になった。

２．本問の運行の運転時間について見ると、往路では、AB間の20㎞÷時速30㎞＝2/3時間＝40分、BC間の５㎞÷時速30㎞＝1/6時間＝10分、CD間の２時間、DE間の５㎞÷時速30㎞＝1/6時間＝10分を加えて、３時間となる。また、復路では、EF間の30㎞÷時速30㎞＝１時間、FG間の90㎞÷時速30㎞＝３時間、GA間の40㎞÷時速30㎞＝4/3時間＝１時間20分を加えて、５時間20分となる。往路と復路を全て加えて、この日の運転時間の合計を求めると、３時間＋５時間20分＝８時間20分となる。

改善基準告示では、**１日の運転時間**について、**２日を平均して９時間以内**でなければならないとしている。そして、**「特定日の前日＋特定日」と「特定日＋特定日の翌日」のそれぞれの運転時間の平均がいずれも９時間を超えて**いれば、改善基準告示に違反していることになり、どちらか一方の運転時間の平均が９時間以内であれば、改善基準告示に違反していないことになる。

本問の運行当日を特定日とした場合、「特定日の前日＋特定日」の運転時間の平均は（９時間20分＋８時間20分）÷２＝**８時間50分**、「特定日＋特定日の翌日」の運転時間の平均は（８時間20分＋９時間20分）÷２＝**８時間50分**となるので、**いずれも９時間を超えていない**。

したがって、１日当たりの運転時間は改善基準告示に違反していない。

３．連続運転時間は、**原則**として**４時間以内**でなければならず、運転開始後**４時間以内**、または**４時間経過直後**に、**30分以上、運転を中断**しなければならない。ただし、運転の中断は、**１回がおおむね連続10分以上**とした上で分割することもできるとしている。また、運転の中断時には、**原則**として**休憩**を与えなければならない（ただし、特段の事情があれば、「荷役作業等の時間」も運転中断の時間とすることができる）。

これをふまえて本問の全運行の連続運転時間について見ると、復路のF地点～G地点～A営業所までの運行において、３時間＋１時間20分＝４時間20分の連続運転時間があり、４時間を超えている。本問では、「荷積み」「荷卸し」の時間も運転中断の時間とすることができるとされているが、G地点での荷卸しの時間は20分だけであり、運転中断の時間には足りない。

したがって、本問の全運行の連続運転時間は改善基準告示に違反している。なお、令和６年４月の法改正により、一部の文言が変更になった。

問30 ★★★ **交通事故の再発防止対策** ⇨ テキスト 2章L6 3章L7 4章L8 5章L6 解答 **3**

関連問題 R2①－30／H30②－30

ア．直接的に有効である。事故の概要によれば、当時霧のため当該道路の最高速度が時速50㎞に制限されていたが、当該トラックがこれに違反して時速80㎞で走行したことが示されている。また、事故関連情報では、交通事故を惹起した場合の社会的影響の大きさや、疲労などの生理的要因による交通事故の危険性などについて理解させる指導・教育が不足していたことがわかる。したがって、本肢のような指導を徹底することは、同種事故の再発防止対策として、直接的に有効である。

イ．直接的に有効ではない。事故関連情報では、業務前点呼はアルコール検知器を使用し対面で行われたとあり、**運行管理者または補助者**により行われていたと考えられる。したがって、適正な数の運行管理者または補助者を配置するなどの対策は、同種事故の再発防止対策として、直接的に有効ではない。

ウ．直接的に有効である。事故関連情報では、当該運転者は、事故日前1か月間の勤務において、**拘束時間および休息期間**について**改善基準告示違反**が複数回あったことが示されている。また、事故当日は朝5時に業務を終了し、12時には業務前点呼を受けているので、事故当日の休息期間は7時間しかない。これは、**休息期間は、原則として勤務終了後、継続11時間以上与えるよう努めることを基本とし、継続9時間を下回ってはならない**とする、改善基準告示に違反している。本問の事故では、**運転者の睡眠不足等の体調不良**が事故原因になっていると考えられるので、関係法令および改善基準告示に違反しないよう適切な乗務割を作成することは、同種事故の再発防止対策として、直接的に有効である。

エ．直接的に有効である。本問の事故では、もし**衝突被害軽減ブレーキ装置**が取り付けられていたら、衝突時の速度が抑えられたため、ここまで大きな被害が生じることはなかったと考えられる。したがって、衝突被害軽減ブレーキ装置の導入を促進することは、同種事故の再発防止対策として、直接的に有効である。また、その際に、当該装置の性能限界を正しく理解させることも重要である。

オ．直接的に有効ではない。本問の事故では、当該運転者は定期健康診断を受診しているので、本記述のような対策は、同種事故の再発防止対策として、直接的に有効ではない。

カ．直接的に有効ではない。事故関連情報によると、**日常点検・定期点検**を実施していた。また、当該トラックには**速度抑制装置**（スピードリミッター）が取り付けられていたことも示されているが、これは**時速90㎞**を超えないように制限するものなので、時速80㎞での走行時には作動しない。つまり、本事故は、日常点検や定期点検を実施しなかったことや、速度抑制装置が作動しなかったことが直接的な原因で起きた事故ではない。したがって、本記述のような対策は、同種事故の再発防止対策として、直接的に有効ではない。

キ．直接的に有効である。事故関連情報では、点呼において**運転者の体調確認**が行われていなかったとある。本問の事故では、**運転者の睡眠不足等の体調不良**が事故原因になっていると考えられるので、点呼の際に運転者の体調や疲労の蓄積などをよく確認することは、同種事故の再発防止対策として、直接的に有効である。

ク．直接的に有効ではない。事故関連情報では、当該運転者が**初任運転者**に対する**適性診断**を受診していなかったことが示されているが、本問の事故では、このことが直接の事故原因になったとは考えられない。したがって、本記述のような対策は、同種事故の再発防止対策として、直接的に有効ではない。

なお、令和５年４月の法改正により、「乗務」が「業務」のように一部の文言が変更になった。

以上より、本問の同種事故の再発防止対策として、直接的に有効なものはア、ウ、エ、キであり、最も直接的に有効と考えられる組合せは、③になる。

令和２年度 CBT試験出題例 解答一覧

試験科目	問題	解答	試験科目	問題	解答
貨物自動車運送事業法関係	問１	1・3	道路交通法関係	問16	2
	問２	A-2　B-1　C-1		問17	3
	問３	1	労働基準法関係	問18	2・4
	問４	1・2		問19	2
	問５	1・4		問20	A-1　B-1　C-2　D-2
	問６	4		問21	2・3
	問７	2		問22	3
	問８	4		問23	2
道路運送車両法関係	問９	4	実務上の知識及び能力	問24	2・4
	問10	2・3		問25	2・3
	問11	A-1　B-1　C-2　D-2		問26	1・4
	問12	4		問27	1・3・4
道路交通法関係	問13	2		問28	3
	問14	1・4		問29	1・1・1
	問15	A-2　B-1　C-1		問30	4・6・9

☆得点を計算してみましょう。

	挑戦した日			挑戦した日	
	１回目	２回目		１回目	２回目
貨物自動車運送事業法関係	／8	／8	労働基準法関係	／6	／6
道路運送車両法関係	／4	／4	実務上の知識及び能力	／7	／7
道路交通法関係	／5	／5	計	／30	／30

令和２年度 CBT試験出題例 解答・解説

1．貨物自動車運送事業法関係

問１ ★★★	貨物自動車運送事業 ⇨ テキスト 2章 L１	解答 **1・3**

関連問題 R2①－1／R1①－1

1．**正しい。**記述のとおり。一般貨物自動車運送事業と特定貨物自動車運送事業で使用する自動車には、三輪以上の軽自動車および二輪自動車は含まれない。

2．**誤り。一般貨物自動車運送事業**とは、**他人**の需要に応じ、有償で、自動車（三輪以上の軽自動車および二輪の自動車を除く）を使用して貨物を運送する事業であって、**特定貨物自動車運送事業以外のもの**をいう。本肢の記述は、**特定貨物自動車運送事業**の説明である。

3．**正しい。**記述のとおり。貨物軽自動車運送事業の例としては、軽トラックによる通信販売の商品の配送やバイク便などが挙げられる。

4．**誤り。特別積合せ貨物運送**とは、**一般貨物自動車運送事業として行う運送**のうち、**営業所その他の事業場において集貨された貨物の仕分を行い、**集貨された貨物を積み合わせて他の事業場に運送し、当該他の事業場において運送された貨物の配達に必要な仕分を行うものであって、これらの事業場の間における当該積合せ貨物の運送を**定期的に**行うものをいう。特定の者の需要に応じて、限定された貨物の集貨を行うものではない。

問２ ★★★	輸送の安全 ⇨ テキスト 2章 L４	解答 **A-2 B-1 C-1**

関連問題 H30②－2

貨物自動車運送事業法第17条第１項第１号では、一般貨物自動車運送事業者は、「**事業用自動車の数**、荷役その他の事業用自動車の運転に附帯する作業の状況等に応じて必要となる員数の**運転者及びその他の従業員の確保**、事業用自動車の運転者がその休憩又は睡眠のために利用することができる**施設の整備及び管理**、事業用自動車の運転者の適切な**勤務時間及び乗務時間**の設定その他事業用自動車の運転者の**過労運転**を防止するために必要な事項」に関し国土交通省令で定める基準を遵守（じゅんしゅ）しなければならないとしている。

同法第17条第２項では、「一般貨物自動車運送事業者は、事業用自動車の運転者が**疾病**により**安全な運転**ができないおそれがある状態で事業用自動車を運転することを防止するために必要な**医学的知見**に基づく措置を講じなければならない」としている。

したがって、Aには「数」、Bには「乗務時間」、Cには「医学的知見」が入り、正解は、A－2、B－1、C－1となる。

問3 ★★★	運行管理者の業務 ⇨ テキスト 2章 L 5、10、12	解答 **1**

関連問題 R3C－3／R2①－6／R1①－2／H30②－3

1．**誤り。**事業計画に従い業務を行うに**必要な員数**の事業用自動車の**運転者**または特定自動運行保安員（以下「運転者等」という）を常時選任しておくことは、運行管理者の業務ではなく、一般貨物自動車運送事業者等の義務である。なお、令和5年4月の法改正により、特定自動運行が認められたことに伴い、一部の文言が変更になった。

2．**正しい。**記述のとおり。なお、運転者等に対して点呼を行うことは、**事業者の義務**でもある。

3．**正しい。**記述のとおり。適性診断には、性格と運転のクセや安全意識を判定する筆記診断のほかに、シミュレーター等を使用して状況変化への適応能力等を判定する機械診断、カウンセリングなどがある。

4．**正しい。**記述のとおり。令和5年4月の法改正により、特定自動運行が認められたことに伴い、一部の文言が変更になった。なお、点呼の記録は、**1年間**保存しなければならない。

問4 ★★★	点呼 ⇨ テキスト 2章 L 6、7	解答 **1・2**

関連問題 R3C－4／R2②－4／R2①－4／R1①－4／H30②－4

1．**正しい。**記述のとおり。令和5年4月の法改正により、「乗務」が「業務」等のように一部の文言が変更になった。③の車両法の規定による点検とは**日常点検**のことである。点検の実施またはその確認については報告事項に含まれるが、点検に基づく整備は含まれない。

2．**正しい。**記述のとおり。令和5年4月の法改正により、「乗務」が「業務」等のように一部の文言が変更になった。**対面による点呼**により、その日の運行で疲労がたまっていないかなどを直接確認する。

3．**誤り。Gマーク営業所間**で**IT点呼**を実施した場合、**点呼簿**に記録する内容を、IT点呼を行う営業所およびIT点呼を受ける運転者が所属する営業所の**双方**で**記録**し、**保存**しなければならない。

4．**誤り。**「アルコール検知器を営業所ごとに備え」とは、営業所または営業所の車庫に設置されているアルコール検知器だけではなく、営業所に備え置かれている**携帯型アルコール検知器**等でも構わない。

問5 ★★★ 事故の報告

⇨ テキスト 2章 L 16　解答 **1・4**

関連問題 R3C－5／H30②－5

1．**報告を要する。**自動車に積載された危険物、火薬類または高圧ガスなどの**全部・一部**が**飛散**し、または**漏えい**した事故については、国土交通大臣への報告が必要である。

2．**報告を要しない。死者**または**重傷者**を生じた事故については、**国土交通大臣への報告**が**必要**である。そして、**14日以上の入院**を要する傷害、または**入院**を要する傷害で医師の治療を要する期間が**30日以上**のものならば、「**重傷者**」に含まれる。しかし、本肢の一般原動機付自転車の運転者は**入院はしていない**ので、「重傷者」には該当せず、国土交通大臣への事故の報告を必要としない。なお、令和５年７月の法改正により、一部の文言が変更になった。

3．**報告を要しない。10台以上**の自動車の**衝突または接触**を生じた事故、**10人以上の負傷者**を生じた事故については、**国土交通大臣への報告**が**必要**だが、本肢の事故では**8台**の自動車が衝突し、**負傷者は生じなかった**ので、国土交通大臣への事故の報告を必要としない。

4．**報告を要する。**車輪の脱落、被けん引自動車の分離を生じた事故（自動車の装置の**故障**によるものに限る）については、国土交通大臣への報告が必要である。

問6 ★★★ 過労運転等の防止等

⇨ テキスト 2章 L 5､8　解答 **4**

関連問題 R3C－6／R２②－3／R２①－2／R１①－6／H30②－6

1．**正しい。**記述のとおり。また、事業者は、運転者、特定自動運行保安員および事業用自動車の運行の業務の補助に従事する従業員（以下「乗務員等」という）が有効に利用することができるように、**休憩に必要な施設**を**整備**し、乗務員等に睡眠を与える必要がある場合は**睡眠に必要な施設**を**整備**し、これらの施設を適切に**管理**し、**保守**しなければならない。

2．**正しい。**記述のとおり。また、事業者は、乗務員等の健康状態の把握に努め、**疾病**、**疲労**、**睡眠不足**などの理由によって、安全に運行の業務を遂行し、またはその補助ができないおそれのある乗務員等を事業用自動車に**運行の業務に従事させてはならない。**

3．**正しい。**記述のとおり。令和５年４月の法改正により、特定自動運行が認められたことに伴い、一部の文言が変更になった。また、運行の途中において、運行の経路および主な経過地における**発車・到着の日時**に変更が生じた場合にも、事業者は同様の措置をとらなければならない。

4．**誤り。特別積合せ貨物運送**を行う一般貨物自動車運送事業者は、特別積合せ貨物運送の運行系統で起点から終点までの距離が**100キロメートル**を超えるものごとに、所定の事項について事業用自動車の運行の業務に関する基準を定め、その**基準の遵守**について乗務員等に適切な指導および監督を行わなければならない。なお、令和５年４月の法改正により、特定自動運行が認められたことに伴い、一部の文言が変更になった。

問7 ★★★	運転者に対する指導および監督　⇨ テキスト 2章 L 10	解答 **2**

関連問題 R3C−7／R1①−7／H30②−7

1．**正しい。**記述のとおり。また、特別な指導を実施した場合は、指導を実施した年月日や指導の具体的内容を**運転者等台帳に記載**するか、または、指導を実施した年月日を運転者等台帳に記載したうえで指導の具体的内容を記録した書面を運転者等台帳に添付する。

2．**誤り。**初任運転者に対する特別な指導においては、法令に基づき運転者が遵守すべき事項など安全運転の実技以外について**15時間以上**実施し、安全運転の実技について**20時間以上**実施する。

3．**正しい。**記述のとおり。また、事業者は、事業用自動車に備えられた**非常信号用具と消火器の取扱い**について、乗務員等に対する適切な指導をしなければならない。

4．**正しい。**記述のとおり。**事故惹起運転者**とは、**死者または重傷者**を生じた交通事故を引き起こした運転者や、**軽傷者**を生じた交通事故を引き起こし、かつ、その**事故前の3年間**に交通事故を引き起こしたことがある運転者をいう。

問8 ★★	運行管理者の選任等　⇨ テキスト 2章 L 11、13、14	解答 **4**

関連問題 R1①−8

1．**正しい。**記述のとおり。このように、選任する運行管理者の人数は、その営業所で運行を管理する**事業用自動車の数**に応じて決められる。ただし、**被けん引自動車を除く**ことに注意が必要である。

2．**正しい。**記述のとおり。資格者証の返納を命じられるのは**法令等に違反した資格者証の保有者自身**であり、その者を運行管理者に選任した事業者ではない。

3．**正しい。**記述のとおり。なお、基礎講習の目的は、運行管理を行うために必要な法令および業務等に関する**基礎的な知識の習得**である。

4．**誤り。**運行管理者として「**新たに選任した者**」とは、**当該事業者**において**初めて選任**された者のことをいい、**当該事業者**において**過去**に運行管理者として**選任**されていた者や**他の営業所**で**選任**されていた者は含まれない。つまり、**他の事業者**において運行管理者として選任されていた者であっても、**当該事業者**において運行管理者として選任されたことがなければ、運行管理者として選任された者は、「新たに選任した者」に該当することになる。したがって、他の事業者において運行管理者として選任されていた者であっても、当該事業者において初めて運行管理者として選任された者には、**基礎講習**または**一般講習**を受講させなければならない。

ここがPoint 選任すべき運行管理者の数

一般貨物自動車運送事業者等は、原則として、事業用自動車（被けん引自動車を除く）の運行を管理する営業所ごとに、その営業所が運行を管理する事業用自動車の数を30で割った数（小数点以下は切り捨て）に１を加えた数以上の運行管理者を選任しなければならない。

事業用自動車（被けん引自動車を除く）の数	必要な運行管理者数
29両まで	1名
30両～59両	2名
60両～89両	3名
90両～119両	4名
120両～149両	5名
⋮	⋮
以降、事業用自動車の数が30両増えるごとに、必要な運行管理者数も１名増える	

2．道路運送車両法関係

問9 ★★★ 自動車の登録等 ⇨ テキスト 3章 L 2、3、6 解答 **4**

関連問題 R3C−9／R2②−9／R2①−9／R1①−9／H30②−9

1．**正しい。**記述のとおり。自動車登録番号標は、ナンバープレートと呼ばれ、国土交通大臣または自動車登録番号標交付代行者から交付される。

2．**正しい。**記述のとおり。また、**臨時運行許可の有効期間**は、法令で定める特別な場合（長期間を要する回送など、特にやむを得ない場合）を除き、**5日**を超えてはならないとされている。

3．**正しい。**記述のとおり。また、その自動車の車台がその自動車の新規登録の際に存したものでなくなったときや、その自動車について一時抹消登録があったときにも、**15日以内**に、その自動車検査証を国土交通大臣に返納しなければならない。

4．**誤り。**登録自動車の所有者は、当該自動車の使用の本拠の位置に変更があったときは、車両法で定める場合を除き、その事由があった日から**15日以内**に、国土交通大臣の行う**変更登録の申請**をしなければならない。

ここがPoint 自動車登録番号標の表示義務

自動車は、自動車登録番号標を国土交通省令で定める位置に、かつ、被覆しないこと、その他当該自動車登録番号標に記載された自動車登録番号の識別に支障が生じないものとして、次の方法により表示しなければ、運行の用に供してはならない。

表示位置	自動車の前面および後面であって、自動車登録番号標に記載された自動車登録番号の識別に支障が生じないように見やすい位置であること
表示方法	・自動車の車両中心線に直交する鉛直面に対する角度その他の自動車登録番号標の表示方法が告示で定める基準に適合していること ・自動車登録番号の識別に支障が生じないものとして告示で定める物品（封印や検査標章など）以外のものが取り付けられておらず、かつ、汚れがないこと

問10 ★★ 自動車の検査等

⇨ テキスト 3章 L6

解答 **2・3**

関連問題 R3C－10／R2①－10／R1①－10／H30②－10

1．**誤り。**自動車は、**指定自動車整備事業者**が継続検査の際に交付した有効な**保安基準適合標章**を表示しているときは、自動車検査証の備え付けや、検査標章の表示を行わなくても、運行の用に供することができる。

2．**正しい。**記述のとおり。貨物の運送の用に供する自動車の自動車検査証の有効期間は**1年**である。ただし、**初めて自動車検査証の交付を受ける車両総重量8,000kg未満**の貨物の運送の用に供する自動車の場合は有効期間が**2年**となるが、本肢の自動車の場合、車両総重量が8,000kg以上なので、該当しない。

3．**正しい。**記述のとおり。この公示により、その地域に使用の本拠の位置を有する自動車の自動車検査証の有効期間は、公示の定めるとおりに**伸長**したものとみなされる。

4．**誤り。**自動車の使用者は、**自動車の長さ、幅または高さ**を変更したときは、車両法で定める場合を除き、その事由があった日から**15日以内**に、当該変更について、国土交通大臣が行う**自動車検査証の変更記録**を受けなければならない。なお、令和５年１月の法改正により、自動車検査証が電子化（IC化）されたため、一部の文言が電子化に沿った内容に変更になった。

問11 ★★★ 自動車の点検整備等

⇨ テキスト 3章 L4、5

解答 **A-1 B-1 C-2 D-2**

関連問題 R3C－11／R2②－11／R1①－11／H30②－11

自動車運送事業の用に供する自動車の使用者または当該自動車を運行する者は、**1日1回**、その運行の開始前において、国土交通省令で定める**技術上の基準**により、自動車を**点検**しなければならない。

車両総重量**8トン以上**または乗車定員30人以上の自動車の使用者は、**スペアタイヤの取付状態等**について、**3か月**ごとに国土交通省令で定める**技術上の基準**により自動車を**点検**しなければならない。

自動車の使用者は、自動車の点検および整備に関し、特に専門的知識を必要とすると認められる車両総重量**8トン以上**の自動車を、国土交通省令で定める一定台数以上使用する場合には、**整備管理者**を選任する必要がある。

地方運輸局長は、自動車の**使用者**が車両法第54条（**整備命令等**）の規定による**命令**または**指示**に従わず、その自動車が保安基準に適合しない状態にあるときは、その自動車の**使用を停止**することができる。

したがって、Aには「1日1回」、Bには「3ヵ月」、Cには「整備管理者」、Dには「使用者」が入り、正解は、A－1、B－1、C－2、D－2となる。

問12 ★★★	保安基準および細目告示	⇨ テキスト 3章 L 8、9	解答 **4**

関連科目 R2②－12／R2①－12

1．**正しい。**記述のとおり。自動車の前面ガラスと側面ガラス（告示で定める部分〔運転者席より後方の部分〕を除く）は、**運転者の視野を妨げない**ものとして、ひずみ、可視光線の透過率などに関し、告示で定める基準に適合するものでなければならない。

2．**正しい。**記述のとおり。**大型後部反射器**は、自動車の後方にある他の交通にその自動車の存在を示すことができるものとして、反射光の色、明るさ、反射部の形状等に関し、告示で定める基準に適合するものでなければならない。

3．**正しい。**記述のとおり。ただし、突入防止装置を備えた自動車と同程度以上に、他の自動車が追突した場合に追突した自動車の車体前部が突入することを防止することができる構造を有するものとして告示で定める構造の自動車にあっては、突入防止装置を備えなくてもよいとされている。

4．**誤り。**自動車は、告示で定める方法により測定した場合において、**長さ**（セミトレーラにあっては、連結装置中心からそのセミトレーラの後端までの水平距離）**12メートル**（セミトレーラのうち告示で定めるものにあっては13メートル）、**幅2.5メートル、高さ3.8メートル**を超えてはならないとされている。

3．道路交通法関係

問13 ★★★	車両の交通方法等	⇨ テキスト 1章 L 2、3、4、9 5章 L 3	解答 **2**

関連問題 R3C－14／R2②－15／R2①－13／H30②－13・16

1．**正しい。**記述のとおり。自動車運転者が合図する場合は、方向指示器（ウインカー）を操作したり、制動灯（ブレーキランプ）や後退灯（バックランプ）をつけたりする。

2．**誤り。**路線バス等の優先通行帯であることが道路標識等により表示されている車両通行帯が設けられている道路においては、自動車（路線バス等を除く）は、路線バス等が後方から接近してきた場合に当該道路における交通の混雑のため当該車両通行帯から出ることができないこととなるときは、道路の状況その他の事情によりやむを得ない場合等を除き、**当該車両通行帯を通行してはならない**。

3．**正しい**。記述のとおり。また、横断歩道等に接近する場合に、歩行者等が横断しているときや横断しようとしているときは、横断歩道等の直前で一時停止し、歩行者等の通行を妨げないようにしなければならない。

4．**正しい**。記述のとおり。道路標識等によって最低速度が指定されている道路では、原則としてその最低速度に達しない速度で進行してはならない。

問14 ★★ 停車および駐車等

⇨ テキスト 1章 L6

解答 **1・4**

関連問題 R2②－14／H30②－14

1．**正しい**。記述のとおり。また、**火災報知機**から**1メートル以内**の道路の部分においても、駐車してはならない。

2．**誤り**。車両は、**人の乗降、貨物の積卸し、駐車または自動車の格納・修理**のため道路外に設けられた施設または場所の道路に接する**自動車用の出入口**から**3メートル以内**の道路の部分においては、駐車してはならない。

3．**誤り**。車両は、公安委員会が交通がひんぱんでないと認めて指定した区域を除き、その車両の**右側の道路上**に**3.5メートル**（道路標識等によって距離が指定されているときはその距離）以上の**余地**がなくなる場所には、原則として駐車してはならない（**無余地駐車の禁止**）。なお、貨物の積卸しを行う場合で運転者がその車両を離れないとき、もしくは運転者がその車両を離れたが直ちに運転に従事することができる状態にあるとき、または傷病者の救護のためやむを得ないときは、駐車することができる。

4．**正しい**。記述のとおり。**消火栓**、指定消防水利の標識が設けられている位置または消防用防火水槽の吸水口もしくは吸管投入孔から**5メートル以内**の道路の部分においても、駐車してはならない。

問15 ★★ 交通事故の場合の措置

⇨ テキスト 1章 L9

解答 **A-2 B-1 C-1**

関連問題 H30②－15

道交法第72条第1項では、「交通事故があつたときは、当該交通事故に係る車両等の**運転者その他の乗務員**（中略）は、直ちに車両等の**運転を停止**して、**負傷者を救護**し、道路における危険を防止する等必要な措置を講じなければならない。この場合において、当該車両等の運転者（運転者が死亡し、又は負傷したためやむを得ないときは、その他の乗務員。〈中略〉）は、警察官が現場にいるときは当該**警察官**に、警察官が現場にいないときは直ちに最寄りの警察署（派出所又は駐在所を含む。〈中略〉）の警察官に当該交通事故が発生した日時及び場所、当該交通事故における**死傷者の数**及び負傷者の負傷の程度並びに損壊した物及びその損壊の程度、当該交通事故に係る車両等の積載物並びに**当該交通事故について講じた措置**（中略）を報告しなければならない」と規定している。

したがって、Aには「負傷者を救護」、Bには「死傷者の数」、Cには「当該交通事故について講じた措置」が入り、正解は、A－2、B－1、C－1となる。

問16 ★	道路標識	⇨ テキスト 1章 L 5、11	解答 **2**

関連問題 R3C－16／R2①－17

1．**正しい。**記述のとおり。この道路標識は、**車両通行帯**の設けられた道路において、車両の種類を特定して**通行の区分**を指定する標識である。

2．**誤り。**この道路標識は、「車両の横断を禁止する。ただし、道路外の施設または場所に出入りするための左折を伴う横断は除く」（**車両横断禁止**）ことを示している。「指定された方向以外の方向に進行してはならない」（**指定方向外進行禁止**）ことを示す標識は、右のものである。

3．**正しい。**記述のとおり。この道路標識は、**左折可**の標識である。

4．**正しい。**記述のとおり。この道路標識は、**駐停車禁止**の標識である。

問17 ★★★	運転者の遵守事項等	⇨ テキスト 1章 L 9、10	解答 **3**

関連問題 R3C－17／R2②－17／R2①－17／R1①－17

1．**正しい。**記述のとおり。ただし、傷病者の救護または公共の安全維持のため、走行中に緊急やむを得ず通話のために使用することは認められている。

2．**正しい。**記述のとおり。高齢者講習の所要時間は2時間程度である。試験ではないので、終了後に必ず終了証明書が交付される。

3．**誤り。**運転者は、積載物が道路に転落または飛散したときは、**すみやかに**これらの物を**除去する**など、道路における**危険を防止するため必要な措置**を講じなければならない。

4．**正しい。**記述のとおり。**停止表示器材**とは、けい光および反射光により他の交通にその自動車が停止していることを表示することができるものをいい、形状、けい光および反射光の明るさ、色などが告示で定める基準に適合していなければならない。

4．労働基準法関係

問18 ★★	労働契約	⇨ テキスト 4章 L 3	解答 **2・4**

関連問題 R3C－18／R2②－18／R1①－18／H30②－18

1．**誤り。**使用者は、労働者が**業務上負傷**し、または**疾病**にかかり療養のために休業する期間および**その後30日間**ならびに産前産後の女性が**産前・産後休業**の規定によって休業する期間および**その後30日間**は、解雇（かいこ）してはならない。

2．**正しい。**記述のとおり。これは、解雇や退職をめぐるトラブルを防ぎ、労働者の再就職活動に役立てるためである。

3．**誤り**。使用者は、労働者を解雇しようとする場合には、少なくとも**30日前**に**解雇予告**をしなければならず、**30日前**に予告をしない使用者は、**30日分以上の平均賃金**（**解雇予告手当**）を支払わなければならない。

4．**正しい**。記述のとおり。また、天災事変その他やむを得ない事由のために事業の継続が不可能となった場合や、労働者の責（せめ）に帰すべき事由に基づいて解雇する場合には、その事由について行政官庁（所轄の労働基準監督署長）の認定があれば、解雇予告または解雇予告手当の支払をせずに解雇することができる。

問19 ★★★ 労働時間および休日等

解答 **2**

関連問題 R3C－19／R2②－19／R1①－19／H30②－19

1．**正しい**。記述のとおり。労働時間は、始業から終業までの時間から休憩時間を差し引いたものをいうので、昼休みなどは労働時間に含まれない。

2．**誤り**。使用者は、労働時間が6時間を超え、8時間以内の場合は少なくとも**45分**、8時間を超える場合は少なくとも**1時間**の**休憩時間**を労働時間の途中に与えなければならない。

3．**正しい**。記述のとおり。**休日**は、労働契約上であらかじめ定められた、労働者が**労働義務を負わない日**である。労働者の疲労回復などのために与える点では休憩時間と同様だが、まとまった時間が保障される点が休憩時間とは異なっている。

4．**正しい**。記述のとおり。**年次有給休暇**（いわゆる有休）は、労働者が心身のリフレッシュや自己啓発などを図ることができるように、賃金の支払を受けながら休暇をとることを認めるものである。

ここがPoint 労働時間に対する休憩時間

使用者は、労働時間に応じて、次の休憩時間を労働時間の途中に与えなければならない。

労働時間	休憩時間
6時間以内の場合	与える義務はない
6時間を超え、8時間以内の場合	少なくとも45分
8時間を超える場合	少なくとも1時間

問20 ★★★ トラック運転者の拘束時間等

解答 **A-1 B-1 C-2 D-2**

関連問題 R3C－20／R2①－21

改善基準告示では、トラック運転者の**1年の拘束時間**は**3,300時間以内**、かつ、**1か月の拘束時間**は**284時間以内**が**原則**であるとしている。ただし、労使協定により、1年のうち**6か月**までは、1年の総拘束時間が**3,400時間を超えない**範囲内において、1か月の拘束時間を**310時間まで延長**することができる。

また、改善基準告示では、１日の拘束時間は原則として、**13時間以内**とされており、延長する場合であっても、最大拘束時間は**15時間**となる。この場合、１日の拘束時間が**14時間**を超える回数をできるだけ少なくするよう努めるものとされている。なお、１日の拘束時間が**14時間を超える回数**は、**１週間に２回**以内が目安とされている。

なお、令和６年４月の法改正により、一部の文言が変更になった。

したがって、Aには「284時間」が、Bには「3,300時間」が、Cには「15時間」が、Dには「14時間」が入り、正解は、A-１、B-１、C-２、D-２となる。

問21 ★★★ トラック運転者の拘束時間等 ⇨ テキスト 4章 L８ 解答 2・3

関連問題 R3C－21／R2②－21／R2①－21／R1①－20／H30②－21

1. **誤り。**業務の必要上、勤務の終了後、**継続９時間**（宿泊を伴う長距離貨物運送に該当する場合は継続８時間）以上の**休息期間**を与えることが困難な場合、一定の要件を満たすものに限り、当分の間、一定期間（１か月程度を限度）における全勤務回数の**２分の１**を限度に、休息期間を拘束時間の途中および拘束時間の経過直後に**分割して与える**ことができるものとされている（**分割休息の特例**）。８時間以上ではなく、また、３分の２ではない。なお、令和６年４月の法改正により、一部の文言が変更になった。
2. **正しい。**記述のとおり。**休息期間**とは、**勤務と次の勤務の間の時間**で、睡眠時間を含む運転者の生活時間として、運転者が仕事から完全に解放されて、自由に使うことができる時間のことである。
3. **正しい。**記述のとおり。なお、令和６年４月の法改正により、一部の文言が変更になった。
4. **誤り。**改善基準告示では、連続運転時間は、**原則**として**４時間以内**でなければならず、**運転開始後４時間以内**、または**４時間経過直後**に、**30分以上、運転を中断**しなければならないとしている。ただし、運転の中断は、１回が**おおむね連続10分以上**とした上で分割することもできるが、１回が**10分未満**の運転の中断は、**３回以上連続**してはいけない。また、運転の中断時には、原則として**休憩**を与えなければならない。５分以上ではない。なお、令和６年４月の法改正により、一部の文言が変更になった。

問22 ★★★ トラック運転者の１日の拘束時間 ⇨ テキスト 4章 L８ 解答 3

関連問題 R2②－22／R2①－22／R1①－22／H30②－23

改善基準告示に従って**１日の拘束時間**を計算する場合、「１日」とは０時から24時までのことではなく、**始業時刻から起算して24時間**のことをいうので、**翌日の始業時刻がその日の始業時刻よりも早いとき**は、**その差の時間もその日の拘束時間に加えられる**ことになる。また、勤務途中の**フェリーの乗船時間**は、原則として休息期間として取り扱われ、拘束時間には含まれない。

これらをふまえて各日の拘束時間を見ると、

1日目の拘束時間は、5時から9時までの4時間に、14時から19時までの5時間を加えた**9時間**となる。

2日目の拘束時間は、6時から18時までの12時間に、翌日（3日目）の4時から6時までの2時間を加えた**14時間**となる。

3日目の拘束時間は、4時から8時までの4時間に、12時から19時までの7時間を加えた**11時間**となる。

4日目の拘束時間は、6時から18時までの12時間に、翌日（5日目）の5時から6時までの1時間を加えた**13時間**となる。

以上より、改善基準告示等における1日についての拘束時間として正しいものは、3となる。

ここがPoint 拘束時間の重複

1日の拘束時間を計算する場合、翌日の始業時刻がその日の始業時刻よりも早いときは、その差の時間もその日の拘束時間に加えられる。

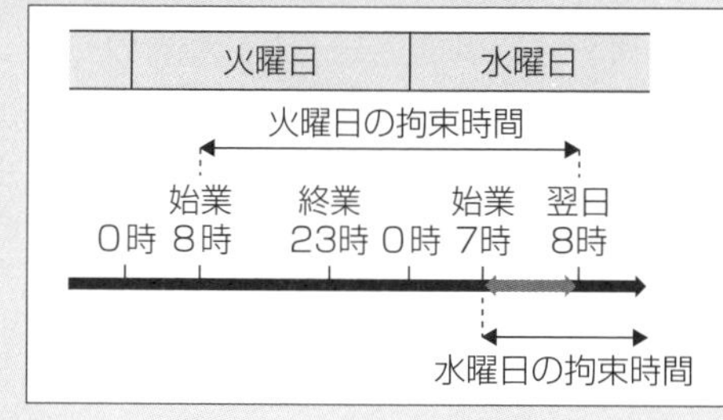

水曜日の7時から8時までの1時間は、火曜日の拘束時間だけでなく、水曜日の拘束時間にも含まれることになる。

問23 ★★★ トラック運転者の拘束時間等

⇨ テキスト 4章 L8　解答 **2**

関連問題 R2②－22・23／R2①－23／R1①－21

1．**違反していない。**改善基準告示では、1日の拘束時間は原則として、**13時間以内**とされており、延長する場合であっても、宿泊を伴う長距離貨物運送に該当しない場合の**最大拘束時間**は**15時間**としている。そこで、本問の1か月の各日の拘束時間を見ると、15時間を超える日はない。したがって、1日の最大拘束時間については改善基準告示に違反していない。なお、令和6年4月の法改正により、一部の文言が変更になった。

2．**違反している。**改善基準告示では、**1日の運転時間**について、**2日**（始業時刻から起算して48時間）**を平均して、9時間以内**でなければならないとしている。そして、**「特定日の前日＋特定日」**と**「特定日＋特定日の翌日」のそれぞれの運転時間の平均**が、**いずれも9時間を超えている**場合は、改善基準告示に違反していることになり、どちらか一方の平均が9時間以内であれば、改善基準告示に違反しないことになる。そこで、本問の1か月の勤務状況を見ると、第3週の19日を特定日とした場合、「特定日の前日の運転時間（9時間）」＋「特定日の運転時間（10時間）」の平均は**9.5時間**、「特定日の運転時間（10時間）」＋「特定日の翌日の運転時間（９時間）」の平均は**9.5時間**となり、**いずれも９時間を超えている**。したがって、１日当たりの運転時間については改善基準告示に違反している。

3．**違反していない。**改善基準告示では、**１週間の運転時間**について、２週間を平均して１週間当たり**44時間**を超えてはならないとしている。これは、「特定の日を起算日として２週間ごとに区切り、２週間を平均した１週間当たりの運転時間が44時間を超えている場合」は改善基準告示に違反することを意味している。そこで、本問の１か月の勤務状況を見ると、第１週と第２週の運転時間の平均は、(42時間＋46時間）÷２＝「44時間」で、44時間を超えていないので、改善基準告示に違反していない。また、第３週と第４週の運転時間の平均も、(41時間＋41時間）÷２＝「41時間」で、44時間を超えていないので、改善基準告示に違反していない。したがって、２週間を平均した１週間当たりの運転時間については改善基準告示に違反していない。

4．**違反していない。**改善基準告示では、**１か月の拘束時間**は**284時間以内**が原則であるが、労使協定があるときは、１年のうち**６か月**までは、１年の総拘束時間が**3,400時間**を超えない範囲内で、**310時間**まで延長することができるとしている。そこで、本問の１か月の拘束時間を見ると、307時間であり、284時間を超えている。ただし、本問では「１ヵ月についての拘束時間の延長に関する労使協定」があり、本問の１か月は「当該協定により１ヵ月についての拘束時間を延長することができる月に該当する」とされているので、310時間まで延長することができる。したがって、１か月の拘束時間は310時間を超えていないので、改善基準告示に違反していない。なお、令和６年４月の法改正により、一部の文言が変更になった。

5．実務上の知識及び能力

問24 ★★	運行管理	⇨ テキスト 2章 L 6、11、12	解答 **2・4**

関連問題 R2②－24／R1①－24

1．**適切でない。**たしかに運行管理者は、自動車運送事業者から業務を行うため必要な権限を与えられ、事業用自動車の輸送の安全確保に関する業務全般を行い、交通事故を防止する役割を担っているので、事故が発生した場合に責任を負うことはある。しかし、例えば、**運行管理とは関係ないことが原因で事故が起きた**場合において、**運行管理者として適切に業務を行っていれば**（＝運行管理業務に一切問題がなければ)、**運行管理者が責任を負うことはない**と考えられる。したがって、「事故が発生した場合には、事業者に代わって責任を負う」というのは適切ではない。

2．**適切である。**記述のとおり。運行管理者は、運行管理に関する知識や能力の維持に常に努めなければならない。また、自動車運送に関する法令の改正や関連通達等を熟知していなければならない。これらの機会として運行管理者には**基礎講習**や**一般講習**の受講が義務とされている。

3．**適切でない。**点呼は、**対面または対面による点呼と同等の効果を有するものとして国土交通大臣が定める方法ですることが原則**だが、運行上やむを得ない場合は、**電話その他の方法**によることが認められる。「運行上やむを得ない場合」とは、**遠隔地で業務を開始または終了**するため、運転者等の所属する営業所で対面点呼が実施できない場合などをいい、単に車庫と営業所が離れているとか、早朝・深夜で点呼を行う者が営業所に出勤していない場合などは、「運行上やむを得ない場合」とはいえない。なお、令和５年４月の法改正により、「乗務」が「業務」等のように一部の文言が変更になった。

4．**適切である。**記述のとおり。なお、点呼の一部は補助者に行わせることができるが、点呼の総回数の少なくとも**3分の１以上**は運行管理者が行わなければならない。

問25 ★★	運転者に対する指導・監督	⇨ テキスト 2章 L 4 5章 L 2、6、8	解答 **2・3**

関連問題 R2①－25・28／R1①－25

1．**適切でない。停止距離＝空走距離（秒速×空走時間）＋制動距離**として求められる。本肢の場合、時速36kmを秒速に直すと、36km÷3,600秒×1,000m＝秒速10mになるので、停止距離は、秒速10m×1秒間＋８m＝18mとなる。

2．**適切である。**道交法では、運転者の遵守事項として、「貨物の積載を確実に行うなど、積載物の転落を防ぐため必要な措置を講じること」や「積載物が道路に転落したときは、速やかに転落物を除去する等道路における危険を防止するため必要な措置を講じること」が規定されている。したがって、本肢のような指導をすることは適切である。

3．**適切である。**記述のとおり。つまり、自動車の速度が速くなればなるほど運転者の**視野は狭く**なり、遠くを注視するようになるため、近くは見えにくくなる。そのため、速度を出しすぎると、近くから飛び出してくる歩行者や自転車などを見落としやすくなるので、注意する必要がある。

4．**適切でない。**前半の記述は適切である。しかし、**飲酒が運転に及ぼす影響等についての指導**は、体質的にお酒に弱い運転者だけでなく、**すべての運転者**を対象として行わなければならない。したがって、後半の記述は適切でない。

ここがPoint 停止距離と空走距離の計算

停止距離は、運転者が危険を認識して走行中の自動車を停止させようとしてから実際に停止するまでに走る距離のことで、次のような計算式で求められる。

- 停止距離＝空走距離＋制動距離
- 空走距離＝秒速×空走時間（秒）

停止距離の計算には時速を秒速に変換する計算が必要となり、次の計算式で求められる。

- 秒速（m）＝時速（km）÷3,600（秒）×1,000（m）

問26 ★★ 運転者の健康管理

⇨ テキスト 5章 L5　解答 **1・4**

関連問題 R2①－26／R1①－26／H30②－26

1．**適切である。**かぜ薬・解熱剤・咳止めなどには、眠気を誘う成分が含まれているものがあり、また、血圧降下薬などを服用すると、めまいを起こすことがある。したがって、これらの薬を服用した後の自動車の運転には注意が必要となるので、本肢のような指導は適切である。

2．**適切でない。**人間ドックなど運転者が自ら受けた健康診断であっても、法令で必要な**定期健康診断の項目を充足**しているときは、法定健診として代用することができる。

3．**適切でない。心臓病などを原因とする運転中の突然死**による事故は増加傾向にあるので、健康診断の結果、運転者に心疾患の前兆となる症状がみられたことには**慎重な対応が必要**である。医師より「より軽度な勤務において経過観察することが必要」との所見が出ているのに、従来と同様の乗務を続けさせたことは、適切ではない。

4．**適切である。**記述のとおり。脳卒中や心臓病など運転者の健康状態に起因する事故は増加傾向にある。

問27 ★★ 自動車の運転

⇨ テキスト 1章 L9 5章 L1、2、3　解答 **1・3・4**

関連問題 R3C－27・28／R2②－27／R2①－27／H30②－27

1．**適切である。**自動車の運転中は、自動車が停止している場合を除き、原則として**携帯電話用装置**などの無線通話装置を通話のために使用したり、**画像表示用装置**（スマートフォンやカーナビなど）に表示された画像を注視したりしてはならず、たとえ徐行中でも使用・注視は認められない。したがって、本肢のような指導を日頃から運転者にする必要がある。

2．**適切でない。**自動車がカーブを走行するとき、自動車の重量およびカーブの半径が同一の場合には、**速度が2倍**になると**遠心力の大きさは4倍**になる。

3．**適切である。**記述のとおり。また、夜間、対向車線の自動車のヘッドライトを直接目に受けると、まぶしさのため一瞬目が見えなくなることがある（**幻惑**）ので、対向車のライトがまぶしいときは、視点をやや左前方に移して、目がくらまないようにする必要がある。

4．**適切である。**記述のとおり。また、トラックなど運転者席が高い位置にある**大型車**の場合は、運転者の視点の位置が高く、前方を上から見下ろすように運転するため、前方の視界が広く開いている。そのため、**実際より車間距離を長く感じ**、余裕があるように錯覚してしまうことがある。したがって、必要な車間距離がとれているかどうかについても注意する必要がある。

問28 ★★★ 交通事故防止対策

⇨ テキスト 2章 L3、9 3章 L8 5章 L6　解答 **3**

関連問題 H30②－28

1．**適切でない。**大型トラックの原動機に備えなければならない「**速度抑制装置**」は、そのトラックが時速**90キロメートル**を超えて走行しないよう**燃料の供給を調整**し、かつ、自動車の速度の制御を円滑に行うためのものである。

2．**適切でない。指差呼称**は、運転者の錯覚、誤判断、誤操作等を防止するための手段であり、信号や標識などを指で差し、その対象が持つ名称や状態を声に出して確認することをいう。これは、**交通事故防止対策に有効**な手段となっている。

3．**適切である。**記述のとおり。交通事故の再発を防止するためには、発生した事故の調査や事故原因の分析は非常に重要である。

4．**適切でない。デジタル式運行記録計**とは、自動車の**速度**や**運行距離**、**運行時間**などを自動的に記録する装置である。本肢の記述は、**ドライブレコーダー**についての説明である。

問29 ★★★	運行計画	⇨ テキスト 4章 L8 5章 L8	解答 **1・1・1**

関連問題 R3C－29／R2②－30／R2①－29／R1①－29／H30②－29

1．本問の運行の往路について見ると、A営業所からB地点までは、10kmの距離を時速30kmで走行するので、10km÷時速30km＝1/3時間＝20分かかる。また、B地点からC地点までは、245kmの距離を平均時速70kmで走行するので、245km÷時速70km＝3.5時間＝3時間30分かかる。これらの走行時間にB地点での荷積み時間20分と、B地点とC地点の中間地点における10分の休憩時間を加えて、A営業所を出庫してからC地点に到着するまでにかかる時間を求めると、20分＋20分＋3時間30分＋10分＝4時間20分となる。したがって、C地点に11時50分に到着するためには、それより4時間20分前にA営業所を出庫しなければならない。11時50分－4時間20分＝**7時30分**となるので、アには①が入る。

2．本問の運行の運転時間について見ると、往路では、AB間の20分とBC間の3時間30分である。また、復路では、CD間の15km÷時速30km＝1/2時間＝30分、DE間の60km÷時速30km＝2時間、EF間の60km÷時速30km＝2時間、FA間の＝15km÷時速30km＝1/2時間＝30分となる。これらをすべて加えて、この日の運転時間の合計を求めると、20分＋3時間30分＋30分＋2時間＋2時間＋30分＝**8時間50分**となる。

改善基準告示では、1日の運転時間について、**2日を平均して、9時間以内**でなければならないとしている。そして、**「特定日の前日＋特定日」と「特定日＋特定日の翌日」のそれぞれの運転時間の平均**が、**いずれも9時間を超えている**場合は、改善基準告示に**違反**していることになり、どちらか一方の平均が9時間以内であれば、改善基準告示に違反しないことになる。これをふまえて検討すると、本問の運行当日を特定日とした場合、「特定日＋特定日の翌日」の平均は（8時間50分＋9時間20分）÷2＝9時間5分となり、9時間を超えるが、「特定日の前日＋特定日」の平均は（9時間10分＋8時間50分）÷2＝9時間で、9時間を超えていない。

したがって、1日当たりの運転時間は、改善基準告示に違反していない。

3．改善基準告示では、**連続運転時間**は、**原則**として**4時間以内**でなければならず、**運転開始後4時間以内**、または**4時間経過直後**に、**30分以上**、**運転を中断**しなければならないとしている。ただし、運転の中断は、１回が**おおむね連続10分以上**とした上で分割することもできるが、１回が**10分未満**の運転の中断は、**3回以上連続**してはいけない。また、運転の中断時には、原則として**休憩**を与えなければならない（ただし、特段の事情がある場合は、荷積み・荷下ろしの時間も運転中断時間として扱われる）。これをふまえて本問の全運行の連続運転時間について見ると（本問では、荷積み・荷下ろしの時間も運転中断時間として扱うことを前提とする）、往路では20分＋３時間30分＝３時間50分の運転の間に20分の荷積み＋10分の休憩＝30分の運転中断時間があるので、連続運転時間は改善基準告示に違反していない。

また、復路では、ＣＤ間で30分の運転の後、Ｄ地点で30分の荷積みによる運転中断がある。Ｄ地点からＦ地点までは２時間＋２時間＝４時間の運転をしているが、この間、Ｅ地点で10分の休憩と運転後にＦ地点で30分の荷下ろしがあるので、10分＋30分＝40分の運転中断時間がある。その後、Ｆ地点から30分の運転をしてＡ営業所に戻り、運転を終了している。したがって、復路についても連続運転時間は改善基準告示に違反していない。

以上より、本問の全運行における連続運転時間は、改善基準告示に違反していない。なお、令和６年４月の法改正により、一部の文言が変更になった。

問30 ★★ 危険予知訓練

⇨ テキスト 2章 L 10 5章 L 6　解答 **4・6・9**

関連問題 R1①－30

①～⑤の＜運転者が予知すべき危険要因＞が、ア～オの＜運行管理者による指導事項＞に対応するか見てみると、次のようになる。

①【交通場面の状況】の中には「対向車」に関する記述がなく、対向車があることを想定していないので、①に対応する指導事項はない。

②前方の二輪車が**進路を変更**することにより、この二輪車と衝突する危険があることを＜運転者が予知すべき危険要因＞としている。したがって、二輪車の**進路変更**について述べているオの＜運行管理者による指導事項＞が対応する。

③前方で左折しようとしている**車の影に見える自転車**との衝突の危険があることを＜運転者が予知すべき危険要因＞としている。したがって、**脇道の自転車の動き**に注意するよう述べているエの＜運行管理者による指導事項＞が対応する。

④【交通場面の状況】の中には「後続の二輪車」に関する記述がなく、後続の二輪車があることを想定していないので、④に対応する指導事項はない。

⑤道路を横断してくる**歩行者をはねる**危険があることを＜運転者が予知すべき危険要因＞としている。したがって、駐車車両の付近の**歩行者の動き**に注意するよう述べているアの＜運行管理者による指導事項＞が対応する。

以上より、＜運転者が予知すべき危険要因＞とそれに対応する＜運行管理者による指導事項＞は、②－オ、③－エ、⑤－アとなり、最もふさわしい＜選択肢の組み合わせ＞は、４、６、９となる。

令和２年度 第２回（令和３年３月）解答一覧

試験科目	問題	解答	試験科目	問題	解答
貨物自動車運送事業法関係	問１	1・4	道路交通法関係	問16	3
	問２	4		問17	1・2
	問３	A-2 B-2 C-2 D-1	労働基準法関係	問18	2
	問４	1・2		問19	3
	問５	3・4		問20	C-1 D-1
	問６	4		問21	2・3
	問７	1・2		問22	4
	問８	2		問23	2・3
道路運送車両法関係	問９	3	実務上の知識及び能力	問24	適-2・4 不適-1・3
	問10	2・4		問25	2・3・4
	問11	A-2 B-1 C-1 D-1		問26	適-1・4 不適-2・3
	問12	4		問27	適-2・3 不適-1・4
道路交通法関係	問13	1		問28	A-1 B-2 C-1
	問14	3・4		問29	ア３ イ１
	問15	A-3 B-2 C-5 D-4		問30	2・3

☆得点を計算してみましょう。

	挑戦した日			挑戦した日	
	１回目	２回目		１回目	２回目
貨物自動車運送事業法関係	／8	／8	労働基準法関係	／6	／6
道路運送車両法関係	／4	／4	実務上の知識及び能力	／7	／7
道路交通法関係	／5	／5	計	／30	／30

令和2年度 第2回（令和3年3月）解答・解説

1．貨物自動車運送事業法関係

問1 ★★★	貨物自動車運送事業 ⇨ テキスト 2章 L2	解答 **1・4**

関連問題 R3C－1／R1①－1

1．**正しい。**記述のとおり。また、「**営業所又は荷扱所**の名称」の事業計画の変更をしたときも、国土交通大臣への**届出**が必要となる。

2．**誤り。**事業者は、「**各営業所に配置する事業用自動車の種別ごとの数**」の事業計画を変更するときは、**あらかじめ**（変更前に）その旨を国土交通大臣に届け出なければならない（国の定める基準に適合しなくなるような事業用自動車の数の変更については、国土交通大臣の認可が必要）。

3．**誤り。**事業者は、「**自動車車庫の位置及び収容能力**」の事業計画を変更しようとするときは、国土交通大臣の**認可**を受けなければならない。

4．**正しい。**記述のとおり。会社などの**法人を対象**とする**運賃・料金**を掲示等する必要はない。また、個人でも、事業としてまたは事業のために運送契約の当事者となる場合には、運賃・料金の掲示等は不要である。なお、令和6年4月の法改正により、一部の文言が変更になった。

問2 ★★★	運行管理者の業務 ⇨ テキスト 2章 L5、12	解答 **4**

1．**正しい。点呼の実施等**は運行管理者の業務である。点呼の一部を**補助者**が行うこともできるが、点呼の総回数の少なくとも**3分の1以上**は運行管理者が行わなければならない。なお、令和5年4月の法改正により、特定自動運行が認められたことに伴い、一部の文言が変更になった。

2．**正しい。事故の記録とその保存**は運行管理者の業務である。また、運転者または特定自動運行保安員に**業務の記録**をさせ、その記録を**1年間**保存することも運行管理者の業務である。

3．**正しい。**運転者、特定自動運行保安員および事業用自動車の運行の業務の補助に従事する従業員（以下「乗務員等」という）に対し、法令の規定による**指導・監督**および**特別な指導**を行うことは運行管理者の業務であり、**非常信号用具**および**消火器の取扱い**について、乗務員等に適切な指導を行うことも含まれている。なお、令和5年4月の法改正により、特定自動運行が認められたことに伴い、一部の文言が変更になった。

4．**誤り。**休憩（きゅうけい）または睡眠のための時間および勤務が終了した後の休息のための時間が十分に確保されるように、国土交通大臣が告示で定める基準に従って、運転者の**勤務時間および乗務時間**を定め、運転者にこれらを遵守(じゅんしゅ)させることは、運行管理者が行わなければならない業務ではなく、**貨物自動車運送事業者**の義務である。

ここがPoint 業務の記録と事故の記録の保存期間

業務の記録と事故の記録の保存期間は次のとおりである。

業務の記録の保存期間	1年間
事故の記録の保存期間	3年間

問3 ★★★ 過労運転等の防止

⇨ テキスト 2章 L5　解答 A-2 B-2 C-2 D-1

関連問題 R3C−6／R2C−6／R2①−2／R1①−6／H30②−6

一般貨物自動車運送事業者等は、事業計画に従い業務を行うのに必要な員数の事業用自動車の運転者または特定自動運行保安員を常時選任しておかなければならない。この場合、選任する運転者および特定自動運行保安員は、**日々雇い入れられる者**（いわゆる日雇い労働者）、**2か月**以内の期間を定めて使用される者または**試みの使用期間中の者**（14日を超えて引き続き使用されるに至った者は除く）であってはならない。

また、貨物自動車運送事業者は、運転者、特定自動運行保安員および事業用自動車の運行の業務の補助に従事する従業員（以下「乗務員等」という）が有効に利用することができるように、**休憩に必要な施設**を整備し、乗務員等に睡眠を与える必要がある場合は**睡眠に必要な施設**を整備し、これらの施設を**適切に管理**し、**保守**しなければならない。

貨物自動車運送事業者は、乗務員等の**健康状態の把握**に努め、**疾病**、**疲労**、**睡眠不足**などの理由によって、安全に運行の業務を遂行またはその補助ができないおそれのある乗務員等を事業用自動車の運行の業務に従事させてはならない。

さらに、一般貨物自動車運送事業者等は、運転者が**長距離運転**または**夜間の運転**に従事する場合であって、**疲労等**によって安全な運転を継続できないおそれがあるときは、あらかじめ、その運転者と**交替するための運転者**を配置しておかなければならない。

なお、令和5年4月の法改正により、特定自動運行が認められたことに伴い、一部の文言が変更になった。

したがって、Aには「2カ月」、Bには「適切に管理し、及び保守」、Cには「健康状態の把握」、Dには「疲労等」が入り、正解は、A−2、B−2、C−2、D−1となる。

問4 ★★★ 点呼

⇨ テキスト 2章 L 6、7　解答 **1・2**

関連問題 R3C－4／R2C－4／H30②－4

1．**正しい。**記述のとおり。令和５年４月の法改正により、「乗務」が「業務」等のように一部の文言が変更になった。また、業務前点呼は、原則として、**対面により、または対面による点呼と同等の効果を有するものとして国土交通大臣が定める方法**により行わなければならず、「対面による点呼と同等の効果を有するものとして国土交通大臣が定める方法」とは、**遠隔点呼、業務後自動点呼、IT点呼**が該当する。

2．**正しい。**記述のとおり。このため貨物自動車運送事業者は、**アルコール検知器**を営業所ごとに備え、**常時有効に保持**しておかなければならない。なお、令和５年４月の法改正により、「乗務」が「業務」のように一部の文言が変更になった。

3．**誤り。**中間点呼は、業務前点呼および業務後点呼の**いずれも対面または対面による点呼と同等の効果を有するものとして国土交通大臣が定める方法で行うことができない**業務を行う運転者に対して行う。本肢の運転者は、２日目の業務については、業務後点呼を対面による点呼と同等の効果を有するものとして国土交通大臣が定める方法で行うことができるので、中間点呼を行う必要はない。なお、令和５年４月の法改正により、「乗務」が「業務」等のように、また、令和６年４月の法改正により、一部の文言が変更になった。

4．**誤り。業務前点呼**においては、道路運送車両法第47条の２第１項および第２項の規定による点検（**日常点検**）の実施またはその確認が報告事項とされているが、業務後点呼においては、このことは報告事項とはされていない。なお、令和５年４月の法改正により、「乗務」が「業務」のように一部の文言が変更になった。

問5 ★★★ 事故の速報

⇨ テキスト 2章 L 15　解答 **3・4**

関連問題 R1①－5

1．**速報を要しない。**自動車に積載された**コンテナが落下**した場合は、事故の報告は必要だが、事故の速報をする必要はない。

2．**速報を要しない。**14日以上の入院を要する傷害、または入院を要する傷害で医師の治療を要する期間が30日以上のものは**重傷者**に含まれる。**２人以上の死者**を生じた事故、または**５人以上の重傷者**を生じた事故については、事故の速報が必要になるが、本肢の場合はこのどちらにも該当しないので、事故の速報をする必要はない。

3．**速報を要する。５人以上の重傷者**を生じた事故については、事故報告書を提出するほかに、**24時間以内**に、できる限りすみやかに、その事故の概要を運輸監理部長または運輸支局長に**速報**をする必要がある。

4．**速報を要する。**自動車が**転覆**したことにより、自動車に積載された**危険物、火薬類または高圧ガス**などの**全部・一部**が**飛散**し、または**漏えい**（ろう）した事故については、事故報告書を提出するほかに、**24時間以内**に、できる限りすみやかに、その事故の概要を運輸監理部長または運輸支局長に**速報**をする必要がある。

問6 ★★★ 運行等の記録

⇨ テキスト 2章 L 8、9　解答 **4**

関連問題 R3C－8／R2①－8

1．**正しい。**記述のとおり。事業者等は、業務前および業務後の点呼のいずれも対面または対面による点呼と同等の効果を有するものとして国土交通大臣が定める方法で行うことができない業務を含む運行ごとに**運行指示書**を作成し、これにより事業用自動車の運転者等に対し適切な指示を与え、その運転者等に運行指示書を**携行**させなければならない。

2．**正しい。**記述のとおり。令和５年４月の法改正により、一部の文言が変更になった。なお、道路交通法に規定する交通事故とは、車両等の交通による人の死傷や物の損壊があったもの（**死傷事故、物損事故**）をいい、自動車事故報告規則には、自動車が転覆したり火災を起こしたりするなど、**重大な事故**が規定されている。

3．**正しい。**記述のとおり。令和５年４月の法改正により、一部の文言が変更になった。事業者は、その事業用自動車の瞬間速度、運行距離および運行時間を**運行記録計により記録**し、その記録を**１年間保存**しなければならない。

4．**誤り。**事業者が、貨物自動車運送事業輸送安全規則に定める「事故の記録」として記録しなければならない事故とは、「道路交通法に規定する交通事故」または「自動車事故報告規則第２条に規定する事故」であり、これには**死者または負傷者**を生じさせたものだけでなく、**物損事故**も含まれる。

問7 ★★★ 運転者の遵守事項

⇨ テキスト 2章 L 4、6　解答 **1・2**

1．**正しい。**記述のとおり。令和５年４月の法改正により、「乗務」が「業務」等のように一部の文言が変更になった。①を**業務前点呼**、②を**中間点呼**（業務途中点呼）、③を**業務後点呼**といい、それぞれ報告事項が定められている。

2．**正しい。**記述のとおり。また、運転者は、**酒気を帯びた状態**にあるときや、疾病、疲労、睡眠不足その他の理由により**安全な運転ができないおそれ**があるときは、その旨を貨物自動車運送事業者に申し出ることなどの遵守（じゅんしゅ）事項がある。

3．**誤り。**運転者は、乗務を終了して他の運転者と交替するときは、交替する運転者に対し、本肢のような**通告**をする。この場合において、交替して乗務する運転者は、通告を受け、その事業用自動車の重要な装置の機能について**点検**する。この点検は、機能に異常のおそれがあると認められるか否かにかかわらず行う。

4．**誤り。**運転者は、運行指示書の作成を要する**運行の途中**において、**運行の経路ならびに主な経過地における発車および到着の日時に変更**が生じた場合には、携行している運行指示書に**変更の内容を記載**しなければならない。運行指示書の写しをもって、これを省略することはできない。

問8 ★★★	貨物の積載等 ⇨ テキスト 2章 L 4、9、16	解答 **2**

関連問題 H30②−8

1．**正しい。**記述のとおり。令和５年４月の法改正により、一部の文言が変更になった。これは**過積載**（かせきさい）による運送の有無を判断するために記録するものなので、貨物の**重量**または貨物の**個数**、貨物の**荷台等への積付状況**（つみつけ）などについて、可能なかぎりくわしく記録させる。

2．**誤り。**事業者は、事業用自動車に貨物を積載するときに**偏荷重**（へんかじゅう）が生じないように積載するとともに、貨物が運搬中に**荷崩れ**などにより事業用自動車から落下することを防止するため、貨物に**ロープ**または**シート**を掛けるなど必要な措置を講じなければならない。このことは、事業用自動車の**車両総重量**や**最大積載量**にかかわらない。

3．**正しい。**記述のとおり。また、国土交通大臣は、荷主が**違反原因行為**（貨物自動車運送事業者が事業法または同法に基づく命令に違反する原因となるおそれのある行為）をしていることを疑うに足りる相当な理由があると認める場合には、荷主に対して違反原因行為をしないよう**要請**することができる。

4．**正しい。**記述のとおり。本肢のような勧告を**荷主勧告**といい、この勧告の対象となる事業者の違反行為は、**過積載運行**のほか、**過労運転防止違反**、**最高速度違反**などがある。

2．道路運送車両法関係

問9 ★★★	自動車の登録等 ⇨ テキスト 3章 L 2、3	解答 **3**

関連科目 R3C−9／R2C−9／R2①−9／R1①−9／H30②−9

1．**正しい。**記述のとおり。自動車の**移転登録**は一般には「**名義変更**」と呼ばれていて、名義変更をしないでいると、自動車税の納付通知書や、交通事故の慰謝料請求書が旧所有者に送られるなど、いろいろな問題が生じやすくなる。

2．**正しい。**記述のとおり。また、登録自動車の所有者は、自動車の**車台**がその自動車の新規登録の際に存したものでなくなったときにも、**永久抹消登録**の申請をしなければならない。

3．**誤り。**自動車登録番号標およびこれに記載された自動車登録番号の表示は、自動車登録番号標を自動車の**前面および後面であって、番号の識別に支障が生じないように見やすい位置**に確実に取り付けることによって行わなければならない。任意の位置ではない。

4．**正しい。**記述のとおり。**封印の取付け**は、自動車の後面に取り付けた自動車登録番号標の左側の取付箇所に行うものと決められている。

問10 ★★	自動車の検査等 ⇨ テキスト 3章 L 4、6、7	解答 **2・4**

関連問題 R3C−10／R1①−10

1．**誤り。**道路運送車両法第66条第１項では、「自動車は、**自動車検査証**を備え付け、かつ、国土交通省令で定めるところにより検査標章を表示しなければ、運行の用に供してはならない」と定めている。したがって、所属する営業所ではなく、当該**自動車に備え付け**なければならない。

2．**正しい。**記述のとおり。また、自動車は、原動機および動力伝達装置などの道路運送車両法に定める**装置**についても、保安上または公害防止などの環境保全上の技術基準（**保安基準**）に適合するものでなければ、運行の用に供してはならない。

3．**誤り。車両総重量8トン以上**または**乗車定員30人以上**の自動車の使用者は、**スペアタイヤの取付状態等**について、**3か月**ごとに定期点検をすることが義務づけられている。1か月ごとではない。

4．**正しい。**記述のとおり。令和5年1月の法改正により、自動車検査証が電子化（IC化）されたため、一部の文言が電子化に沿った内容に変更になった。**自動車検査証**の有効期間は、貨物運送の用に供する自動車については**1年**とされている。ただし、初めて自動車検査証の交付を受ける場合は、**車両総重量8トン未満**の貨物運送の用に供する自動車については**2年**とされている。

問11 ★★★ 自動車の点検整備等

⇨ テキスト 3章 L4 解答 A-2 B-1 C-1 D-1

関連問題 R3C－11／R2C－11／H30②－10

事業用自動車の使用者は、自動車の**点検**をし、および必要に応じて**整備**をすることにより、その自動車を**保安基準に適合**するように維持しなければならない。

また、事業用自動車の**使用者またはこれを運行する者**は、**1日1回**、その**運行の開始前**において、国土交通省令で定める技術上の基準により、灯火装置の点灯、制動装置の作動その他の日常的に点検すべき事項について、目視等により自動車を点検しなければならない。

さらに、事業用自動車の使用者は、**点検整備記録簿**をその自動車に備え置き、その自動車について定期点検または整備をしたときは、遅滞（ちたい）なく、**点検の結果**、**整備の概要等**の所定事項をこれに記載し、その記載の日から**1年間**保存しなければならない。

したがって、Aには「整備」、Bには「運行」、Cには「運行の開始前」、Dには「1年」が入り、正解は、A－2、B－1、C－1、D－1となる。

問12 ★★★ 保安基準および細目告示

⇨ テキスト 3章 L8、9 解答 4

関連科目 R3C－12／R2C－12／R1①－12／H30②－12

1．**正しい。**記述のとおり。**滑り止めの溝の深さ**の判定は、ウエア・インジケータ（タイヤの摩耗を確認するためにタイヤのセンターに設けられた窪み）により判定しても差し支えないとされている。

2．**正しい。**記述のとおり。**事故自動緊急通報装置**は、エアバッグが展開するような大きな事故が発生した際に、自動的にコールセンターへ通報するシステムのことである。

3．**正しい。**記述のとおり。**大型後部反射器**は、「**黄色の反射部**」と「**赤色の反射部またはけ**

い光部」で構成されている。

4．**誤り。**自動車に備えなければならない**非常信号用具**は、**夜間200メートルの距離**から確認できる**赤色の灯光**を発するものでなければならないことが、道路運送車両の保安基準の細目を定める告示（細目告示）に定められている。

3．道路交通法関係

問13 ★★★	灯火および合図等 ⇨ テキスト 1章 L4、9 5章 L3	解答 **1**

関連問題 H30②－13

1．**誤り。**車両の運転者が**同一方向に進行しながら進路を左方または右方に変えるとき**の合図を行う時期は、進路を左方または右方に変えようとするときの**3秒前**のときである。

2．**正しい。**記述のとおり。車両（自転車以外の軽車両を除く）の運転者は、左折し、右折し、転回し、徐行し、停止し、後退し、または同一方向に進行しながら進路を変えるときは、**手、方向指示器**または**灯火**により合図をし、**これらの行為が終わるまで**その**合図を継続**しなければならない。

3．**正しい。**記述のとおり。なお、濃霧の中での運転では、**前照灯**を**下向き**に点灯する。これは、前照灯の明かりが霧に乱反射して、見通しが悪くなるのを防ぐためである。

4．**正しい。**記述のとおり。また、車両は、法令の規定・警察官の命令により、または危険を防止するため、停止し、もしくは停止しようとして徐行している車両等またはこれらに続いて停止し、もしくは徐行している車両等に追いついたときは、その前方にある車両等の側方を通過してその車両等の**前方へ割り込み**、またはその**前方を横切ってはならない**。

問14 ★★	停車および駐車等 ⇨ テキスト 1章 L6	解答 **3・4**

関連問題 R2C－14／R1①－14／H30②－14

1．**誤り。**車両は、人の乗降、貨物の積卸し、駐車または自動車の格納・修理のため**道路外に設けられた施設等**の道路に接する自動車用の出入口から**3メートル以内**の道路の部分においては、駐車してはならない。

2．**誤り。**車両は、法令の規定により駐車しようとする場合には、車両の**右側**の道路上に**3.5メートル**（道路標識等によって距離が指定されているときはその距離）以上の余地がなくなる場所には、原則として駐車できない。

3．**正しい。**記述のとおり。また、**横断歩道**または**自転車横断帯**の前後の側端からそれぞれ前後に**5メートル以内**の部分においても、法令の規定もしくは警察官の命令により、または危険を防止するため一時停止する場合のほか、停車し、または駐車してはならない。

4．**正しい。**記述のとおり。また、**安全地帯**が設けられている道路のその安全地帯の左側の部分およびこの部分の前後の側端からそれぞれ前後に**10メートル以内**の部分においても、法令の規定もしくは警察官の命令により、または危険を防止するため一時停止する場合のほか、停車し、または駐車してはならない。

問15 ★★ 自動車の法定速度

⇨ テキスト 1章 L2

解答 A-3 B-2 C-5 D-4

関連問題 R2C－13／H30②－16

自動車の**最高速度**は、道路標識等により最高速度が指定されていない片側一車線の一般道路においては、**時速60キロメートル**である。

自動車は、道路標識等によって**最低速度**が指定されている道路では、原則としてその最低速度に達しない速度で進行してはならない。高速自動車国道の本線車道の場合、道路標識等による指定がされていない区間では、**時速50キロメートル**が最低速度とされている。

乗車定員が**30人以上**の自動車は、**大型自動車**に該当する。道路標識等により最高速度が指定されていない高速自動車国道の本線車道では、**大型乗用自動車**の最高速度は**時速100キロメートル**である。

車両総重量**11,000キログラム以上**または最大積載量**6,500キログラム以上**の自動車は、**大型自動車**に該当する。道路標識等により最高速度が指定されていない高速自動車国道の本線車道では、**大型貨物自動車**（トレーラ等を除く）の最高速度は**時速90キロメートル**である。なお、令和6年4月の法改正により、一部の文言が変更になった。

したがって、Aには「時速60キロメートル」、Bには「時速50キロメートル」、Cには「時速100キロメートル」、Dには「時速90キロメートル」が入り、正解は、A－3、B－2、C－5、D－4となる。

ここがPoint 自動車の最高速度（標識等により指定されていない場合）

道路標識等により最高速度が指定されていない道路では、次のように最高速度が定められている。

	自動車の種類	最高速度
一般道路	自動車（大型自動車、中型自動車も含む）	時速60km
	原動機付自転車	時速30km
高速自動車国道	・大型乗用自動車、中型乗用自動車、準中型乗用自動車、普通乗用自動車 ・特定中型貨物自動車を除く中型貨物自動車、準中型貨物自動車、普通貨物自動車 ・大型自動二輪車、普通自動二輪車	時速100km
	大型貨物自動車、特定中型貨物自動車（ともにトレーラ等を除く）	時速90km

問16 ★★★ 乗車、積載および過積載等

⇨ テキスト 1章 L 7　解答 **3**

関連問題 H30②－17

1．**正しい。**記述のとおり。また、運転者に**応急措置命令**（過積載車両の運転者に対し、過積載とならないようにするため必要な応急の措置をとることを命じること）が出された場合、車両の使用者が過積載を防止するため必要な運行の管理を行っていると認められないときには、公安委員会は車両の使用者に対し、過積載を防止するため**必要な措置**をとることを指示することができる。

2．**正しい。**記述のとおり。また、**貨物が分割できないため**積載重量等の制限を超えてしまう場合、出発地を管轄する**警察署長**が、車両の構造または道路・交通の状況から支障がないと認めて許可したときは、許可された範囲内で制限を超える積載をして運転することができる。

3．**誤り。**荷主は、運転者に過積載運転を要求したり、過積載になることを知りながら、重量の制限を超える積載物を運転者に引き渡したりしてはならない。**警察署長**は、荷主がこれに違反した場合、**反復してこの違反行為をするおそれがある**と認めるときは、その**荷主**に対して、違反行為をしてはならない旨を命じることができる（**再発防止命令**）。

4．**正しい。**記述のとおり。また、積載物の幅は、自動車の幅にその幅の**10分の2の幅**を加えたものを超えてはならず、積載物の高さは、**3.8メートル**からその自動車の積載場所の高さを減じたものを超えてはならない。

問17 ★★ 運転者および使用者の義務等

⇨ テキスト 1章 L 3、9　解答 **1・2**

関連問題 R3C－17／R2C－17

1．**正しい。**記述のとおり。**非常点滅表示灯**のことを一般には**ハザードランプ**と呼んでいる。

2．**正しい。**記述のとおり。また、車両等の運転者は、身体障害者用の車が通行しているときは、**一時停止または徐行**して、その通行を妨げないようにしなければならない。

3．**誤り。**車両等の運転者は、積載物が道路に転落または飛散したときは、すみやかにこれらの物を除去するなど、道路における**危険を防止するため必要な措置**を講じなければならない。

4．**誤り。**自動車の運転者は、故障その他の理由により高速自動車国道等の本線車道もしくはこれに接する加速車線、減速車線もしくは登坂車線または**これらに接する路肩もしくは路側帯**において当該自動車を運転することができなくなったときは、停止表示器材を後方から進行してくる自動車の運転者が見やすい位置に置いて、当該自動車が故障その他の理由により停止しているものであることを**表示**しなければならない。

4. 労働基準法関係

問18 ★★	労働基準法の定め ⇨ テキスト 4章 L 1、3、4	解答 **2**

関連問題 R3C−18／R2C−18

1. **正しい。**記述のとおり。**平均賃金**は、**解雇**（かいこ）**予告手当**や**休業手当**などを算定する際に、その算定の基礎として用いられる。
2. **誤り。**労働基準法で定める**労働条件の基準は最低**のものなので、労働関係の当事者（使用者と労働者）は、この基準を理由として労働条件を**低下させてはならない**ことはもとより、その**向上を図る**ように努めなければならない。このことは、当事者間の合意の有無にかかわらない。
3. **正しい。**記述のとおり。これは、解雇や退職をめぐるトラブルを防ぎ、労働者の再就職活動に役立てるためである。
4. **正しい。**記述のとおり。また、使用者は、労働者が女性であることを理由として、賃金について、男性と**差別的取扱い**をしてはならない。

問19 ★★★	労働時間および休日等 ⇨ テキスト 4章 L 5	解答 **3**

関連問題 R3C−19／R2C−19／H30②−19

1. **正しい。**記述のとおり。ただし、**坑内労働**など健康上特に有害な一定の業務については、**1日に2時間**を超えて労働時間を延長してはならないとされている。
2. **正しい。**記述のとおり。なお、**厚生労働大臣**は、労働時間の延長および休日の労働を適正なものとするために、協定で定める労働時間の延長および休日の労働について留意すべき事項、その労働時間の延長に係る**割増賃金の率**その他の必要な事項について、労働者の健康、福祉、時間外労働の動向その他の事情を考慮して**指針**を定めることができる。
3. **誤り。**労働基準法により、使用者は、**4週間を通じて4日以上**の休日を与える場合（**変形休日制**）を除き、労働者に対して、**毎週少なくとも1回**の休日を与えなければならないとされている。
4. **正しい。**記述のとおり。ただし、時間外労働が1か月について**60時間**を超えた場合は、その超えた時間の労働については、通常の労働時間の賃金の計算額の**5割以上**の率で計算した割増賃金を支払わなければならない。

問20 ★★★	トラック運転者の拘束時間等 ⇨ テキスト 4章 L 5、8	解答 **C-1 D-1**

関連問題 R1①−20

1. 改善基準告示が改正され、令和6年4月より、時間外労働協定に関する規定が変更されたため、**不成立**となる。
2. 使用者が、トラック運転者に**休日労働**させる場合は、その労働させる休日は**2週間**について**1回**を超えないものとし、その休日の労働によって、改善基準告示に定める**拘束時間**および**最大拘束時間**を超えないものとしなければならない。なお、令和６年４月の法改正により、一部の文言が変更になった。

したがって、Cには「２週間」、Dには「１回」が入り、正解は、C－１、D－１となる。

問21 ★★★	トラック運転者の拘束時間等 ⇨ テキスト 4章 L８	解答 **2・3**

関連問題 R3C－21／R2C－21／R2①－21／R1①－20／H30②－21

1．**誤り。拘束時間**とは、**始業時刻から終業時刻**までの時間で、**労働時間と休憩時間**（仮眠時間を含む）の合計時間をいう。

2．**正しい。**記述のとおり。**休息期間**とは、勤務と次の勤務の間の時間で、睡眠時間を含む運転者の生活時間として、運転者が仕事から完全に解放されて、自由に使うことができる時間のことである。

3．**正しい。**記述のとおり。改善基準告示では、連続運転時間は、**原則**として**4時間以内**でなければならず、**運転開始後4時間以内**、または**4時間経過直後**に、**30分以上、運転を中断**しなければならないとしている。ただし、運転の中断は、１回が**おおむね連続10分以上**とした上で分割することもできるが、１回が**10分未満**の運転の中断は、**3回以上連続**してはいけない。また、運転の中断時には、原則として**休憩**を与えなければならない。なお、令和６年４月の法改正により、一部の文言が変更になった。

4．**誤り。**使用者は、業務の必要上、勤務の終了後、**継続9時間**（宿泊を伴う長距離貨物運送に該当する場合は継続８時間）以上の**休息期間**を与えることが困難な場合、一定の要件を満たすものに限り、当分の間、一定期間（１か月程度を限度）における全勤務回数の**2分の1**を限度に、休息期間を拘束時間の途中および拘束時間の経過直後に**分割して与える**ことができるものとされている（**分割休息の特例**）。８時間以上ではない。なお、令和６年４月の法改正により、一部の文言が変更になった。

ここがPoint 拘束時間と休息期間

拘束時間と休息期間の意味をしっかり覚えておこう。

拘束時間	始業時刻から終業時刻までの時間で、労働時間と休憩時間（仮眠時間を含む）の合計時間
休息期間	勤務と次の勤務の間の時間で、睡眠時間を含む運転者の生活時間として、運転者が仕事から完全に解放されて、自由に使うことができる時間

問22 ★★★ 拘束時間等

⇨ テキスト 4章 L8　解答 **4**

関連問題 R2C－22・23／R2①－22／R1①－22／H30②－23

1．**正しい。**改善基準告示に従って、**1日の拘束時間**を計算する場合、「1日」とは0時から24時までのことではなく、**始業時刻から起算して24時間**のことをいうので、**翌日の始業時刻がその日の始業時刻よりも早いとき**は、その**差の時間もその日の拘束時間に加えられる**ことになる。

これをふまえて、本問の自動車運転者の拘束時間について見ると、

月曜日は、7時から21時までの「14時間」に、翌日（火曜日）の5時から7時までの「2時間」を加えた「**16時間**」となる。

火曜日は、5時から20時までの「15時間」となる。

水曜日は、8時から22時までの「14時間」に、翌日（木曜日）の5時から8時までの「3時間」を加えた「**17時間**」となる。

木曜日は、5時から21時までの「**16時間**」となる。

金曜日は、6時から21時までの「15時間」となる。

改善基準告示では、1日の拘束時間は**13時間以内**が原則であり、これを延長する場合であっても、宿泊を伴う長距離貨物運送に該当しない場合の1日の拘束時間の限度（**最大拘束時間**）は**15時間**とされているので、月曜日、水曜日、木曜日の拘束時間は改善基準告示に違反する。

2．**正しい。**記述のとおり。月曜日の勤務終了後の休息期間は、21時から24時までの「3時間」に、火曜日の0時から5時までの「5時間」を加えた「**8時間**」となる。

火曜日の勤務終了後の休息期間は、20時から24時までの「4時間」に、水曜日の0時から8時までの「8時間」を加えた「12時間」となる。

水曜日の勤務終了後の休息期間は、22時から24時までの「2時間」に、木曜日の0時から5時までの「5時間」を加えた「**7時間**」となる。

木曜日の勤務終了後の休息期間は、21時から24時までの「3時間」に、金曜日の0時から6時までの「6時間」を加えた「9時間」となる。

金曜日の勤務終了後の休息期間は、翌日が休日のため、十分にある。

改善基準告示では、1日の休息期間は、原則として、勤務終了後、**継続11時間以上**与えるよう**努める**ことを基本とし、宿泊を伴う長距離貨物運送に該当しない場合、**継続9時間を下回ってはならない**とされているので、月曜日、水曜日の勤務終了後の休息期間は改善基準告示に違反する。

3．**正しい。**改善基準告示に関する施行通達では、1日の拘束時間について13時間を超えて延長する場合は、**14時間を超える回数**は、**1週間について2回**以内を目安とし、**14時間を超える日が連続することは望ましくない**としている。月曜日から金曜日までの拘束時間は、すべて14時間を超えており、1週間について2回以内の目安を超え、また、連続している（肢1参照）ので、改善基準告示における目安に違反する。なお、令和6年4月の法改正により、

一部の文言が変更になった。

4．**誤り。**水曜日の拘束時間は「17時間」（肢１参照）であり、木曜日の拘束時間は「16時間」である。したがって、この１週間の勤務の中で１日についての拘束時間が最も長いのは、木曜日ではない。

問23 ★★★	1日の運転時間	⇨ テキスト 4章 L 8	解答 2・3

関連問題 R2C—23／R2①—23

1．**違反していない。**改善基準告示では、トラック運転者の**1日の運転時間**については、**2日を平均して、9時間以内**としている。そして、**「特定日の前日＋特定日」と「特定日＋特定日の翌日」のそれぞれの運転時間の平均がいずれも9時間を超えている**場合は、改善基準告示に**違反**していることになり、どちらか一方の平均が９時間以内であれば、改善基準告示に違反しないことになる。したがって、本肢の例では、どの日を特定日としても、改善基準告示に違反していない。

2．**違反している。**本肢の例では、**4日目を特定日**とした場合、「特定日の前日の運転時間（９時間）」＋「特定日の運転時間（10時間）」の平均は**9.5時間**、「特定日の運転時間（10時間）」＋「特定日の翌日の運転時間（９時間）」の平均は**9.5時間**となるので、**いずれも9時間を超えており**、改善基準告示に違反している。

3．**違反している。**本肢の例では、**3日目を特定日**とした場合、「特定日の前日の運転時間（９時間）」＋「特定日の運転時間（10時間）」の平均は**9.5時間**、「特定日の運転時間（10時間）」＋「特定日の翌日の運転時間（９時間）」の平均は**9.5時間**となるので、**いずれも9時間を超えており**、改善基準告示に違反している。

4．**違反していない。**本肢の例では、どの日を特定日としても、「特定日の前日＋特定日」と「特定日＋特定日の翌日」のそれぞれの運転時間の平均がいずれも９時間を超えることはないので、改善基準告示に違反していない。

5．実務上の知識及び能力

問24 ★★★	点呼の実施等	⇨ テキスト 2章 L 6､7	解答 適-2・4 不適-1・3

関連問題 R2C－24／R1①－24

1．**適切でない。**点呼は、**対面または対面による点呼と同等の効果を有するものとして国土交通大臣が定める方法ですることが原則**だが、**運行上やむを得ない場合**は、電話その他の方法によることが認められる。ここで「運行上やむを得ない場合」とは、遠隔地で業務を開始または終了するため、運転者の所属する営業所で対面点呼が実施できない場合などをいい、単に車庫と営業所が離れているとか、早朝・深夜で点呼を行う者が営業所に出勤していない場合などは、「運行上やむを得ない場合」とはいえない。なお、令和５年４月の法改正により、「乗務」が「業務」等のように一部の文言が変更になった。

2．**適切である。**令和５年４月の法改正により、「乗務」が「業務」等のように、また、令和６年４月の法改正により、一部の文言が変更になった。貨物自動車運送事業者は、**業務前点呼**および**業務後点呼**のいずれも対面または対面による点呼と同等の効果を有するものとして国土交通大臣が定める方法で行うことができない業務を行う運転者に対しては、これらの点呼のほかに、業務の途中において少なくとも１回、対面による点呼と同等の効果を有するものとして国土交通大臣が定める方法（この方法により点呼を行うことが困難である場合には、電話その他の方法）による点呼（**中間点呼**）を行わなければならない。本肢の「法令に定める所定の方法」とは、対面による点呼と同等の効果を有するものとして国土交通大臣が定める方法（この方法により点呼を行うことが困難である場合には、電話その他の方法）をいう。

3．**適切でない。**同一事業者内のＧマーク営業所において、営業所間で行うIT点呼については、**１営業日のうち連続する16時間以内**に限り行うことができる。18時間以内ではない。なお、令和５年４月の法改正により、一部の文言が変更になった。

4．**適切である。**記述のとおり。令和５年４月の法改正により、「乗務」が「業務」のように一部の文言が変更になった。業務前点呼の際、**酒気帯びの有無**について確認を行う場合には、運転者の状態を目視等で確認するほか、当該運転者の属する営業所に備えられた**アルコール検知器**を用いて行わなければならない。

問25 ★★ 運転者に対する指導・監督

⇨ テキスト 5章 L 6、8

解答 **2・3・4**

関連問題 H30②－25

1．**適切でない。**前の自動車と追越しをする自動車の**速度差が大きい**場合には、追越しに要する**時間と距離は短く**なり、前の自動車と追越しをする自動車の**速度差が小さい**場合には、追越しに要する**時間と距離は長く**なる。

2．**適切である。ドライブレコーダー**は、自動車の運行中に、運転者の視点から自車と周辺情報を記録する装置であり、近年、運転者の安全運転を促し、自動車事故を未然に防止する有効な手段のひとつとして活用が進められている。

3．**適切である。指差呼称**とは、運転者の錯覚、誤判断、誤操作等を防止するため、道路の信号や標識などを指で差し、その対象が持つ名称や状態を声に出して確認することをいい、交通事故防止対策に有効な手段である。

4．**適切である。衝突被害軽減ブレーキ**などの装置は、あくまでも運転者の安全運転を支援するためのものであり、その機能には限界があることから、これらの装置を過信せずに、運転者自身が責任を持って安全運転をする必要がある。**追突事故の防止**のために、適正な車間距離の確保や前方不注意の危険性等について指導することは適切である。

問26 ★★ 運転者の健康管理

⇨ テキスト 5章 L5

解答 **適-1・4 不適-2・3**

関連問題 R3C－26／R1①－26

1．**適切である。**事業者は、常時使用する労働者について、深夜勤務のような特定業務に従事する者に対しては**6か月以内ごとに1回**、また、特定業務従事者以外の者に対しては**1年以内ごとに1回**、定期に、医師による健康診断を実施しなければならない（**定期健康診断**）。

2．**適切でない。**運転者が自ら受けた健康診断であっても、法令で必要な**定期健康診断の項目を充足**しているときは、法定健診として代用することができる。したがって、本肢の事業者が運転者の申し出を認めなかったことは、適切ではない。

3．**適切でない。**一般的な定期健康診断や人間ドックだけでは、脳血管の異常を発見することは難しいと言われている。脳血管疾患の予防のためには、運転者の**健康状態**や**疾患**につながる**生活習慣の適切な把握**、**管理**に努めるとともに、運転者に対して脳血管疾患が重大な交通事故の原因となるおそれがあることへの理解を促し、**脳健診**を積極的に受診させることにより、早期発見に努める必要がある。

4．**適切である。睡眠時無呼吸症候群（SAS）**の疑いがあるのは、寝ている間に呼吸が止まる、頻繁に目が覚める、大きないびきをかく、昼間の集中力が低下するなどの症状がある場合である。なかなか本人が**自覚しにくい**病気なので、注意しなければならない。

問27 ★★ 交通事故防止対策

⇨ テキスト 5章 L6

解答 **適-2・3 不適-1・4**

関連問題 R3C－27／R1①－27

1．**適切でない。**交通事故の再発を防止するためには、事故情報を多角的に分析し、**事故実態を把握**することが不可欠の前提となる。したがって、**発生した事故の要因の調査・分析**を行うことなく、事故惹起（じゃっき）運転者の社内処分および再教育に特化した対策のみを講じることは、交通事故防止対策として適切ではない。

2．**適切である。**記述のとおり。**ドライブレコーダー**は、交通事故や急ブレーキ・急ハンドルなどによって、自動車が一定以上の衝撃を受けると、**衝突前と衝突後**の前後10数秒間の映像などを自動的に保存する装置である。

3．**適切である。**記述のとおり。1件の重大事故（死亡・重傷事故等）が発生する背景には、29件の軽傷事故と、300件の**ヒヤリ・ハット**があるとされている（**ハインリッヒの法則**）。

4．**適切でない。適性診断**は、運転者の運転行動や運転態度が安全運転にとって好ましい方向へ変化するように**動機づけを行う**ことにより、**運転者自身の安全意識を向上させる**ためのものであり、ヒューマンエラーによる事故の発生を未然に防止するための有効な手段となっている。運転に適さない者を運転者として選任しないようにするためのものではない。

問28 ★★★ 自動車に働く自然力等

⇨ テキスト 5章 L1　解答 A-1 B-2 C-1

関連問題 R3C－28／R2C－27

同一速度で走行する場合、**カーブの半径が小さい**ほど自動車に働く**遠心力は大きく**なる。

また、遠心力は自動車の**速度の２乗に比例して大きくなる**ので、まがり角やカーブでハンドルを切った場合、自動車の速度が２倍になると、遠心力は**4倍**になる。

そして、自動車が衝突するときの**衝撃力**は自動車の**重量に比例して大きくなる**ので、車両総重量が２倍になると、衝撃力は**2倍**になる。

したがって、Aには「小さい」、Bには「４倍」、Cには「２倍」が入り、正解は、A－1、B－2、C－1となる。

問29 ★★★ 運行計画

⇨ テキスト 1章 L2、11　5章 L8　解答 ア-3 イ-1

関連問題 R3C－29

ア. 本問の運行計画では、F地点とG地点間の道路と、G地点とH地点間の道路にそれぞれ道路標識が設置されているため、これらを勘案して通行可能な事業用自動車を配置する必要がある。この点、F地点とG地点間の道路に設置されている道路標識は、**車両総重量が8,000kg以上または最大積載量が5,000kg以上の貨物自動車等の通行禁止**を意味する「**大型貨物自動車等通行止め**」の道路標識であり、G地点とH地点間の道路に設置されている道路標識は、**標示板に表示されている高さを超える高さの車両の通行禁止**を意味する「**高さ制限**」の道路標識である。つまり、「**車両総重量が8,000kg以上**」「**最大積載量が5,000kg以上**」「**自動車の高さが3.3mを超えている**」のいずれかに該当する事業用自動車は本問の運行には適さないことになる。そうすると、事業用自動車１と２については、車両総重量が8,000kg以上であり、最大積載量も5,000kg以上なので、本運行には適していない。これに対し、事業用自動車３は、「車両総重量」「最大積載量」「自動車の高さ」、いずれも問題ないので、本問の運行に適した車両になる。

イ. 高速道路のC料金所～D料金所間（135km）を本問の運行計画で設定された運転時間（１時間30分）で走行する場合、135km÷１時間30分（1.5時間）＝90km/hなので、**平均時速90km以上**で走行することができれば設定時間内に走行可能である。本運行で使用する事業用自動車３のように、「車両総重量が8,000kg未満で、かつ、最大積載量が5,000kg未満の貨物自動車」が高速道路を走行する際の**最高速度**は**時速100km**とされており、平均時速90km以上で走行することが可能なので、本問の運行計画を満たすことができる。したがって、C料金所とD料金所間の運転時間を１時間30分としたことは、適切といえる。

問30 ★★★	運行計画	⇨ テキスト 4章 L8	解答 **2・3**

関連問題 R2C－29／H30②－29

1．**誤り。**改善基準告示では、宿泊を伴う長距離貨物運送に該当しない場合、1日（**始業時刻から起算して24時間**）の拘束時間の限度（**最大拘束時間**）は**15時間**、1日の休息期間は、原則として、勤務終了後、**継続11時間以上**与えるよう**努める**ことを基本とし、**継続9時間を下回ってはならない**としている。これをふまえて本問の拘束時間と休息期間について見ると、「1日目」の拘束時間は22時－5時＝17時間に、翌日（2日目）の4時から5時までの1時間を加えた18時間となるが、運転者が勤務の途中で**フェリーに乗船している時間**は原則として**休息期間**として取り扱われるので、1日目の拘束時間は18時間－4時間（フェリー乗船時間）＝14時間となる。

また、休息期間は22時から翌日4時までの6時間であるが、前述のように、勤務途中のフェリーの乗船時間は休息期間として取り扱われ、さらに、この時間を勤務終了後に与えるべき休息期間の時間から減じることができるとされているので、与えるべき休息期間の時間は9時間－4時間＝5時間となるところ、6時間与えられている。

「2日目」の拘束時間は17時30分－4時00分＝13時間30分、勤務終了後の休息期間は翌日4時までの10時間30分である。

「3日目」の拘束時間は17時30分－4時00分＝13時間30分、勤務終了後の休息期間は翌日6時までの12時間30分である。

「4日目」の拘束時間は19時00分－6時00分＝13時間00分、勤務終了後の休息期間は翌日が休日のため十分にある。

したがって、1日目～4日目までいずれの日においても、1日についての最大拘束時間および休息期間は改善基準告示に違反していない。

2．**正しい。**改善基準告示では**1日の運転時間**について、**2日を平均して9時間以内**としている。そして、**「特定日の前日＋特定日」と「特定日＋特定日の翌日」のそれぞれの運転時間の平均がいずれも9時間を超えている**場合は、改善基準告示に**違反**していることになる。

そこで、本問の運行計画における各日の運転時間の合計を計算してみると、1日目が「10時間」、2日目が「9時間30分」、3日目が「9時間30分」、4日目が「9時間」となる。

そして、2日目を特定日とすると、「特定日の前日＋特定日」の運転時間の平均は（10時間＋9時間30分）÷2＝「9時間45分」、「特定日＋特定日の翌日」の運転時間の平均は（9時間30分＋9時間30分）÷2＝「9時間30分」となる。また、3日目を特定日とすると、「特定日の前日＋特定日」の運転時間の平均は（9時間30分＋9時間30分）÷2＝「9時間30分」、「特定日＋特定日の翌日」の運転時間の平均は（9時間30分＋9時間）÷2＝「9時間15分」となる。

したがって、2日目または3日目を特定日とした場合、「特定日の前日＋特定日」と「特定日＋特定日の翌日」のそれぞれの運転時間の平均がいずれも9時間を超えており、1日当たりの運転時間は改善基準告示に違反している。

3．**正しい。**改善基準告示では、**連続運転時間**は、**原則**として**4時間以内**でなければならず、**運転開始後4時間以内**、または**4時間経過直後**に、**30分以上**、**運転を中断**しなければならないとしている。ただし、運転の中断は、1回が**おおむね連続10分以上**とした上で分割することもできるが、1回が**10分未満**の運転の中断は、**3回以上連続**してはいけない。また、運転の中断時には、原則として**休憩**を与えなければならない（ただし、特段の事情がある場合は、荷積み・荷下ろしの時間も運転中断時間として扱われる）。

これをふまえて本問の2日目と3日目の連続運転時間について見ると（本問では、荷積み・荷下ろしの時間も運転中断時間として扱うことを前提とする）、それぞれ、出庫後まず1時間の運転後に1時間の荷積み（運転中断と扱われる）をしているので、ここまでは問題ない。ただ、以降の運転状況を見ると、それぞれ2回目の運転（2時間）と3回目の運転（2時間30分）を合わせると4時間30分の連続運転時間となるが、その間に15分しか休憩していないので、改善基準告示に違反している。

なお、令和5年4月の法改正により、「乗務」が「業務」のように、また、令和6年4月の法改正により、一部の文言が変更になった。

令和２年度 第１回（令和２年８月）解答一覧

試験科目	問題	解答	試験科目	問題	解答
貨物自動車運送事業法関係	問１	4	道路交通法関係	問16	1
	問２	2・3		問17	1・2
	問３	2	労働基準法関係	問18	2・3
	問４	4		問19	4
	問５	2・4		問20	A-1　B-2　C-2
	問６	2・4		問21	1・3
	問７	A-2　B-2　C-1		問22	2・4
	問８	4		問23	2
道路運送車両法関係	問９	2	実務上の知識及び能力	問24	適-2・4　不適-1・3
	問10	2		問25	1・2
	問11	A-1　B-2　C-5　D-2		問26	適-1・2・3　不適-4
	問12	1		問27	適-2・3・4　不適-1
道路交通法関係	問13	3		問28	ア２　イ２　ウ１
	問14	3		問29	ア３　イ２　ウ１
	問15	A-2　B-1　C-1		問30	A-5　B-3　C-8

☆得点を計算してみましょう。

	挑戦した日			挑戦した日	
	１回目	２回目		１回目	２回目
貨物自動車運送事業法関係	／8	／8	労働基準法関係	／6	／6
道路運送車両法関係	／4	／4	実務上の知識及び能力	／7	／7
道路交通法関係	／5	／5	計	／30	／30

令和2年度 第1回（令和2年8月）解答・解説

1．貨物自動車運送事業法関係

問1 ★★★	一般貨物自動車運送事業	⇨ テキスト 2章 L1、2	解答 **4**

関連問題 R2C−1／R1①−1

1．**誤り。**一般貨物自動車運送事業を経営しようとする者は、**国土交通大臣**の**許可**を受けなければならない。認可ではない。

2．**誤り。**貨物自動車利用運送とは、**一般貨物自動車運送事業**または**特定貨物自動車運送事業**を経営する者が、他の**一般貨物自動車運送事業**または**特定貨物自動車運送事業**を経営する者の行う運送を利用してする貨物の運送をいう。貨物軽自動車運送事業を経営する者が貨物自動車利用運送を行ったり、また、他の貨物軽自動車運送事業者の行う運送を利用して貨物自動車利用運送を行ったりすることはできない。

3．**誤り。**特別積合せ貨物運送とは、**一般貨物自動車運送事業として行う運送**のうち、**事業場において集貨された貨物の仕分け**を行い、集貨された貨物を**積み合わせて**他の事業場に運送し、当該他の事業場において運送された貨物の配達に必要な仕分けを行うものであって、これらの事業場の間における当該積合せ貨物の運送を定期的に行うものをいう。特定の者の需要に応じて限定された貨物の集貨を行うものではない。

4．**正しい。**記述のとおり。**標準運送約款（やっかん）と同一**であれば、運賃や責任に関する事項が明確に定められていて、荷主の利益を害するおそれがないため、**認可を受けたものとみなされる**。

問2 ★★★	過労運転等の防止等	⇨ テキスト 2章 L5、9	解答 **2・3**

関連問題 R3C−6／R2C−6／R2②−3／R1①−6／H30②−6

1．**誤り。**一般貨物自動車運送事業者等は、事業計画に従い業務を行うに必要な員数の事業用自動車の運転者または特定自動運行保安員を常時選任しておかなければならず、この場合、選任する運転者および特定自動運行保安員は、日々雇い入れられる者、**2か月以内**の期間を定めて使用される者または試みの使用期間中の者（14日を超えて引き続き使用されるに至った者を除く）であってはならない。3か月以内ではない。なお、令和5年4月の法改正により、特定自動運行が認められたことに伴い、一部の文言が変更になった。

2．**正しい。**記述のとおり。令和5年4月の法改正により、特定自動運行が認められたことに伴い、一部の文言が変更になった。また、貨物自動車運送事業者は、休憩または睡眠のための時間および勤務が終了した後の休息のための時間が十分に確保されるように、国土交通大臣が告示で定める基準に従って、運転者の**勤務時間**および**乗務時間**を定め、運転者にこれらを**遵守**させなければならない。

3．正しい。本肢の「交替するための運転者を配置」とは、**交替の運転者**を事業用自動車に**添乗**させたり、交替箇所に**あらかじめ待機**させておくことをいう。

4．誤り。事業用自動車の運転者等の業務について、当該事業用自動車の瞬間速度、運行距離および運行時間を運行記録計により記録しなければならない車両は、車両総重量が**7トン**以上または最大積載量が**4トン**以上の普通自動車である。なお、令和5年4月の法改正により、特定自動運行が認められたことに伴い、一部の文言が変更になった。

問3 ★	安全管理規程等、輸送の安全に係る情報の公表 ⇨ テキスト 2章 L3	解答 **2**

関連問題 H30②－1

1．正しい。記述のとおり。**安全統括管理者**は、事業運営上の重要な決定に参画する管理的な地位にあって、一般貨物自動車運送事業に関する**一定の実務経験などを備えた者**から選任しなければならない。

2．誤り。事業用自動車（被牽引自動車を除く）の保有車両数が**200両**以上の事業者は、**安全管理規程**を定めて国土交通大臣に**届け出**なければならず、これを変更しようとするときも同様である。保有車両数が100両以上ではない。

3．正しい。「インターネットの利用その他の適切な方法」とは、会社の**ホームページへの掲載**や、営業所のような利用者の出入りがある施設での掲示を想定している。

4．正しい。記述のとおり。**安全確保命令**は、一般貨物自動車運送事業者等が輸送の安全に係る貨物自動車運送事業法の規定や安全管理規程を遵守していないため輸送の安全が確保されていないと認められるときに、**国土交通大臣**から命じられる。

問4 ★★★	点呼 ⇨ テキスト 2章 L6、7、11	解答 **4**

関連問題 R2C－4

1．正しい。記述のとおり。令和5年4月の法改正により、一部の文言が変更になった。本肢のような要件を満たす営業所であれば、Gマークを取得していなくても、**営業所と当該営業所の車庫間**（**当該営業所の車庫と当該営業所の他の車庫間**を含む）**に限り**、IT点呼の実施が認められる。

2．正しい。記述のとおり。なお、IT点呼の実施は「1営業日のうち連続する16時間以内」とされているが、「**営業所と車庫の間**」「**車庫と他の車庫の間**」で実施する場合は、**時間制限がない**。

3．正しい。アルコール検知器の故障の有無については、毎日確認することが望ましく、少なくとも**1週間**に**1回以上**確認すべきとされている。また、アルコール検知器の電源が確実に入ること、アルコール検知器に損傷がないことは、**毎日**確認すべき事項とされている。

4．誤り。運行管理者の業務を補助させるために選任された補助者に対し、点呼の一部を行わせることができる。ただし、その場合でも当該営業所において選任されている運行管理者が行う点呼は、点呼を行うべき総回数の少なくとも**3分の1**以上でなければならない。2分の1以上ではない。

問5 ★★ 自動車事故報告書の提出等

⇨ テキスト 2章 L 15

解答 **2・4**

1．**誤り。**事業用自動車が鉄道車両（軌道車両を含む）と接触する事故を起こした場合には、その事故があった日から**30日**以内に、自動車事故報告規則に定める**自動車事故報告書3通**を、その自動車の使用の本拠の位置を管轄する運輸監理部長または運輸支局長を経由して、**国土交通大臣**に提出しなければならない。15日以内ではない。

2．**正しい。運転者**または特定自動運行保安員**の疾病**により、事業用自動車の運行を継続することができなくなった場合も「事故」に該当し、自動車事故報告書の提出が必要となる。運転者の疾病としては、本肢のような**狭心症**や**心筋梗塞**、**くも膜下出血**などが考えられる。

3．**誤り。5人以上の重傷者**を生じた事故、**10人以上の負傷者**を生じた事故については、**事故の速報**が必要である。本肢の事故はこれに該当するので、**24時間**以内に、できる限りすみやかに、その事故の概要を運輸監理部長または運輸支局長に速報しなければならない。しかし、事故の速報を行った場合でも、国土交通大臣への事故報告書の提出を省略することはできない。

4．**正しい。**記述のとおり。事故が、**車輪の脱落**や**被けん引自動車の分離**を生じたもの（故障によるものに限る）である場合にも、本肢のような書面や略図、写真の添付が必要となる。

問6 ★★★ 運行管理者の業務

⇨ テキスト 2章 L 10、12

解答 **2・4**

関連問題 R3C−3／R2C−3

1．**誤り。自動車事故報告規則第5条**の規定により定められた**事故防止対策**に基づき、事業用自動車の運行の安全の確保について、従業員に対する**指導および監督**を行うことは、運行管理者の業務である。この指導および監督は、事故を発生させた運転者に限らず、**すべての従業員**に対して行わなければならない。

2．**正しい。**特定の運転者に適性診断を受けさせることは、運行管理者が行わなければならない業務である。適性診断には、性格と運転のクセや安全意識を判定する**筆記診断**、シミュレーター等を使用して状況変化への適応能力等を判定する**機械診断**、**カウンセリング**などがある。

3．**誤り。**従業員に対し、効果的かつ適切に指導および監督を行うため、輸送の安全に関する**基本的な方針を策定**することは、**事業者の義務**であり、運行管理者の業務ではない。

4．**正しい。**記述のとおり。令和5年4月の法改正により、特定自動運行が認められたことに伴い、一部の文言が変更になった。運行指示書の原本だけでなく、その写しも保存しておく必要がある。保存期間は**運行の終了の日**から**1年間**である。

問7 ★★★ 運転者に対する指導および監督

⇨ テキスト 2章 L10

解答 **A-2 B-2 C-1**

関連問題 R3C−7／R1①−7／H30②−7

死者または重傷者を生じた交通事故を引き起こした運転者、および軽傷者を生じた交通事故を引き起こし、かつ、当該事故前の**3年間**に交通事故を引き起こしたことがある運転者を**事故惹起運転者**（じゃっき）という。事故惹起運転者に対しては、事業用自動車の運行の安全を確保するために遵守すべき事項について**特別な指導**を行い、かつ、国土交通大臣が告示で定める**適性診断**であって国土交通大臣の認定を受けたものを受診させなければならない。

また、運転者として常時選任するために**新たに雇い入れた者**（当該貨物自動車運送事業者において初めて事業用自動車に乗務する前**3年間**に他の一般貨物自動車運送事業者等によって運転者として常時選任されたことがある者を除く）を**初任運転者**といい、やはり特別な指導と適性診断が必要となる。この場合の特別な指導は、当該貨物自動車運送事業者において初めて事業用自動車に乗務する前に実施すること、ただし、やむを得ない事情がある場合には、乗務を開始した後**1ヵ月**以内に実施することとされている。

したがって、Aには「3年」、Bには「3年」、Cには「1ヵ月」が入り、正解は、A−2、B−2、C−1となる。

問8 ★ 業務の記録

⇨ テキスト 2章 L9

解答 **4**

関連問題 R3C−8／R2②−6

1．**正しい。**記述のとおり。令和5年4月の法改正により、特定自動運行が認められたこと等に伴い、一部の文言が変更になった。また、**業務の開始と終了の地点**および**日時、主な経過地点**および**業務に従事した距離**なども、記録させなければならない。

2．**正しい。**記述のとおり。令和5年4月の法改正により、特定自動運行が認められたこと等に伴い、一部の文言が変更になった。道路交通法に規定する**交通事故**とは、車両等の交通による**人の死傷**または**物の損壊**をいう。

3．**正しい。**記述のとおり。令和5年4月の法改正により、特定自動運行が認められたこと等に伴い、一部の文言が変更になった。**荷主の都合による待機時間**（いわゆる荷待ち時間）が**30分以上**生じた場合、所定事項を記録しなければならない（**荷待ち時間の記録**）。

4．**誤り。**事業用自動車に係る運転者等の業務について、**車両総重量8トン**以上または**最大積載量5トン**以上の普通自動車である事業用自動車の運行の業務に従事した場合は、**貨物の積載状況**を業務の記録に記録させなければならない。このことは、運行指示書に貨物の積載状況が記載されているときも同様で、業務の記録への記録は省略できない。なお、令和5年4月の法改正により、特定自動運行が認められたこと等に伴い、一部の文言が変更になった。

2．道路運送車両法関係

問9 ★★★	自動車の登録等 ⇨ テキスト 3章 L 2、3	解答 **2**

関連科目 R3C－9／R2C－9／R2②－9／H30②－9

1．**正しい。**また、一時抹消登録を受けた自動車の所有者は、その自動車が**滅失・解体**（整備または改造のために解体する場合を除く）したときも、同様の**届出**が必要となる。

2．**誤り。**臨時運行の許可の有効期間は、特にやむを得ない場合を除き**5日**を超えてはならず、有効期間が満了したときは、その日から**5日**以内に**臨時運行許可証**および**臨時運行許可番号標**（仮ナンバー）を行政庁に返納しなければならない。15日以内ではない。

3．**正しい。**記述のとおり。ただし、その事由が**使用済自動車の解体**である場合には、**解体報告記録**がなされたことを知った日から**15日**以内に返納する。

4．**正しい。**また、引越しなどにより**住所**が変わったとき、結婚などにより**氏名**や**名称**が変わったときも、同様に**変更登録**の申請が必要となる。

問10 ★★	自動車の検査等 ⇨ テキスト 3章 L 6	解答 **2**

関連問題 R2C－10／H30②－10

1．**正しい。**記述のとおり。保安基準適合証および保安基準適合標章は、新しい自動車検査証と検査標章が交付されるまでの間、その代わりとして使用されるため、国土交通省令で定めるところにより、**有効期間**が付されている。

2．**誤り。初めて自動車検査証の交付を受ける**場合、**車両総重量8トン未満**の貨物運送の用に供する自動車については、その自動車検査証の**有効期間**は**2年**となる。本肢の自動車は車両総重量7,990キログラムなので、自動車検査証の有効期間は2年である。

3．**正しい。**記述のとおり。自動車は、**自動車検査証を備え付け**、かつ、国土交通省令で定めるところにより**検査標章を表示**しなければ、運行の用に供してはならないとされている。

4．**正しい。**記述のとおり。検査標章は、①自動車検査証を**交付**するとき、②自動車検査証に有効期間を**記録して返付**するときに**交付**され、国土交通省令で定めるところにより、その交付の際の自動車検査証の**有効期間の満了する時期**が表示されている。

問11 ★★	道路運送車両法に定める検査等 ⇨ テキスト 3章 L 2、6	解答 **A-1 B-2 C-5 D-2**

関連問題 H30②－10

1．登録を受けていない道路運送車両法第4条に規定する自動車または同法第60条第1項の規定による車両番号の指定を受けていない検査対象軽自動車もしくは二輪の小型自動車を運行の用に供しようとするときは、当該自動車の使用者は、当該自動車を提示して、国土交通大臣の行う**新規検査**を受けなければならない。

2．登録自動車または車両番号の指定を受けた検査対象軽自動車もしくは二輪の小型自動車の使用者は、自動車検査証の有効期間の満了後も当該自動車を使用しようとするときは、当該自動車を提示して、国土交通大臣の行う**継続検査**を受けなければならない。この場合において、当該自動車の使用者は、当該自動車検査証を国土交通大臣に提出しなければならない。

3．自動車の使用者は、自動車検査証記録事項について変更があったときは、法令で定める場合を除き、その事由があった日から**15日**以内に、当該変更について、国土交通大臣が行う自動車検査証の変更記録を受けなければならない。令和5年1月の法改正により、自動車検査証が電子化（IC化）されたため、一部の文言が電子化に沿った内容に変更になった。

4．国土交通大臣は、一定の地域に使用の本拠の位置を有する自動車の使用者が、天災その他やむを得ない事由により、**継続検査**を受けることができないと認めるときは、当該地域に使用の本拠の位置を有する自動車の自動車検査証の有効期間を、期間を定めて伸長する旨を公示することができる。

したがって、Aには「新規検査」、Bには「継続検査」、Cには「15日」、Dには「継続検査」が入り、正解は、A－1、B－2、C－5、D－2となる。

問12 ★★★	保安基準および細目告示	⇨ テキスト 3章 L 7、8	解答 **1**

関連科目 R2C－12／H30②－12

1．**誤り。**自動車の前面ガラスおよび側面ガラスにフィルムが貼り付けられた場合、貼り付けられた状態において、透明であり、かつ、運転者が交通状況を確認するために必要な視野の範囲に係る部分の**可視光線透過率**が**70%**以上であることが確保できるものでなければならない。60%以上ではない。

2．**正しい。**車両総重量が8トン以上または最大積載量が5トン以上の貨物自動車は、**道路交通法**では特定中型貨物自動車、大型貨物自動車に該当し、高速自動車国道を通行する際の最高速度が時速**80キロメートル**に制限されているが、**保安基準**では、緊急の危険を回避する必要性などを考慮して、本肢のように時速**90キロメートル**と定めている。

3．**正しい。**記述のとおり。また、貨物の運送の用に供する普通自動車で車両総重量が7トン以上のものの後面には、後部反射器を備えるほか、**大型後部反射器**を備えなければならない。

4．**正しい。**記述のとおり。また、保安基準では車両総重量についても、「自動車の種別」と「最遠軸距」に応じて定められた一定の重量を超えてはならないこととしている。

3．道路交通法関係

問13 ★★★	車両の交通方法等	⇨ テキスト 1章 L 2、3、4	解答 **3**

関連問題 R3C－14／R2C－13

1．**正しい。**記述のとおり。**最も右側の車両通行帯**は、**追越し**や**右折**のために空けておかなければならない。

2．**正しい。**また、車両等は、踏切の遮断機が閉じようとし、または閉じている間、踏切の**警報機が警報している間**は、その踏切に入ってはならない。

3．**誤り。**車両は、道路外の施設または場所に出入りするためやむを得ない場合において歩道等を横断するとき、または法令の規定により歩道等で停車し、もしくは駐車するため必要な限度において歩道等を通行するときは、歩道等に入る**直前で一時停止**し、かつ、**歩行者の通行を妨げない**ようにしなければならない。徐行ではない。

4．**正しい。**記述のとおり。ただし、**危険を防止するためやむを得ない場合**などには、指定された**最低速度に達しない速度**で進行することが認められる。

問14 ★★ 追越し等

⇨ テキスト 1章 L 4　解答 **3**

1．**正しい。**記述のとおり。また、追越しをしようとする車両は、反対の方向や後方からの交通および前車の前方の交通にも十分に注意し、かつ、前車の速度や進路、道路の状況に応じて、**できる限り安全な速度と方法**で進行しなければならないとされている。

2．**正しい。**記述のとおり。いわゆる「**割込み等の禁止**」として、道路交通法に定められている。

3．**誤り。**車両は、**交差点**（当該車両が法令に規定する優先道路を通行している場合における当該優先道路にある交差点を除く）、**踏切**、**横断歩道**または**自転車横断帯**およびこれらの手前の側端から**前に30メートル以内**の道路の部分では、**追越しが禁止**されている。なお、令和5年7月の法改正により、「軽車両」が「特定小型原動機付自転車及び軽車両」のように一部の文言が変更になった。

4．**正しい。**本肢のように、後方から進行してくる車両等に**急ブレーキ**や**急ハンドル**を必要とさせるような場合は、進路を変更してはならない。また、車両は、通行している車両通行帯が進路変更の禁止を表示する道路標示によって区画されているときは、原則としてその**道路標示を越えて**進路を変更してはならない。

問15 ★ 酒気帯び運転等の禁止等

⇨ テキスト 1章 L 8、12　解答 **A-2 B-1 C-1**

関連問題 R3C－15

道路交通法では、何人も、酒気を帯びて車両等を運転してはならない（同法第65条第１項）とした上で、何人も、酒気を帯びている者で、前項の規定に違反して車両等を運転することとなるおそれがあるものに対し、**車両等を提供**してはならないと規定している（同条第２項）。

また、何人も、車両（トロリーバスおよび旅客自動車運送事業の用に供する自動車で当該業務に従事中のものその他の政令で定める自動車を除く）の運転者が酒気を帯びていることを知りながら、当該運転者に対し、当該車両を運転して自己を運送することを要求し、または依頼して、当該運転者が第１項の規定に違反して運転する**車両に同乗**してはならないと規定している（同条第４項）。

さらに、同条第１項の規定に違反して車両等を運転した者で、その運転をした場合において身体に血液1ミリリットルにつき0.3ミリグラムまたは呼気1リットルにつき**0.15**ミリグラム以上にアルコールを保有する状態にあったものは、3年以下の懲役または50万円以下の罰金に処すると規定している（同法第117条の2の2第3号、同法施行令第44条の3）。

したがって、Aには「車両等を提供」、Bには「車両に同乗」、Cには「0.15」が入り、正解は、A－2、B－1、C－1となる。

問16 ★★ 交差点等における通行方法 ⇨ テキスト 1章 L 3、5 解答 1

関連問題 R1①－16

1．**誤り。**車両等（優先道路を通行している車両等を除く）は、交通整理の行われていない交差点に入ろうとする場合において、**交差道路が優先道路**であるとき、またはその通行している道路の幅員よりも**交差道路の幅員が明らかに広い**ものであるときは、**徐行**しなければならない。前方に出る前に必ず一時停止しなければならないわけではない。

2．**正しい。**記述のとおり。また、車両等は、交差点で右折する場合に、その交差点において**直進**し、または**左折**しようとする車両等があるときは、その車両等の**進行妨害**をしてはならない。

3．**正しい。**記述のとおり。また、右折に関しては、自動車、一般原動機付自転車またはトロリーバスが**右折**するときは、あらかじめその前からできる限り道路の中央に寄り、かつ、**交差点の中心の直近の内側**を**徐行**しなければならず、特定小型原動機付自転車および軽車両が右折するときは、あらかじめその前からできる限り道路の左側端（さそくたん）に寄り、かつ、交差点の側端に沿って徐行しなければならないと定められている。

4．**正しい。**記述のとおり。前方を進行している車両が、左折または右折するため進路を変更しようとしてウインカー等により合図をした場合、後方の車両は、急ブレーキをしたり、急ハンドルを切ったりしなければならないこととなる場合を除き、合図をした車両の**進路の変更を妨げてはならない。**

問17 ★★ 運転者および使用者の義務等 ⇨  1章 L 3、10、11 解答 1・2

関連問題 R2C－16・17

1．**正しい。**記述のとおり。**運転免許の効力停止処分**は、**6か月**を超えない範囲内で期間を定めて行う。

2．**正しい。**なお、高齢運転者のうち**75歳以上**のものは、原則として、運転免許の更新期間満了の前6か月以内に**認知機能検査**を受けていなければならない。また、**75歳以上**のもので、**一定の違反歴がある者**は、運転免許の更新期間満了の前6か月以内に**運転技能検査**を受けていなければならない。

3．**誤り。**車両等は、横断歩道等に接近する場合には、当該横断歩道等によりその進路の前方を横断し、または横断しようとする歩行者等があるときは、当該**横断歩道等の直前で一時停**

止し、かつ、その**通行を妨げない**ようにしなければならない。

4．**誤り。**本肢の道路標識は、「車両は、8時から20時までの間は**駐車**してはならない」ことを示している。停車ではない。

4．労働基準法関係

問18 ★★★	労働基準法全般 ⇨ テキスト 4章 L 2、5、7	解答 **2・3**

関連問題 R1①－18／H30②－18

1．**誤り。**使用者は、労働者名簿、賃金台帳および雇入れ、解雇、災害補償、賃金その他労働関係に関する重要な書類を**5年間**（ただし、経過措置により当分の間は**3年間**）保存しなければならない。1年間ではない。

2．**正しい。**記述のとおり。これを**法定労働時間**という。法定労働時間には、**休憩時間が含まれない**ことに注意。また、常時10人未満の労働者を使用する商業、映画・演劇業（映画の製作の事業を除く）、保健衛生業、接客娯楽業の事業については、**1週間**の法定労働時間は**44時間**までとされている。

3．**正しい。**休憩時間は、労働者が労働から完全に解放されることを保障されている時間をいう。**すべての労働者**に対して**一斉**に与えるのが原則であり、また、使用者は、労働者に休憩時間を**自由**に**利用**させなければならない。

4．**誤り。**労働契約は、**期間の定めのないもの**を除き、一定の事業の完了に必要な期間を定めるもののほかは、**3年**（高度の専門的知識等を有する労働者との間に締結される労働契約や満60歳以上の労働者との間に締結される労働契約にあっては**5年**）を超える期間について締結してはならない。1年ではない。

Point ここがPoint 労働契約の期間制限

労働契約の期間には、次のような制限が定められている。

対　象	契約期間
期間の定めがある労働契約（有期労働契約）	3年まで
一定の事業の完了に必要な期間を定める労働契約 （例：建築工事の完成までの期間だけ雇われる場合）	その期間まで
労基法第14条第1項各号に該当する労働契約 ① 専門的知識等を有する労働者との間に締結される労働契約 ② 満60歳以上の労働者との間に締結される労働契約	5年まで

問19 ★★★ 健康診断

⇨ テキスト 5章 L5 解答 **4**

関連問題 R1①－26

1．**正しい。**記述のとおり。また、事業者は、**常時使用**する労働者（特定業務従事者を除く）に対し、**1年**以内ごとに**1回**、**定期**に、一定の項目について医師による**健康診断**（定期健康診断）を行わなければならない。

2．**正しい。**記述のとおり。また、事業者は、健康診断の結果に基づき、健康診断個人票を作成して、これを**5年間**保存しなければならない。

3．**正しい。**記述のとおり。「深夜業を含む業務等に常時従事する労働者」を**特定業務従事者**という。

4．**誤り。**事業者は、深夜業に従事する労働者が、自ら受けた健康診断の結果を証明する書面を事業者に提出した場合において、その健康診断の結果（当該健康診断の項目に異常の所見があると診断された労働者に係るものに限る）に基づく**医師からの意見聴取**は、当該健康診断の結果を証明する書面が事業者に提出された日から**2か月**以内に行わなければならない。4か月以内ではない。

問20 ★★★ 労働時間等の改善基準

⇨ テキスト 4章 L8 解答 **A-1 B-2 C-2**

関連問題 H30②－20

1．改善基準告示では、第1条第1項で、この基準は、自動車運転者（労働基準法第9条に規定する労働者であって、四輪以上の自動車の運転の業務に主として従事する者をいう）の労働時間等の改善のための基準を定めることにより、自動車運転者の**労働時間**等の労働条件の向上を図ることを目的とする、と規定している。

2．改善基準告示第1条第2項では、**労働関係の当事者**は、この基準を理由として自動車運転者の労働条件を低下させてはならないことはもとより、その**向上**に努めなければならない、と規定している。

3．改善基準告示が改正され、令和6年4月より、記述3の内容に関する規定が削除されたため、**不成立**となる。

したがって、Aには「労働時間」、Bには「労働関係の当事者」、Cには「向上」が入り、正解は、A－1、B－2、C－2となる。

問21 ★★★ 労働時間等の改善基準

⇨ テキスト 4章 L8 解答 **1・3**

関連問題 R3C－20・21／R2C－20・21／R2②－21／R1①－20／H30②－21

1．**正しい。**記述のとおり。**拘束時間**とは、始業時刻から終業時刻までの時間で、**労働時間**と**休憩時間**（仮眠時間を含む）の合計時間のことをいう。なお、令和6年4月の法改正により、一部の文言が変更になった。

2．誤り。トラック運転者の１日の拘束時間については、原則として**13時間以内**とし、これを延長する場合であっても、**最大拘束時間**は**15時間**とされている。また、延長する場合には、１日の拘束時間が**14時間を超える回数**をできるだけ少なくするよう努める必要がある。13時間ではない。なお、１日の拘束時間が**14時間を超える回数**は、**１週間に２回**以内が目安とされている。また、令和６年４月の法改正により、一部の文言が変更になった。

3．正しい。記述のとおり。これを「**隔日勤務の特例**」という。ただし、例外として、事業場内の仮眠施設等において、**夜間に４時間以上の仮眠**を与える場合には、２週間における総拘束時間が**126時間**（21時間×６勤務）**を超えない範囲**において、**２週間について３回を限度**に、この２暦日（れきじつ）の拘束時間を**24時間まで延長**することができる。なお、令和６年４月の法改正により、一部の文言が変更になった。

4．誤り。業務の必要上、勤務の終了後、**継続９時間**（宿泊を伴う長距離貨物運送に該当する場合は継続８時間）以上の**休息期間**を与えることが困難な場合、一定の要件を満たすものに限り、当分の間、一定期間（１か月程度を限度）における全勤務回数の**２分の１**を限度に、休息期間を拘束時間の途中および拘束時間の経過直後に**分割して与える**ことができるものとされている（**分割休息の特例**）。８時間以上ではない。なお、令和６年４月の法改正により、一部の文言が変更になった。

問22 ★★★ 労働時間等の改善基準

⇨ テキスト 4章 L８ 解答 **2・4**

関連問題 R3C－22／R2C－22／R2②－22／R1①－22／H30②－23

改善基準告示に従って、１日の拘束時間を計算する場合、「１日」とは０時から24時までのことではなく、**始業時刻から起算して24時間**のことをいうので、翌日の始業時刻がその日の始業時刻よりも早いときは、その差の時間もその日の拘束時間に加えられることになる。これをふまえて、それぞれの勤務日の拘束時間を見ると、

１日目：18時40分－６時30分＝12時間10分に、翌２日目の５時00分から６時30分までの１時間30分を加えた「**13時間40分**」、

２日目：17時05分－５時00分＝「**12時間５分**」、

３日目：17時50分－５時30分＝「**12時間20分**」となる。

次に、改善基準告示では、**連続運転時間**は、**原則**として**４時間以内**でなければならず、**運転開始後４時間以内**、または**４時間経過直後**に、**30分以上、運転を中断**しなければならないとしている。ただし、運転の中断は、１回が**おおむね連続10分以上**とした上で分割することもできるが、１回が**10分未満**の運転の中断は、**３回以上連続**してはいけない。また、運転の中断時には、原則として**休憩**を与えなければならない（ただし、特段の事情がある場合は、荷積み・荷下ろしの時間も運転中断時間として扱われる）。

これをふまえてそれぞれの勤務日の連続運転時間について見ると（本問では、荷積み・荷下ろしの時間も運転中断時間として扱うことを前提とする）、

１日目の場合：４回目の運転以降が「運転２時間30分⇒休憩10分⇒運転１時間⇒休憩15分⇒

運転1時間」という勤務状況であり、**運転時間の合計**が**4時間30分**に対し、4時間以内に「**25分**」しか運転中断（休憩）していないので、改善基準告示に違反している。
2日目の場合：5回目の運転以降が「運転3時間⇒休憩10分⇒運転1時間10分」という勤務状況であり、**運転時間の合計**が**4時間10分**に対し、4時間以内に「**10分**」しか運転中断（休憩）していないので、改善基準告示に違反している。
3日目の場合：まず「運転2時間⇒休憩15分⇒荷下ろし20分」で、**4時間以内**の運転（2時間）に対し、**30分以上の運転中断**（休憩15分＋荷下ろし20分＝35分）をしている。次に「運転2時間⇒荷積み30分」で、**4時間以内**の運転（2時間）に対し、**30分の運転中断**（荷積み30分）をしている。さらに「運転1時間⇒休憩1時間」で、**4時間以内**の運転（1時間）に対し、**30分以上の運転中断**（休憩1時間）をしている。そして、後半（4回目の運転以降）は、「運転2時間⇒荷下ろし20分⇒運転1時間⇒休憩5分⇒運転1時間⇒乗務終了」という勤務状況だが、前述したように、運転中断の時間を分割する場合、少なくとも1回がおおむね連続10分以上である必要があるので、**5分の休憩**は運転中断の時間として扱われない。したがって、4回目の運転以降の勤務状況は「運転2時間⇒運転中断20分（荷下ろし）⇒運転2時間（運転1時間＋運転1時間）⇒乗務終了」となり、**運転時間の合計**が**4時間**で乗務を終了している。
以上により、いずれも連続運転時間は4時間を超えておらず、改善基準告示に違反していない。

なお、令和5年4月の法改正により、「乗務」が「業務」のように、また、令和6年4月の法改正により、一部の文言が変更になった。

したがって、正しいものは、2と4となる。

問23 ★★★ 労働時間等の改善基準 ⇨ テキスト 4章 L8 解答 **2**

関連問題 R2C－23／R2②－23／H30②－23

1．**違反していない。**宿泊を伴う長距離貨物運送に該当しない場合の**1日の最大拘束時間**は、**15時間**である。本問の勤務状況を見ると、拘束時間が15時間を超えている日はないので、改善基準告示に違反していない。なお、令和6年4月の法改正により、一部の文言が変更になった。

2．**違反している。**改善基準告示では、運転者の**1日の運転時間**については、2日（始業時刻から起算して48時間）を平均して、**9時間以内**としている。1日の運転時間の計算に当たっては、特定の日を起算日として2日ごとに区切り、その2日間の平均で判断するが、「**特定日の前日＋特定日**」と「**特定日＋特定日の翌日**」のそれぞれの**運転時間の平均**が、**いずれも9時間を超えている**場合は改善基準告示に違反していることになる。本問における当該5週間のすべての日を特定日として、勤務状況の第2週の9日を特定日として見た場合、「特定日の前日の運転時間（9時間）＋特定日の運転時間（10時間）」の**平均は9.5時間**、「特定日の運転時間（10時間）＋特定日の翌日の運転時間（9時間）」の**平均は9.5時間**となり、**いずれも9時間を超えている**ので、改善基準告示に違反している。

3．**違反していない。1週間の運転時間**については、**2週間を平均して44時間**を超えてはならない。1週間の運転時間については、特定の日を起算日として2週間ごとに区切り、「2週間を平均した1週間当たりの運転時間が44時間を超えている場合」は改善基準告示に違反していることになる。本問の勤務状況を見ると、「第1週と第2週の運転時間の平均」は(43時間+45時間)÷2=44時間で、44時間を超えていないので、改善基準告示に違反していない。「第3週と第4週の運転時間の平均」も(44時間+44時間)÷2=44時間で、44時間を超えていないので、改善基準告示に違反していない。

4．**違反していない。**1日の拘束時間が**14時間を超える回数**はできるだけ少なくするよう努める必要があり、その回数は、**1週間に2回**以内が目安とされている。本問の勤務状況を見ると、いずれの週においても拘束時間が14時間を超えている日の回数は2回以内なので、改善基準告示における目安に違反していない。なお、令和6年4月の法改正により、一部の文言が変更になった。

5．実務上の知識及び能力

問24 ★★	運行管理者の日常業務の記録等 ⇨ テキスト 2章 L 6、7、8、9、10	解答 適-2・4 不適-1・3

1．**適切でない。**事業用自動車の運転者が他の営業所に転出し当該営業所の運転者でなくなった場合には、ただちにその運転者の**運転者等台帳**に運転者でなくなった年月日および理由を記載し、これを**3年間**保存しなければならない。1年間ではない。なお、令和5年4月の法改正により、特定自動運行が認められたこと等に伴い、一部の文言が変更になった。

2．**適切である。**車両総重量が7トン以上または最大積載量が4トン以上の普通自動車である事業用自動車など一定の事業用自動車に係る運転者等の業務については、その事業用自動車の瞬間速度、運行距離および運行時間を**運行記録計**により記録し、かつ、その記録を**1年間**保存しなければならないとされている。

3．**適切でない。**運行管理者が、事業用自動車の運転者に対し、本肢のような**一般的な指導**を行った場合、その内容等について記録し、かつ、その記録を営業所において**3年間**保存しなければならない。1年間ではない。

4．**適切である。**令和5年4月の法改正により、「乗務」が「業務」のように一部の文言が変更になった。業務前点呼や業務後点呼の際、酒気帯びの有無について確認を行う場合には、運転者の状態を**目視等**で確認するほか、その運転者の属する営業所に備えられた**アルコール検知器**を用いて行わなければならない。また、**点呼の記録**は**1年間**保存することとされている。

問25 ★★	運転者に対する指導・監督 ⇨ テキスト 2章 L 10 5章 L 6	解答 1・2

関連問題 R3C－25／R2C－25／R1①－25

1．**適切である。**トラック等の車長が長い自動車については、①内輪差が大きいため、左折時に左側方の歩行者・バイクを巻き込む事故を起こしやすいこと、②狭い道路へ左折するときは、大きくハンドルを右に切り、センターラインをはみ出してしまうことがあること、③右折時にオーバーハングし、車体後部が外側に振られ、後続車に接触するおそれがあることが指摘できる。

2．**適切である。**貨物が分割できないものであるため、重量や大きさの制限を超えてしまう場合には、車両の出発地を管轄する警察署長が、その車両の構造または道路や交通の状況から支障ないとして許可すれば、許可された範囲内で制限を超える積載をして運転することができる（**制限外許可**）。この場合、運転に際しては発行された制限外許可証を携行しなければならない。また、許可の際に付された通行経路・通行時間等の条件を遵守しなければならないため、通行経路の事前情報を入手し、道路状況を確認することも重要である。

3．**適切でない。**適性診断は、運転者の運転行動や運転態度が安全運転にとって好ましい方向へ変化するように**動機づけ**を行うことにより、**運転者自身の安全意識を向上させる**ためのものであり、ヒューマンエラーによる事故の発生を未然に防止するための有効な手段となる。運転業務に適さない者を選任しないようにするためのものではない。

4．**適切でない。**飲酒により体内に摂取された**アルコールを処理するために必要な時間の目安**については、個人差はあるが、例えばチューハイ350ミリリットル（アルコール７％）の場合、おおむね**4時間**とされている。２時間ではない。なお、ビール500ミリリットル（アルコール５％）の場合も同様である。

問26 ★★ 運転者の健康管理等

⇨ テキスト 5章 L５　解答 適-1・2・3 不適-4

関連問題 R2C－26／R1①－26／H30②－26

1．**適切である。**記述のとおり。平成25年から平成30年の６年間に健康起因事故を起こした運転者1,564人のうち、**心臓疾患、脳疾患、大血管疾患**が31％を占めている。

2．**適切である。**事業者は、業務に従事する運転者に対し法令で定める健康診断を受診させ、その結果に基づき**健康診断個人票**を作成し、これを**５年間**保存しなければならない。また、運転者が自ら健康診断を受け、その結果を証明する書面を事業者に提出したときも同様に、**健康診断個人票**を作成し、これを**５年間**保存しなければならないとされている。

3．**適切である。**記述のとおり。健康起因による事故で運転者が死亡に至った事案60件のうち、原因病名別にみると、**心臓疾患**のほかには、**失神、大血管疾患、脳疾患**が多くを占めている。

4．**適切でない。睡眠時無呼吸症候群（SAS）**は、大きないびきや昼間の強い眠気などの症状がみられるが、疲労が原因であるととらえてしまうこともあり、なかなか**本人が自覚しにくい病気**である。したがって、**運転者全員**に対し、定期的にSASスクリーニング検査を実施することが望ましいといえる。本肢のように容易に自覚症状を感じやすいとし、自覚症状を感じていると自己申告をした運転者に限定して、SASスクリーニング検査を実施しているのは、適切ではない。

問27 ★★ 自動車の運転

⇨ テキスト 5章 L 1・2　解答 適-2・3・4 不適-1

関連問題 R3C－27／R2C－27

1．**適切でない。**四輪車を運転する場合、二輪車との衝突事故を防止するための注意点として、①二輪車は**死角に入りやすい**ため、その存在に気づきにくいこと、②二輪車は**速度が実際より遅く**感じたり、**距離が遠く**に見えたりする特性があることが挙げられる。

2．**適切である。**記述のとおり。**アンチロック・ブレーキシステム（ABS）**が作動することにより、最適なブレーキ力が得られ、車両の進行方向の安定性が保たれ、ハンドルも効くようになる。ABSが作動すると、振動や音が生じることがあるが、故障ではないので、そのまま強く踏み続けるように指導する必要がある。

3．**適切である。**記述のとおり。バックアイカメラが装着されていると、後退するときに後方の様子がモニターで見えるので、とても便利である。ただし、後方上部の様子や左右から近づいてくる人などはモニターには映らないので、バックアイカメラを**過信せず**に、目視やサイドミラーによる確認を併せて行うように指導する必要がある。

4．**適切である。**記述のとおり。カーブでの**遠心力**は、**自動車の重量に比例**し、**速度の2乗に比例**して大きくなる。また、**慣性力**は**自動車の重量に比例**して大きくなるので、重量が増加するほど制動距離が長くなり、追突の危険性も高くなるため、法定速度の遵守、車間距離について指導する必要がある。

問28 ★ 空走距離、停止距離、車間距離

⇨ テキスト 5章 L 9　解答 ア-2 イ-2 ウ-1

関連問題 R2C－25

ア．空走距離は「秒速×空走時間」で求めることができる。デジタル式運行記録計の記録図表を見ると、06:56:00の時点で急ブレーキをかけており、その直前の速度は時速70kmであることがわかる。そして、時速を秒速（m）に直す場合は、「**時速（km）÷3600×1000**」で求めることができるので、70（km）÷3600×1000≒19.4（m）となる。秒速19.4m×空走時間1秒≒空走距離19.4m。したがって、空走距離はおよそ**20メートル**となる。

イ．「危険を認知してから停止するまでに走行した距離」とは**停止距離**のことであり、**停止距離**は「**空走距離＋制動距離**」で求めることができる。A自動車の場合、空走距離はおよそ20メートル（設問アの解答より）、制動距離は問題文にあるように40メートルなので、A自動車の停止距離は、およそ20m＋40m＝およそ**60メートル**となる。

ウ．A自動車は50メートルの車間距離を保ってB自動車に追従して走行していたので、B自動車が急ブレーキをかけた時点での車間距離は50メートルあった。A自動車はその時点から停止するまでに**停止距離**である60メートルを走行して停止し、B自動車はその時点から停止するまでに**制動距離**である35メートルを走行して停止したことになる。したがって、AB両車とも停止したときには、車間距離は、60m－35m＝25mだけ縮まったので、50m－25m＝およそ**25メートル**が、AB両車とも停止した際の車間距離となる。

問29 ★★★	運行計画	⇨ テキスト 4章 L8 5章 L9	解答 ア-3 イ-2 ウ-1

関連問題 R3C－29／R2C－29／R1①－29

ア．**走行時間**は「**距離÷時速**」で求めることができる。運行計画によれば、A営業所から30キロメートル離れたB地点まで平均時速30キロメートルで走行するので、この間の走行時間は、30km÷時速30km＝１時間となる。また、B地点からC地点までは165キロメートルを平均時速55キロメートルで走行するので、この間の走行時間は、165km÷時速55km＝３時間となる。B地点での荷積み時間が20分あるので、A営業所を出庫してからC地点に到着するまでに、１時間＋20分＋３時間＝４時間20分かかる。

したがって、C地点に12時に到着させるためにふさわしいA営業所の出庫時刻は、12時－４時間20分＝**7時40分**となる。

イ．C地点を13時40分に出発し、A営業所に19時に帰庫しているので、この間にかかった時間は、19時－13時40分＝５時間20分である。また、CD間の走行時間は60km÷時速30km＝２時間、EA間の走行時間は20km÷時速30km＝2/3時間＝40分なので、**DE間の走行時間**は、５時間20分－２時間（CD間の走行時間）－20分（D地点での休憩時間）－20分（E地点での荷下ろし時間）－40分（EA間の走行時間）＝**2時間**となる。距離は「**時速×走行時間**」で求めることができるので、D地点とE地点の間の距離は、時速25km×２時間＝50kmとなる。

ウ．改善基準告示では、**連続運転時間**は、**原則**として**4時間以内**でなければならず、**運転開始後4時間以内**、または**4時間経過直後**に、**30分以上**、**運転を中断**しなければならないとしている。ただし、運転の中断は、１回が**おおむね連続10分以上**とした上で分割することもできるが、１回が**10分未満**の運転の中断は、**3回以上連続**してはいけない。また、運転の中断時には、原則として**休憩**を与えなければならない（ただし、特段の事情がある場合は、荷積み・荷下ろしの時間も運転中断時間として扱われる）。これをふまえて本問の運行計画を見ると（本問では、荷積み・荷下ろしの時間も運転中断時間として扱うことを前提とする）、往路は「１時間の運転⇒20分の運転中断（荷積み）⇒３時間の運転⇒１時間40分の運転中断（荷下ろし20分＋休憩１時間＋荷積み20分）」なので、**4時間の運転**に対し、**30分以上の運転中断**（合計２時間の休憩等）をしている。復路は、まず「２時間の運転⇒20分の運転中断（休憩）⇒２時間の運転⇒20分の運転中断（荷下ろし）」なので、**4時間の運転**に対し、**30分以上の運転中断**（合計40分の休憩等）をしており、その後は、**4時間以内**（40分）の運転後に乗務を終了している。

したがって、往路・復路ともに連続運転時間は４時間を超えておらず、改善基準告示に違反していない。なお、令和６年４月の法改正により、一部の文言が変更になった。

問30 ★★★	交通事故の再発防止対策 ⇨ テキスト 1章 L3·5 5章 L6	解答 A-5 B-3 C-8

関連問題 H30②－30

ア．**最も直接的に有効である。**右折時の【事故の主な要因】には、「対向車のスピードの誤認」「対向車の後方の安全確認不足」のほか、「対向車から譲られた時の安全確認不足」も挙げられている。したがって、本ポイントのように**対向車への注意**とともに、「**右折したその先の状況**にも十分注意を払い走行するよう」指導することは、右折時の【事故防止のための指導】（B）として、最も直接的に有効と考えられる。

イ．**最も直接的に有効である。**直進時の【事故の主な要因】には、高速道路等での事故につき、「たばこや携帯電話の操作」が挙げられている。したがって、本ポイントのように「**喫煙や携帯電話の使用**などは停車してから行うよう」指導することは、直進時の【事故防止のための指導】（A）として、最も直接的に有効と考えられる。

ウ．**最も直接的に有効ではない。**右折するときは、あらかじめその前からできる限り道路の中央に寄り、かつ、交差点の中心の直近の内側を**徐行**しなければならない。したがって、本ポイントのような指導は適切ではない。

エ．**最も直接的に有効である。**左折時の【死亡・重傷事故の特徴】として**自転車の巻き込み事故**が多いことが挙げられている。したがって、本ポイントのように**内輪差**により自転車などを巻き込んでしまう危険を指摘し、慎重に安全を確認するよう指導することは、左折時の【事故防止のための指導】（C）として、最も直接的に有効と考えられる。

オ．**最も直接的に有効である。**右折時の【事故の主な要因】には、「**対向車の後方の安全確認不足**」が挙げられている。したがって、本ポイントのように「対向車の通過後に必ずその後方の状況を確認してから右折するよう」指導することは、右折時の【事故防止のための指導】（B）として、最も直接的に有効と考えられる。

カ．**最も直接的に有効である。**直進時の【事故の主な要因】には、一般道路での事故につき、「**飲酒運転**」が挙げられている。したがって、本ポイントのように**アルコールチェッカー**により随時運転者の飲酒状況をチェックできるようにすることは、直進時の【事故防止のための指導】（A）として、最も直接的に有効と考えられる。

キ．**最も直接的に有効ではない。**衝突被害軽減ブレーキは、追突の危険性が高まった際に、まずは警報を発して、運転者にブレーキ操作を促し、それでも運転者がブレーキ操作をしないときに、システムにより自動的にブレーキをかけ、衝突時の速度を低くする装置である。決していかなる走行条件においても衝突を確実に回避できるものとはいえないので、本ポイントのような指導は適切ではない。

ク．**最も直接的に有効である。**右折時の【事故の主な要因】には、「**二輪自動車等の対向車のスピードの誤認**」が挙げられている。したがって、本ポイントのように「右折の際は、対向する二輪自動車との距離などに十分注意するよう」指導することは、右折時の【事故防止のための指導】（B）として、最も直接的に有効と考えられる。

ケ．**最も直接的に有効である。**左折時の【事故の主な要因】には、「**徐行・一時停止の不履行、**

目視不履行」「**大回りで左折する**際の対向車等への意識傾注」が挙げられている。したがって、本ポイントのように左折の際に「できる限り道路の左側端に沿って徐行するよう」指導することは、左折時の【事故防止のための指導】（C）として、最も直接的に有効と考えられる。

コ．最も直接的に有効である。直進時の【事故の主な要因】には、一般道路での事故につき、「**伝票の整理**による**わき見運転**」が挙げられている。したがって、本ポイントのように「伝票等の確認は、…安全な場所に移動し停止した後に行うよう」指導することは、直進時の【事故防止のための指導】（A）として、最も直接的に有効と考えられる。

サ．最も直接的に有効ではない。車両等は、横断歩道等に接近する場合、当該横断歩道等によりその進路の前方を横断し、または横断しようとする歩行者等があるときは、当該横断歩道等の**直前で一時停止**し、かつ、その通行を妨げないようにしなければならない。したがって、本ポイントのような指導は適切ではない。

シ．最も直接的に有効である。左折時の【事故の主な要因】には、「左折前の確認のみで、**左折時の再度の確認の不履行**」が挙げられている。したがって、本ポイントのように「左折時にも再度歩行者や自転車等がいないかをミラーや直視で十分確認するよう」指導することは、左折時の【事故防止のための指導】（C）として、最も直接的に有効と考えられる。

以上より、Aにはイカコ（⑤）、Bにはアオク（③）、Cにはエケシ（⑧）があてはまる。

令和元年度 第1回（令和元年8月）解答一覧

試験科目	問題	解答	試験科目	問題	解答
貨物自動車運送事業法関係	問 1	1・4	道路交通法関係	問16	2
	問 2	1・2		問17	2・3
	問 3	3	労働基準法関係	問18	1・3
	問 4	A-4　B-6　C-5		問19	2
	問 5	2・4		問20	A-1　B-1　C-1
	問 6	1・3		問21	1・3
	問 7	2		問22	3
	問 8	4		問23	4
道路運送車両法関係	問 9	1	実務上の知識及び能力	問24	適-4　不適-1・2・3
	問10	1・4		問25	2・3・4
	問11	A-1　B-1　C-2　D-2		問26	適-2・3・4　不適-1
	問12	2		問27	適-2・3・4　不適-1
道路交通法関係	問13	2		問28	適-3　不適-1・2・4
	問14	A-2　B-2　C-3　D-3		問29	適-2　不適-1・3
	問15	1・3		問30	A-2　B-4　C-8　D-10

☆得点を計算してみましょう。

	挑戦した日			挑戦した日	
	1回目	2回目		1回目	2回目
貨物自動車運送事業法関係	／8	／8	労働基準法関係	／6	／6
道路運送車両法関係	／4	／4	実務上の知識及び能力	／7	／7
道路交通法関係	／5	／5	計	／30	／30

令和元年度 第1回（令和元年8月）解答・解説

1．貨物自動車運送事業法関係

問1 ★★★	貨物自動車運送事業	⇨ テキスト 2章 L 1、2	解答 **1・4**

関連問題 R3C－1／R2C－1／R2②－1／R2①－1

1．**正しい。**記述のとおり。業務として**特別積合せ貨物運送**をするものとしないものとがあり、また、**貨物自動車利用運送**を行うものと行わないものがある。

2．**誤り。**貨物自動車運送事業とは、**一般貨物自動車運送事業、特定貨物自動車運送事業**および**貨物軽自動車運送事業**をいう。貨物自動車利用運送事業は含まれない。

3．**誤り。**「自動車車庫の位置及び収容能力」の事業計画の変更をするときは、国土交通大臣の**認可**を受ける必要がある。

4．**正しい。**記述のとおり。一般貨物自動車運送事業者が**事業計画を変更**しようとするときは、原則として**国土交通大臣の認可**を受ける必要があるが、①事業用自動車に関する一定の事項、②一定の軽微な事項について変更する場合は、**届出**をするだけで足りる。なお、令和５年４月の法改正により、特定自動運行が認められたことに伴い、一部の文言が変更になった。

問2 ★★★	運行管理者の業務	⇨ テキスト 2章 L 10、12	解答 **1・2**

関連問題 R3C－3／R2C－3

1．**正しい。**これは、**事業者の義務**であるとともに、**運行管理者の業務**でもある。

2．**正しい。**記述のとおり。平成29年４月の法改正により、**運行記録計**による記録が義務づけられる事業用自動車が、「車両総重量８トン以上または最大積載量５トン以上」から「車両総重量**７トン**以上または最大積載量**４トン**以上」に拡大されている。

3．**誤り。**運行管理者の業務は、法令の規定により、運転者等に対して点呼を行い、報告を求め、確認を行い、および指示を与え、ならびに所定の事項を記録してその記録を保存し、ならびに運転者に対して使用するアルコール検知器を「**常時有効に保持すること**」である。なお、アルコール検知器を「備え置くこと」は、事業者の義務である。また、令和５年４月の法改正により、特定自動運行が認められたこと等に伴い、一部の文言が変更になった。

4．**誤り。**運行管理者は、適齢診断（高齢運転者のための適性診断として国土交通大臣が認定したもの）を運転者が**65歳に達した日**以後１年以内（**65歳以上の者**を新たに運転者として選任した場合は、選任の日から１年以内）に１回受診させ、その後３年以内ごとに１回受診させなければならない。60歳ではない。

問3 ★★★ 輸送の安全等

⇨ テキスト 2章 L 4、5、12　解答 **3**

関連問題 H30②－2

1．**正しい。**記述のとおり。また、事業者は、過積載運送の防止について、運転者その他の従業員に対する**適切な指導**および**監督**を怠ってはならない。

2．**正しい。**記述のとおり。法改正により平成29年1月に新設された規定である。

3．**誤り。**事業者は、運行管理者がその業務として行う**助言**を**尊重**しなければならず、事業用自動車の運転者その他の従業員は、運行管理者がその業務として行う**指導**に従わなければならない。

4．**正しい。**貨物自動車運送事業輸送安全規則第９条の４に、このような**適正な取引の確保**について定められている。

問4 ★★★ 点呼

⇨ テキスト 2章 L 6　解答 **A-4 B-6 C-5**

関連問題 R3C－4／R2C－4／H30②－4

運転者に対する業務前点呼では、（1）酒気帯びの有無、（2）**疾病、疲労、睡眠不足その他の理由により安全な運転をすることができないおそれの有無**、（3）道路運送車両法の規定による点検の実施またはその確認について報告・確認が必要である。運転者に対する業務後点呼では、（1）業務に係る事業用自動車、道路および運行の状況について報告を求め、（2）酒気帯びの有無について確認を行い、（3）当該運転者が**他の運転者と交替した場合にあっては、当該運転者が交替した運転者に対して行った法令の規定による通告**についても、報告を求めなければならない。また、運転者に対する中間点呼では、（1）**酒気帯びの有無**、（2）疾病、疲労、睡眠不足その他の理由により安全な運転をすることができないおそれの有無について報告・確認が必要である。なお、令和５年４月の法改正により、「乗務」が「業務」のように一部の文言が変更になった。

したがって、Aには「疾病、疲労、睡眠不足その他の理由により安全な運転をすることができないおそれの有無」、Bには「他の運転者と交替した場合にあっては法令の規定による通告」、Cには「酒気帯びの有無」が入り、正解は、A－4、B－6、C－5となる。

問5 ★★★ 事故の速報

⇨ テキスト 2章 L 15　解答 **2・4**

関連問題 R2②－5

1．**速報を要しない。**事故により**5人以上の重傷者**を生じた場合、または**10人以上の負傷者**を生じた場合については、事故の速報を要するが、本肢の場合、重傷者は３人であり、負傷者の合計は８人（重傷３人＋軽傷５人）なので、事故の速報の必要はない。なお、人数にかかわらず、重傷者を生じた事故は、**事故の報告**が必要となる。

2．**速報を要する。**道路交通法に規定する**酒気帯び運転を伴う事故**については、事故の速報を要する。そのため、本肢の場合、事故の速報が必要となる。

3．**速報を要しない。**事故により鉄道施設を損傷し、**3時間以上**本線において鉄道車両の運転を休止させた場合、事故の速報ではなく、事故の報告を要するが、本肢の場合、「2時間にわたり本線において鉄道車両の運転を休止させた」とあるので、事故の速報も報告も必要ない。

4．**速報を要する。**自動車が鉄道車両、自動車その他の物件と**衝突・接触**したことにより、その自動車に積載（せきさい）された**危険物**の全部・一部が**飛散**しまたは**漏えい**（ろう）した事故については、事故の速報を要する。そのため、本肢の場合、事故の速報が必要となる。

問6 ★★★ 過労運転等の防止等

⇨ テキスト 2章 L 5、8　解答 **1・3**

関連問題 R2C－6／R2②－3／R2①－2／H30②－6

1．**正しい。**記述のとおり。令和5年4月の法改正により、特定自動運行が認められたこと等に伴い、一部の文言が変更になった。事業者は休憩（きゅうけい）・睡眠に必要な施設を**整備**するとともに、**適切に管理**し、**保守**しなければならない。

2．**誤り。**運転者等が運行指示書を携行した運行の途中において、運行の開始および終了の地点および日時に変更が生じた場合、①**運行指示書の写しに変更内容を記載**し、②運転者等に対し、**電話その他の方法で変更内容について適切な指示**を行い、③運転者等が携行している**運行指示書に変更内容を記載**させなければならない。なお、令和5年4月の法改正により、特定自動運行が認められたこと等に伴い、一部の文言が変更になった。

3．**正しい。**事業者は、本肢のような内容を含む国土交通大臣が告示で定める基準に従い、運転者の**勤務時間**および**乗務時間**を定め、運転者にこれらを遵守（じゅんしゅ）させなければならない。なお、令和6年4月の法改正により、一部の文言が変更になった。

4．**誤り。**特別積合せ貨物運送を行う事業者は、当該特別積合せ貨物運送に係る運行系統であって起点から終点までの距離が**100kmを超えるもの**ごとに、所定の事項について事業用自動車の運行の業務に関する基準を定めなければならない。150kmではない。なお、令和5年4月の法改正により、特定自動運行が認められたこと等に伴い、一部の文言が変更になった。

問7 ★★★ 運転者に対する指導および監督

⇨ テキスト 2章 L 4、10　解答 **2**

関連問題 R3C－7／R2C－7／R2①－7

1．**正しい。**記述のとおり。事故惹起（じゃっき）運転者とは、原則として、**死者**または**負傷者**が生じた事故を**引き起こした者**をいう。

2．**誤り。**運転者は、他の運転者と**交替**して乗務を開始しようとするときは、他の運転者（交替前の運転者）からの**通告**を受け、その事業用自動車の重要な装置の機能について**点検**しなければならない。点検の必要性があると認められる場合ではなくても、点検することが義務づけられている。

3．**正しい。**記述のとおり。初任運転者とは、原則として、運転者として**新たに雇い入れた者**をいう。

4．**正しい。**事故惹起運転者に対する特別な指導は、安全運転の実技以外について**合計6時間以上**実施しなければならず、安全運転の実技は、可能な限り実施することが望ましいとされている。

問8 ★★	運行管理者の選任等	⇨ テキスト 2章 L 11、12、13	解答 **4**

関連問題 R2C−8

1．**正しい。**事業者は、運行を管理する事業用自動車（被けん引自動車を除く）の数を**30で割った数**（小数点以下は切り捨て）**に1を加えた数**以上の運行管理者を選任しなければならない。本肢の場合、**70両÷30＋1≒3人**以上となる。

2．**正しい。**記述のとおり。なお、**補助者**は、運行管理者の履行補助を行う者であり、代理業務を行える者ではないが、点呼に関する業務については、その**一部**を行うことができる。

3．**正しい。**補助者は、運行管理者が実施すべき運行管理業務のうち**補助的な行為**を、**運行管理者の指示**のもとに実施する者であるから、本肢のような報告と指示を仰ぐことは必要である。

4．**誤り。**事業者は、新たに選任した運行管理者に、選任の届出をした日の属する年度（やむを得ない理由がある場合は、その翌年度）に、**基礎講習**または**一般講習**（基礎講習を受講していない運行管理者には基礎講習）を受講させなければならない。他の事業者において運行管理者として選任されていた者であっても、受講させなければならない。

2．道路運送車両法関係

問9 ★★★	自動車の登録等	⇨ テキスト 3章 L 1、2、3、5	解答 **1**

関連問題 R3C−9／R2C−9／R2②−9

1．**誤り。**登録自動車の所有者は、当該自動車の使用者が道路運送車両法の規定により自動車の使用の停止を命ぜられ、自動車検査証を**返納**したときは、**遅滞**（ちたい）**なく**、当該自動車登録番号標および**封印**を取りはずし、自動車登録番号標について国土交通大臣の**領置**（りょうち）を受けなければならない。

2．**正しい。**記述のとおり。平成28年4月の法改正により、自動車登録番号標（ナンバープレート）の表示義務が明確化され、自動車登録番号標について、カバー等で被覆（ひふく）すること等が明確に禁止された。所有者は、この自動車登録番号標を自動車の前面および後面の**見やすい位置**に確実に取り付けなければならない。

3．**正しい。**記述のとおり。なお、**道路交通法上の自動車**は、大型自動車、中型自動車、準中型自動車、普通自動車、大型特殊自動車、大型自動二輪車、普通自動二輪車、小型特殊自動車に区分される。

4．**正しい。**記述のとおり。自動車の移転登録は、一般には「**名義変更**」と呼ばれている。名義変更をしないでいると、自動車税の納付通知書が旧所有者に送られてしまうなど、いろいろな問題が生じやすい。

問10 ★★ 自動車の検査等

⇨ テキスト 3章 L 4、6　解答 **1・4**

関連問題 R3C－10／R2C－10／R2②－10

1．**正しい。**検査標章とは、新規検査や継続検査などで**保安基準**に適合した場合、**自動車検査証**とともに交付されるステッカーのことをいう。

2．**誤り。**本肢のように自動車検査証記録事項について変更があった場合は、自動車の使用者は、その事由があった日から**15日以内**に、その変更について、国土交通大臣が行う自動車検査証の変更記録を受けなければならない（ただし、効力を失っている自動車検査証については、その自動車を使用しようとする時に変更記録を受ける）。なお、令和５年１月の法改正により、自動車検査証が電子化（IC化）されたため、一部の文言が電子化に沿った内容に変更になった。

3．**誤り。**自動車検査証の有効期間の起算日については、有効期間満了日の**１か月前**（離島に使用の本拠の位置を有する自動車にあっては２か月前）から満了日までの間に継続検査を行い、新たな有効期間を記録する場合は、自動車検査証の従前の有効期間満了日の翌日となる。なお、令和５年１月の法改正により、自動車検査証が電子化（IC化）されたため、一部の文言が電子化に沿った内容に変更になった。

4．**正しい。**記述のとおり。国土交通省令である**自動車点検基準**の改正により、**車両総重量８トン**以上または**乗車定員30人**以上の自動車の**スペアタイヤ等**について、**定期点検**が義務づけられている。

問11 ★★ 自動車の点検整備等

⇨ テキスト 3章 L 4、5　解答 **A-1 B-1 C-2 D-2**

関連問題 R3C－11／R2C－11／H30②－11

車両法第47条の２第２項において、自動車運送事業の用に供する自動車の使用者または当該自動車を運行する者は、**１日１回**、その運行の開始前において、国土交通省令で定める技術上の基準により、自動車を点検しなければならず、また、同法第48条第１項第１号において、自動車運送事業の用に供する自動車の使用者は、**３か月**ごとに国土交通省令で定める技術上の基準により、自動車を点検しなければならないと規定されている。同法第50条第１項において、自動車の使用者は、自動車の点検および整備等に関する事項を処理させるため、車両総重量８トン以上の自動車その他の国土交通省令で定める自動車であって国土交通省令で定める台数以上のものの使用の本拠ごとに、自動車の点検および整備に関する実務の経験その他について国土交通省令で定める一定の要件を備える者のうちから、**整備管理者**を選任しなければならないとされ、さらに同法第54条第２項において、地方運輸局長は、自動車の使用者が同法第54条（整備命令等）第１項の規定による命令または指示に従わない場合において、当該自動車が保安基準に適合しない状態にあるときは、当該自動車の**使用を停止**することができると規定されている。

したがって、Ａには「１日１回」、Ｂには「３ヵ月」、Ｃには「整備管理者」、Ｄには「使用を停止」が入り、正解は、Ａ－１、Ｂ－１、Ｃ－２、Ｄ－２となる。

問12 ★★★ 保安基準および細目告示

⇨ テキスト 3章 L９ 解答 **2**

関連科目 R2②－12

1．**正しい。**細目告示で、本肢のような一定の自動車の灯火を除いて、**点滅する灯火**または**光度が増減する灯火**を備えてはならないと定められている。

2．**誤り。**自動車に備えなければならない**後写鏡**は、取付部付近の自動車の最外側より突出している部分の最下部が**地上1.8m以下**のものは、その部分が歩行者等に接触した場合に衝撃を緩衝できる構造でなければならない。地上2.0m以下ではない。

3．**正しい。**記述のとおり。このほか、**非常信号用具**は自発光式のものであること、使用に便利な場所に備えられたものであること、振動、衝撃などにより損傷を生じ、または作動するものでないことも、基準として定められている。

4．**正しい。**保安基準で、**車体の外形**その他**自動車の形状**に関し、本肢のように定められている。

ここがPoint 後写鏡の基準

車外に装着する後写鏡は、取付部付近の自動車の最外側より突出している部分の最下部が地上1.8m以下のものは、その部分が歩行者等に接触した場合に衝撃を緩衝できる構造でなければならない。

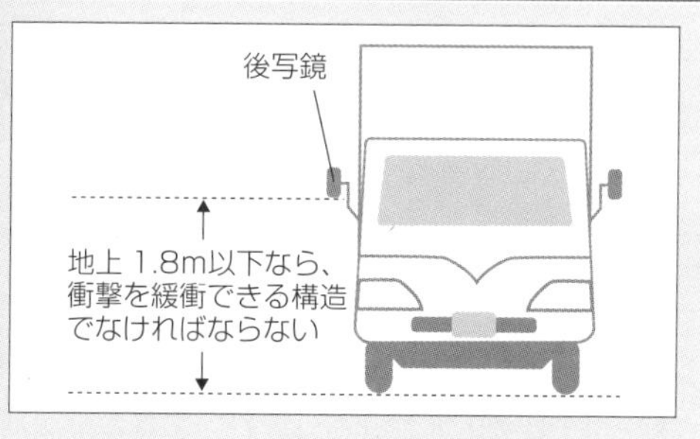

3．道路交通法関係

問13 ★★ 道路交通法全般

⇨ テキスト 1章 L１、４ 解答 **2**

1．**誤り。路側帯**とは、**歩行者**の通行の用に供し、または車道の効用を保つため、歩道の設けられていない道路または道路の歩道の設けられていない側の路端寄りに設けられた帯状の道路の部分で、道路標示によって区画されたものをいう。自転車の通行の用に供するためのものではない。

2．正しい。記述のとおり。**追越し**とは、車両が他の車両等（前車）に追い付いた場合に進路を変えて前車の側方を通過し、前車の前方に出ることをいい、前車の右側を通行して追い越すのが原則である。

3．誤り。本肢の標識は、肢体不自由である者ではなく**聴覚障害者**が運転していることを示すものである。また、初心運転者標識、高齢運転者標識、聴覚障害者標識、身体障害者標識、仮免許練習中の標識を付けた自動車に対し、危険防止のためやむを得ない場合を除き、その側方に幅寄せする行為を禁止している。

なお、肢体不自由である者が運転していることを示す標識（身体障害者標識）は上図のとおりである。

4．誤り。高齢運転者等専用時間制限駐車区間は、高齢運転者等が専用の標章を掲示することによって**駐車**が可能となる。したがって、高齢運転者等標章自動車以外の車両は駐車することができない。

問14 ★★ 停車および駐車

⇨ テキスト 1章 L 6　解答 A-2 B-2 C-3 D-3

関連問題 R2②－14／H30②－14

道路交通法第44条では、停車および駐車を禁止する場所として、①交差点の側端または道路の曲がり角から**5メートル**以内の道路の部分、②横断歩道または自転車横断帯の前後の側端からそれぞれ前後に**5メートル**以内の道路の部分、③安全地帯が設けられている道路の当該安全地帯の左側の部分および当該部分の前後の側端からそれぞれ前後に**10メートル**以内の道路の部分、④踏切の前後の側端からそれぞれ前後に**10メートル**以内の部分においては、原則として、停車し、または駐車してはならないことが規定されている。

したがって、Aには「５メートル」、Bには「５メートル」、Cには「10メートル」、Dには「10メートル」が入り、正解は、A－２、B－２、C－３、D－３となる。

問15 ★★ 運転免許

⇨ テキスト 1章 L 10　解答 1・3

1．正しい。記述のとおり。なお、大型免許を受けた者でも、**21歳未満**のものや大型・中型・準中型・普通・大型特殊免許のいずれかを受けていた期間が**通算して３年**に達しないものは、**政令で定める大型自動車、中型自動車、準中型自動車**を運転することができない。

2．誤り。準中型免許は18歳から取得することができる。本肢にある要件（準中型免許を受けた者であって、21歳以上かつ普通免許を受けていた期間が通算して３年以上のもの）は、緊急車両などの**政令で定める準中型自動車**を運転するための資格制限である。なお、本肢の記述は中型免許の内容であり、準中型免許は、車両総重量が3,500kg以上7,500kg未満または最大積載量が2,000kg以上4,500kg未満の準中型自動車を運転することができる。

3．正しい。記述のとおり。道路交通法第101条の２第１項に規定する場合とは、**海外旅行**その他政令で定める**やむを得ない理由**のため更新期間内に**適性検査**を受けることが困難であると予想される者が、特例として**更新期間前**に免許証の更新を申請する場合である。

4．**誤り。**準中型自動車を運転する際に、準中型免許を受けていた期間が通算して**1年に達しないもの**、かつ、準中型自動車免許を受けた日前に普通自動車免許を受けていた期間が**2年未満の者**は、初心運転者標識の表示が義務づけられている。

問16 ★ 徐行および一時停止

⇨ テキスト 1章 L3、5 解答 **2**

関連問題 R2①－16

1．**正しい。**記述のとおり。**緊急自動車**とは、消防車、救急車、パトカーなどの自動車で、緊急用務のため**運転中**のものをいう。

2．**誤り。**車両等は、道路のまがりかど付近、上り坂の頂上付近、勾配の急な**下り坂**を通行するときは、徐行しなければならない。しかし、勾配の急な上り坂を通行するときは、徐行する必要はない。

3．**正しい。**記述のとおり。横断歩道に接近する場合に、歩行者等が横断しているときや横断しようとしているときは、**横断歩道の直前**で**一時停止**し、歩行者等の通行を妨げないようにしなければならない。

4．**正しい。**記述のとおり。**環状交差点**（ラウンドアバウト）とは、車両の通行の用に供する部分が環状の交差点で、道路標識等により車両が当該部分を**右回りに通行**すべきことが**指定**されているものをいう。

ここがPoint 道路標識等がない場合の「徐行」と「一時停止」

「徐行」する場合と「一時停止」する場合を混同しないように注意しよう。

	徐　行	一時停止
交差点	左右の見とおしがきかない交差点	・交差点やその付近で緊急自動車が接近してきた場合
横断歩道等	接近する横断歩道等に歩行者等のないことが明らかでない場合	・歩行者等が横断しているときや横断しようとしている横断歩道等に接近する場合 ・横断歩道等やその手前の直前で停止している車両等の側方を通過して前方に出ようとする場合
道路	・道路のまがりかど付近・上り坂の頂上付近・勾配の急な下り坂 ・道路の左側部分に設けられた安全地帯の側方を通過する場合（安全地帯に歩行者がいるとき）	―
歩道等	歩道と車道の区別のない道路で、歩行者の側方を通過する場合	・道路外の施設などに出入りするため、やむを得ず歩道等を横断する場合 ・法令の規定により、歩道等で駐停車するため必要な限度において歩道等を通行する場合

問17 ★★★	運転者の遵守事項等	⇨ テキスト 1章 L 3、9、10	解答 **2・3**

関連問題 R2C－17

1．**誤り。**児童、幼児等の乗降のため、道路運送車両の保安基準に関する規定に定める非常点滅表示灯をつけて停車している通学通園バスの側方を通過するときは、**徐行して安全を確認**しなければならない。できる限り安全な速度と方法で進行するのではない。

2．**正しい。**記述のとおり。**停止表示器材**は一般には「**三角表示板**」などと呼ばれており、その基準は、国土交通省令である道路運送車両の保安基準に定められている。

3．**正しい。**運転免許を受けた者が道路交通法の規定に違反するなど一定の事由に該当することとなったときは、**公安委員会**は政令で定める基準に従い、その者の免許の**取消し**や、免許の**効力の停止**をすることができる。

4．**誤り。**身体障害者用の車が通行しているときは、**一時停止**または**徐行**して、その**通行**を妨げないようにしなければならない。なお、令和５年４月の法改正により、「車椅子」が「車」に変更になった。

4．労働基準法関係

問18 ★★	労働契約	⇨ テキスト 4章 L 3	解答 **1・3**

関連問題 R2C－18／R2①－18／H30②－18

1．**正しい。**労働者が急に職を失って困らないよう、次の就職先を探すための**時間的・経済的な余裕**について**保護を与える**ために、このような手続きが設けられている。

2．**誤り。**労働基準法第20条（解雇（かいこ）の予告）の規定は、①日日雇い入れられる者、②**2か月以内**の期間を定めて使用される者、③季節的業務に**4か月以内**の期間を定めて使用される者、④**試の使用期間中の者**のいずれかに該当する労働者については適用されない。そのため、試の使用期間中の者に該当する労働者は適用されないが、**14日**を超えて引き続き使用されるに至った場合は、この限りではないと規定されている。

3．**正しい。**記述のとおり。なお、労働基準法第14条第１項各号に該当する**労働契約**とは、①厚生労働大臣が定める基準に該当する高度の専門的知識等を有する労働者（当該高度の専門的知識等を必要とする業務に就く者に限る）との間に締結される労働契約、②満60歳以上の労働者との間に締結される労働契約となる。

4．**誤り。**明示された労働条件が事実と異なる場合には、労働者は**即時**に労働契約を解除することができる。使用者に予告する必要はない。

問19 ★★★	労働基準法全般	⇨ テキスト 4章 L 5	解答 **2**

関連問題 R3C－19／R2C－19／H30②－19

1．**正しい。**記述のとおり。労働基準法第38条第１項において、「労働時間は、事業場を異にする場合においても、労働時間に関する規定の適用については通算する」と定められている。

2．**誤り。**使用者は、労働時間が6時間を超える場合においては少なくとも**45分**、8時間を超える場合においては少なくとも**1時間**の休憩時間を労働時間の途中に与えなければならない。

3．**正しい。**記述のとおり。休日は、労働契約上であらかじめ定められた、**労働者が労働義務を負わない日**のことをいう。

4．**正しい。**記述のとおり。使用者は、有給休暇を**労働者の請求する時季**に与えなければならないが、請求された時季に与えることが事業の正常な運営を妨げる場合は、他の時季に与えることができる。

問20 ★★★　労働時間等の改善基準

解答 A-1 B-1 C-1

関連問題 R2C－21／R2②－20／R2①－21／H30②－21

改善基準告示では、使用者は、トラック運転者の休息期間については、当該自動車運転者の**住所地**における休息期間がそれ以外の場所における休息期間より長くなるように努めるものとするとされている。また、使用者は、トラック運転者に休日労働させる場合は、当該労働させる休日は**2週間**について**1回**を超えないものとし、当該休日の労働によって改善基準告示第４条第１項に定める拘束時間および最大拘束時間を超えないものとするとされている。なお、令和６年４月の法改正により、一部の文言が変更になった。

したがって、Aには「住所地」、Bには「２週間」、Cには「１回」が入り、正解は、A－１、B－１、C－１となる。

問21 ★★★　労働時間等の改善基準

⇨ テキスト 4章 L８　解答 **1・3**

関連問題 R3C－21／R2C－23

1．**正しい。1日の運転時間**については、**「特定日の前日＋特定日」**と、**「特定日＋特定日の翌日」のそれぞれの運転時間の平均がいずれも9時間を超えている**場合は、改善基準告示に**違反**していることになり、どちらか一方の平均が９時間以内であれば、改善基準告示に違反しない。

2．**誤り。**使用者は、業務の必要上、勤務の終了後、**継続9時間**（宿泊を伴う長距離貨物運送に該当する場合は継続８時間）以上の**休息期間**を与えることが困難な場合、一定の要件を満たすものに限り、当分の間、一定期間（１か月程度を限度）における全勤務回数の**2分の1**を限度に、休息期間を拘束時間の途中および拘束時間の経過直後に**分割して与える**ことができるものとされている（**分割休息の特例**）。８時間以上ではない。なお、令和６年４月の法改正により、一部の文言が変更になった。

3．**正しい。**記述のとおり。これを「**2人乗務の特例**」という。この場合、休息期間を**4時間**まで短縮することができる。なお、令和６年４月の法改正により、一部の文言が変更になった。

4．**誤り。**使用者は、業務の必要上やむを得ない場合には、当分の間、２暦日（れきじつ）の拘束時間が**21時間**を超えず、かつ、勤務終了後に**継続20時間以上の休息期間**を与える場合に限り、トラック運転者を隔日勤務に就かせることができる（**隔日勤務の特例**）。26時間ではない。なお、令和6年4月の法改正により、一部の文言が変更になった。

問22 ★★★ 労働時間等の改善基準

⇨ テキスト 4章 L8 解答 **3**

関連問題 R2②－22／R2①－22／H30②－23

拘束時間とは、始業時刻から終業時刻までの時間で、労働時間と休憩時間（仮眠時間を含む）の合計時間のことである。フェリー乗船時間（乗船時刻から下船時刻まで）については、原則として、休息期間として取り扱われるので、拘束時間から除かれることになる。また、「1日」とは始業時刻から起算して24時間のことをいうので、翌日の始業時刻がその日の始業時刻よりも早いときは、その差の時間もその日の拘束時間に加えられることになる。勤務状況の例から1日の拘束時間を見ていくと、次のようになる。

1日目：19時－5時＝14時間からフェリー乗船時間（13時－9時＝4時間）を除いた「**10時間**」。

2日目：18時－6時＝12時間に翌3日目の4時から6時までの2時間を加えた「**14時間**」。

3日目：19時－4時＝15時間からフェリー乗船時間（12時－8時＝4時間）を除いた「**11時間**」。

4日目：18時－6時＝12時間に翌5日目の5時から6時までの1時間を加えた「**13時間**」。

したがって、改善基準告示における1日についての拘束時間として正しいものは、3となる。

問23 ★★★ 労働時間等の改善基準

⇨ テキスト 4章 L8 解答 **4**

関連問題 R3C－23／H30②－22

改善基準告示では、**1か月の拘束時間**は**284時間以内**が原則であるが、労使協定があるときは、1年のうち**6か月**までは、1年の総拘束時間が**3,400時間**を超えない範囲内で、**310時間**まで延長することができるとしている。この場合、1か月の拘束時間が**284時間**を超える月は**連続3か月**までとしなければならない。なお、令和6年4月の法改正により、一部の文言が変更になった。

1. **適合しない。**12月の拘束時間が「320時間」であり、「**310時間**」を超えているので、改善基準告示に違反している。
2. **適合しない。**1年の総拘束時間が「3,446時間」であり、「**3,400時間**」を超えているので、改善基準告示に違反している。
3. **適合しない。**1か月の拘束時間が「**284時間**」を超えている月は、4月、6月、8月、9月、12月、1月、2月の**7か月**であり、6か月を超えているので、改善基準告示に違反している。
4. **適合する。**1か月の拘束時間が「**284時間**」を超えている月は、7月、8月、12月、1月の**4か月**であり、いずれも「**310時間**」を超えておらず、また、**連続2か月**である。さらに、1年の総拘束時間も「**3,400時間**」を超えていない。したがって、改善基準告示に適合している。

5．実務上の知識及び能力

問24 ★★★	点呼の実施等 ⇨ テキスト 2章 L6、7	解答 適-4 不適-1･2･3

関連問題 R2C－24／R2②－24

1．**適切でない。**運行管理者の**補助者**は、点呼の一部を運行管理者に代わって行うことができるが、点呼の総回数の少なくとも**3分の1以上**は運行管理者が行わなければならない。本肢では、補助者に実施させている点呼が点呼の総回数の7割を超えており、この基準を満たしていないため、適切ではない。

2．**適切でない。**点呼は、対面または対面による点呼と同等の効果を有するものとして国土交通大臣が定める方法で行うことが原則だが、**運行上やむを得ない場合**は、電話その他の方法によることが認められている。この「運行上やむを得ない場合」とは、遠隔地で業務を開始または終了するため、運転者等が所属する営業所において対面点呼が実施できない場合などをいい、単に車庫と営業所が離れている場合や、早朝・深夜で点呼を行う者が営業所に出勤していない場合などは、運行上やむを得ない場合には該当しないため、適切ではない。なお、令和5年4月の法改正により、「乗務」が「業務」等のように一部の文言が変更になった。

3．**適切でない。**業務後の点呼では、業務に係る事業用自動車の状況、道路および運行の状況は**報告事項**となっているので、特に異常がない場合でも必ず**報告**を求めなければならない。なお、令和5年4月の法改正により、「乗務」が「業務」等のように一部の文言が変更になった。

4．**適切である。**令和5年4月の法改正により、「乗務」が「業務」のように一部の文言が変更になった。**酒気帯び運転**は、道路交通法において、呼気中のアルコール濃度1リットル当たり0.15ミリグラム以上の状態と規定されるが、点呼時におけるアルコール検知器による酒気帯びの有無の判定は、この基準であるか否かではなく、**アルコールが検知されるか否か**によって行われる。

ここがPoint 電話その他の方法による点呼

「電話その他の方法」による点呼は、携帯電話や業務無線などにより、運転者と直接対話できるものでなければならず、電子メールやファクシミリなどの一方的な連絡方法は、「電話その他の方法」に含まれない。

北海道で業務が開始するため、運転者の所属する東京営業所で対面による点呼が実施できない場合、電話等の方法は認められるが、メール等の方法は認められない。

問25 ★★ 運転者に対する指導および監督

⇨ テキスト 2章 L 12 5章 L 1・2　解答 **2・3・4**

関連問題 R3C－25／R2C－25／R2①－25

1．**適切でない。**他の自動車に追従して走行するときは、常に「秒」の意識をもって自車の速度と**停止距離**に留意し、前車への追突の危険が発生した場合でも安全に停止できるような車間距離を保って運転するよう指導する必要がある。停止距離とは、「運転者が危険を認識して自動車を停止させようとしてから、実際に自動車が停止するまでの距離」をいい、「**停止距離＝空走距離＋制動距離**」で表される。また、安全な車間距離の目安は、一般的に「**停止距離以上の距離**」とされており、本肢にあるような「制動距離と同程度の車間距離」では、急ブレーキの際に前車に衝突する危険がある。

2．**適切である。**事業者が事業用自動車に貨物を積載するときは、**偏荷重**（へんかじゅう）が生じないようにすること、運搬中に貨物が**荷崩れ**などにより落下することを防止するため必要な措置を講じることとされている。

3．**適切である。****動体視力**は**静止視力**に比べて低くなるため、自動車の速度が速くなるほど運転者の**視力**は低下し、また、速度が速くなるほど運転者の**視野**も狭くなる。

4．**適切である。**飲酒して運転すると、中枢（ちゅうすう）神経に対する麻酔作用から規範意識が低下して交通法規などへの**遵法心**（じゅんぽうしん）**が弱く**なり、認知能力の減退・注意力散漫・判断力の低下など、**心身機能へ悪影響**を及ぼす。

問26 ★★★ 運転者の健康管理

⇨ テキスト 5章 L 5　解答 **適-2・3・4 不適-1**

関連問題 R2C－26／R2②－26／R2①－19・26

1．**適切でない。****脳血管疾患**には、症状が現れないまま進行するものがあり、一般的な定期健康診断だけでは、脳血管の異常を発見することは容易ではない。運転中に発症することを防ぐため、**疾病の早期発見**、発症の予防を可能とする**脳健診を活用する**ことが重要な脳血管疾患対策になる。

2．**適切である。**選択肢１の解説のとおり、**脳血管疾患**を定期健康診断で発見することは容易でなく、脳卒中等を原因とする運転中の突然死による事故は増加傾向にあるため、点呼において本肢のような症状が見られた場合には、すぐに専門医療機関で受診させるよう対応することは適切である。

3．**適切である。**深夜業などの特定業務に常時従事する労働者（**特定業務従事者**）については、その**業務への配置替え**を行った際、および**6か月以内ごとに1回**、定期に、定期健康診断と同じ内容の健康診断を実施しなければならない。

4．**適切である。**記述のとおり。平成29年度における乗務員に起因する**重大事故報告件数**は、前年よりも92件増加しており、それを原因別に見ると、**運転操作不良**が1,552件と多くを占めるが、次いで運転者の**健康状態**が298件となっている。

問27 ★★★ 交通事故防止対策

⇨ テキスト 5章 L6

解答 適-2・3・4 不適-1

関連問題 R3C−27／R2②−27

1．**適切でない。**交通事故の再発を防止するためには、発生した**事故の調査**や**事故原因の分析**は非常に重要なことである。本肢のように事故惹起運転者の社内処分および再教育に特化した対策のみを講じることは、適切ではない。

2．**適切である。**記述のとおり。映像記録型ドライブレコーダーは、車両に大きな衝撃が加わった前後十数秒の時間、位置、前方映像、加速度、ウインカー操作、ブレーキ操作等を記録する装置のため、その映像から運転者の運転のクセ等を読み取ることができる場合もあり、本肢のような取組みは適切といえる。

3．**適切である。ハインリッヒの法則**によれば、1件の重大災害（死亡・重傷事故等）が発生する背景には、**29件の軽傷事故**と**300件のヒヤリ・ハット**があるとされている。

4．**適切である。**記述のとおり。適正な車間距離としては、**停止距離**（**空走距離＋制動距離**）と同じ程度以上の距離が必要である。

問28 ★★ 交通事故および緊急事態の措置

⇨ テキスト 1章 L6・9 2章 L12 5章 L6

解答 適-3 不適-1・2・4

1．**適切でない。**運行管理者は、**異常気象その他の理由**により輸送の安全の確保に支障を生じるおそれがあるときは、乗務員に対する**適切な指示**その他輸送の安全確保のために必要な措置を講じなければならない。本肢の場合も、運行管理者は、運行の経路や運送の中断について運転者自らの判断に任せるのではなく、**適切な指示**を与えなければならない。

2．**適切でない。**道路を走行中に大地震が発生した場合、避難のために自動車を使用してはならず、やむを得ず道路上に自動車を置いていく場合は、**エンジンを止め、エンジンキーは付けたままに**し、**窓を閉め、ドアはロックしない**で避難する。

3．**適切である。**交通事故があったときは、その車両等の運転者その他の乗務員は、①ただちに**車両等の運転を停止**し、②**負傷者を救護**し、③道路における**危険を防止**するなど必要な措置を講じなければならない。本肢の運転者のとった措置は適切である。

4．**適切でない。**車両は、**踏切**の前後の側端からそれぞれ前後に**10メートル以内**の道路の部分においては、法令の規定もしくは警察官の命令により、または危険を防止するため一時停止する場合のほか、停車し、または駐車してはならないとされている。本肢のように「前の車両が前進すれば通過できる」と判断して踏切に進入したことは、適切ではない。

問29 ★★★ 運行計画

⇨ テキスト 1章 L2 4章 L8

解答 適-2 不適-1・3

関連問題 R3C−29／R2C−29／H30②−29

1．**適切でない。**中型自動車のうち、「車両総重量が8トン以上または最大積載量が5トン以上の貨物自動車」（トレーラ等を除く）が高速自動車国道の本線車道を走行する際の最高速度は**時速90km**とされており、本運行で使用する中型貨物自動車もそれに該当する。運行の計画のＢ料金所からＣ料金所までの運転時間を見ると、２時間40分（１時間20分＋１時間20分）であり、その距離は260km（130km＋130km）となっている。平均時速を計算すると、距離260km÷2時間40分＝時速97.5kmで走行していることから、制限速度違反となる。

2．**適切である。**改善基準告示において、１日の運転時間は、「**特定日の前日＋特定日**」と「**特定日＋特定日の翌日**」のそれぞれの運転時間の平均がいずれも９時間を超えていない場合や、いずれか一方の平均が９時間を超えていない場合は、違反していないことになる。運行の計画を見ると、当日の運転時間は９時間10分であり、「特定日の前日＋特定日」の平均は、（９時間＋９時間10分）÷２＝９時間５分、「特定日＋特定日の翌日」の平均は、（９時間10分＋８時間50分）÷２＝９時間となり、一方の平均が９時間を超えているだけなので、改善基準告示に違反していない。

3．**適切でない。**改善基準告示では、**連続運転時間**は、**原則**として**４時間以内**でなければならず、**運転開始後４時間以内**、または**４時間経過直後**に、**30分以上、運転を中断**しなければならないとしている。ただし、運転の中断は、１回が**おおむね連続10分以上**とした上で分割することもできる。また、運転の中断時には、原則として**休憩**を与えなければならない（ただし、特段の事情がある場合は、荷積み・荷下ろしの時間も運転中断時間として扱われる）。これをふまえて当日の運転状況を見ると、復路においてＥ地点からＡ地点まで「運転２時間20分（１時間＋１時間20分）⇒休憩10分⇒運転１時間50分（１時間20分＋30分）」で、運転開始後４時間以内に10分しか運転を中断していないので、改善基準告示に違反している。

なお、令和５年４月の法改正により、「乗務」が「業務」のように、また、令和６年４月の法改正により、一部の文言が変更になった。

ここがPoint　時速の計算方法（Ｂ料金所からＣ料金所までの時速）

時速の計算は「距離÷時間＝時速」で求める。

距離260km÷２時間40分

距離260km÷$2\frac{40}{60}$時間 ← 時間の単位をそろえる

$=260 \div 2\frac{2}{3}$

分数を約分して仮分数に直す

$=260 \div \frac{8}{3}$

わる数を逆数にしてかける

$=260 \times \frac{3}{8}$

＝時速97.5km

問30 ★★	危険予知訓練 ⇨ テキスト 1章 L5	解答 A-2 B-4 C-8 D-10

関連問題 R2C－30

A　②。「運行管理者による指導事項」を見ると、右折の際に横断歩道の状況を確認することが指導の対象となっているため、【運転者が予知すべき危険要因の例】では、「②横断歩道の右側から自転車または歩行者が横断歩道を渡ってくることが考えられ、このまま右折をしていくと衝突する危険がある。」ことを危険要因とすることが最もふさわしいといえる。

B　④。「運行管理者による指導事項」を見ると、対向車の後方から走行してくる二輪車等と衝突する危険があり安全確認してから右折することが指導の対象となっているため、【運転者が予知すべき危険要因の例】では、「④右折時に対向車の死角に隠れた二輪車・原動機付自転車を見落とし、対向車が通過直後に右折すると衝突する危険がある。」ことを危険要因とすることが最もふさわしいといえる。

C　⑧。「運転者が予知すべき危険要因の例」を見ると、対向車が交差点に接近し、右折すると衝突する危険があることを危険要因としているため、【運行管理者による指導事項】では、「⑧対向車があるときは無理をせず、対向車の通過を待ち、左右の安全を確認してから右折をすること。」を指導の対象とすることが最もふさわしいといえる。

D　⑩。「運転者が予知すべき危険要因の例」を見ると、右折する道路の先の駐車車両の陰に歩行者が見え、歩行者が横断するとはねる危険があることを危険要因としているため、【運行管理者による指導事項】では、「⑩交差点内だけでなく、交差点の右折した先の状況にも十分注意を払い走行すること。」を指導の対象とすることが最もふさわしいといえる。

平成30年度 第2回（平成31年3月）解答一覧

試験科目	問題	解答	試験科目	問題	解答
貨物自動車運送事業法関係	問 1	3	道路交通法関係	問16	3
	問 2	A-1 B-1 C-2 D-1		問17	3
	問 3	2・4	労働基準法関係	問18	3
	問 4	2・3		問19	4
	問 5	2・3		問20	A-1 B-2 C-2
	問 6	4		問21	2・3
	問 7	2		問22	2・3
	問 8	2		問23	不成立
道路運送車両法関係	問 9	3・4	実務上の知識及び能力	問24	適-1・3 不適-2・4
	問10	1		問25	1・2・3
	問11	A-2 B-1 C-2 D-1		問26	適-2 不適-1・3・4
	問12	4		問27	A-1 B-2 C-1 D-2
道路交通法関係	問13	2・4		問28	適-1 不適-2・3・4
	問14	1・3		問29	3
	問15	A-2 B-1 C-1 D-1		問30	6

☆得点を計算してみましょう。

	挑戦した日			挑戦した日	
	1回目	2回目		1回目	2回目
貨物自動車運送事業法関係	／8	／8	労働基準法関係	／6	／6
道路運送車両法関係	／4	／4	実務上の知識及び能力	／7	／7
道路交通法関係	／5	／5	計	／30	／30

平成30年度 第2回（平成31年3月）解答・解説

1．貨物自動車運送事業法関係

問1 ★★★	一般貨物自動車運送事業 ⇨ テキスト 2章 L 1、2、3	解答 **3**

関連問題 R2①－3

1．**正しい。**記述のとおり。国土交通大臣は、法令で定める許可の基準に適合していると認めるときでなければ、その**許可**をしてはならない。なお、貨物自動車運送事業法が改正され、令和元年11月より許可の申請について、「その事業の計画が過労運転の防止、**事業用自動車の安全性その他**輸送の安全を確保するため適切なものであること」と規定された。

2．**正しい。**記述のとおり。運賃および料金は、**個人**を対象とするものに限り掲示等することとされているが、個人でも事業としてまたは事業のために運送契約の当事者となる場合は掲示等する必要はない。なお、令和6年4月の法改正により、一部の文言が変更になった。

3．**誤り。**一般貨物自動車運送事業者が運送約款(やっかん)を定めたときは、**国土交通大臣の認可**を受けなければならない。また、運送約款を変更するときも同様に**認可**が必要である。

4．**正しい。安全管理規程**には、輸送の安全を確保するための事業の運営方針、事業の実施および管理体制に関する事項などを定める必要がある。

Point ここがPoint 事業計画と運送約款の違い

事業計画と運送約款を設定し、もしくは変更したときの違いに注意しよう。

		事業計画		運送約款
設定		許可		認可
変更	原則	認可		認可
	例外	事業用自動車の種別ごとの数の変更など	あらかじめ届出	
		軽微な事項	遅滞なく届出	

問2 ★★★	輸送の安全 ⇨ テキスト 2章 L 4、5	解答 **A-1 B-1 C-2 D-1**

関連問題 R2C－2／R1①－3

貨物自動車運送事業法第17条第1項第1号では、一般貨物自動車運送事業者は、「事業用自動車の数、荷役その他の事業用自動車の運転に附帯する作業の状況等に応じて**必要となる員数の**運転者及びその他の従業員の確保、事業用自動車の運転者がその休憩(きゅうけい)又は睡眠のために利用することができる施設の整備及び管理、事業用自動車の運転者の適切な勤務時間及び**乗務時間**の設定その他事業用自動車の運転者の過労運転を防止するために必要な事項」を遵守しなければならないと定められている。なお、貨物自動車運送事業法が改正され、令和元年11月より「必要な措置を講じなければならない」から「**必要な事項を遵守しなければならない**」に変更され、さらに輸送の安全について「**事業用自動車の定期的な点検及び整備その他事業用自動車の安全性を確保するために必要な事項**」を遵守しなければならないことが新たに定められた。また、同条第2項では、「一般貨物自動車運送事業者は、事業用自動車の運転者が疾病により安全な運転ができないおそれがある状態で事業用自動車を運転することを防止するために必要な**医学的知見**に基づく措置を講じなければならない。」と定められている。また、同条第3項では、「一般貨物自動車運送事業者は、事業用自動車の最大積載量を超える積載をすることとなる運送の引受け、過積載による運送を前提とする事業用自動車の運行計画の作成及び事業用自動車の運転者その他の従業員に対する過積載による**運送の指示**をしてはならない。」と定められている。

したがって、Aには「必要となる員数の」、Bには「乗務時間」、Cには「医学的知見」、Dには「運送の指示」が入り、正解は、A－1、B－1、C－2、D－1となる。

問3 ★★★ 運行管理者の業務

⇨ テキスト 2章 L 12

解答 **2・4**

関連問題 R3C－3／R2C－3

1. **誤り。**運行管理者は、一般貨物自動車運送事業者等に対して、事業用自動車の運行の安全の確保に関し必要な事項について**助言**を行うことができる。緊急を要する事項に限られるわけではない。
2. **正しい。**記述のとおり。なお、運転者等に対して**点呼**を行い、**報告**を求め、**確認**を行い、**指示**を与えることも運行管理者の業務である。
3. **誤り。**選任された補助者に対する**指導**および**監督**を行うことは運行管理者の業務であるが、補助者を選任することは**事業者の義務**である。
4. **正しい。**記述のとおり。また、事故惹起運転者や高齢運転者に**適性診断**を受診させることも運行管理者の業務である。

問4 ★★★ 点呼

⇨ テキスト 2章 L 6､7

解答 **2・3**

関連問題 R3C－4／R2C－4／R2②－4／R1①－4

1. **誤り。**運転者に対する業務前点呼では、①酒気帯びの有無、②疾病、疲労、睡眠不足その他の理由により安全な運転をすることができないおそれの有無、③**道路運送車両法の規定による日常点検の実施またはその確認**について報告を求め、および確認を行うことが必要である。なお、令和5年4月の法改正により、「乗務」が「業務」等のように一部の文言が変更になった。
2. **正しい。**記述のとおり。令和5年4月の法改正により、「乗務」が「業務」等のように一部の文言が変更になった。なお、運転者に対する業務後点呼では、①業務に係る事業用自動車、道路および運行の状況について報告を求め、②**酒気帯びの有無**について確認を行い、③当該運転者が他の運転者と交替した場合にあっては、当該運転者が交替した運転者に対して行った法令の規定による**通告**についても、報告を求めなければならない。

3．**正しい。**記述のとおり。令和5年4月の法改正により、「乗務」が「業務」等のように、また、令和6年4月の法改正により、一部の文言が変更になった。運転者に対する中間点呼における報告・確認事項は、①酒気帯びの有無、②疾病、疲労、睡眠不足その他の理由により安全な運転をすることができないおそれの有無の**2つ**である。

4．**誤り。**業務前点呼や業務後点呼などの際、酒気帯びの有無について確認を行う場合には、運転者の状態を**目視**などで確認するだけでなく、必ず運転者の所属する営業所に備えられた**アルコール検知器**を用いて行わなければならない。なお、令和5年4月の法改正により、「乗務」が「業務」のように一部の文言が変更になった。

問5 ★★★	事故の報告　⇨ テキスト 2章 L 15	解答 **2・3**

関連問題 R3C－5／R2C－5

1．**報告を要しない。**自動車が「転落」したとき、道路との落差が「**0.5m以上**」の場合には国土交通大臣への報告が必要である。したがって、道路との落差が「0.3m」の畑に転落した本肢の場合は国土交通大臣への報告を要しない。

2．**報告を要する。**運転者または特定自動運行保安員の**疾病**により、事業用自動車の運行を継続することができなくなった場合には、国土交通大臣への報告が必要である。

3．**報告を要する。自動車の装置の故障**により、自動車が**運行できなくなった場合**には、国土交通大臣への報告が必要である。本肢の場合は、燃料装置の故障によりエンジンを再始動させることができず、運行ができなくなっているので、これに該当する。

4．**報告を要しない。**死者または重傷者を生じた場合には、国土交通大臣への報告が必要である。**14日以上**の入院を要する傷害、または**入院を要する傷害**で医師の治療を要する期間が**30日以上**のものは「**重傷者**」に含まれるが、通院による40日間の医師の治療を要する傷害を生じた者は重傷者に含まれない。

問6 ★★★	過労運転等の防止等　⇨ テキスト 2章 L 4、5	解答 **4**

関連問題 R3C－6／R2C－6／R2②－3／R2①－2／R1①－6

1．**正しい。**記述のとおり。また、**日常点検**の実施や確認、**乗務の記録**、**点呼時の報告**、交替時の通告と点検なども遵守しなければならない。

2．**正しい。**記述のとおり。なお、「交替するための運転者を配置」とは、交替の運転者を**事業用自動車に添乗**させたり、**交替箇所にあらかじめ待機**させたりすることである。

3．**正しい。**記述のとおり。令和5年4月の法改正により、特定自動運行が認められたこと等に伴い、一部の文言が変更になった。また、乗務員等が有効に利用することができるように、**休憩に必要な施設を整備**し、乗務員等に睡眠を与える必要がある場合には**睡眠に必要な施設を整備**し、これらの施設を適切に**管理**し、保守しなければならない。

4．**誤り。**事業者は、**休憩**または**睡眠**のための時間および勤務が終了した後の休息のための時間が十分に確保されるように、国土交通大臣が告示で定める基準に従って、運転者の**勤務時間**および**乗務時間**を定め、運転者にこれらを遵守(じゅんしゅ)させなければならない。運転者の勤務日数および乗務距離ではない。

問7 ★★★ 運転者に対する指導および監督

⇨ テキスト 2章 L 10　解答 **2**

関連問題 R3C−7／R2C−7／R2①−7

1．**正しい。**記述のとおり。また、事業者は、事業用自動車に備えられた**非常信号用具**と**消火器の取扱い**について、乗務員等に対する適切な指導をしなければならない。

2．**誤り。**事業者は、軽傷者（法令で定める傷害を受けたもの）を生じた交通事故を引き起こし、かつ、当該事故前の**3年間**に交通事故を引き起こしたことがある運転者に対し、国土交通大臣が告示で定める適性診断であって国土交通大臣の認定を受けたものを受診させなければならない。１年間ではない。

3．**正しい。**記述のとおり。なお、**初任運転者**とは、運転者として常時選任するために新たに雇い入れた者であるが、その事業者において**初めて事業用自動車に乗務する前3年間**に、他の一般貨物自動車運送事業者等によって運転者として常時選任されたことがある者は除かれる。

4．**正しい。**記述のとおり。また、65歳以上の者を新たに運転者として選任した場合でも、**選任の日から1年以内**に１回受診させ、その後**3年以内**ごとに１回受診させなければならない。

問8 ★★★ 貨物の積載等

⇨ テキスト 2章 L 4､9　解答 **2**

関連問題 R2②−8

1．**正しい。**記述のとおり。また、道路法第47条第３項の規定（道路管理者は道路の構造を保全し、または交通の危機を防止するため必要があると認めるときは、トンネル、橋、高架の道路その他これらに類する構造の道路について、車両でその重量または高さが構造計算その他の計算または試験によって安全であると認められる限度を超えるものの通行を禁止または制限できる）による禁止もしくは制限に違反し、または、この規定により通行が禁止され、もしくは制限されている道路の通行に関し、道路管理者が付した条件に違反して道路を通行することを防止するため、運転者等に対する適切な**指導**および**監督**も怠ってはならない。なお、令和５年４月の法改正により、特定自動運行が認められたことに伴い、一部の文言が変更になった。

2．**誤り。**車両総重量８トン以上または最大積載量５トン以上の事業用自動車に限られるわけではない。**すべての事業用自動車**に貨物を積載するときに、偏荷重（へんかじゅう）が生じないように積載し、落下防止のための措置を講じる必要がある。

3．**正しい。**運行記録計の装着は、**車両総重量が７トン以上または最大積載量が４トン以上**の普通自動車（被けん引自動車をけん引するけん引自動車を含む）、特別積合せ貨物運送にかかわる運行系統に配置するものに義務づけられており、その事業用自動車の瞬間速度、運行距離および運行時間を運行記録計により記録し、その記録を**１年間保存**しなければならない。なお、令和５年４月の法改正により、特定自動運行が認められたこと等に伴い、一部の文言が変更になった。

4．**正しい。**記述のとおり。これは過積載による運送の有無を判断するために記録するものであり、貨物の**重量**または貨物の**個数**、貨物の**荷台等への積付状況**などを、可能な限り詳しく記録させる。なお、令和５年４月の法改正により、特定自動運行が認められたこと等に伴い、一部の文言が変更になった。

2．道路運送車両法関係

問９ ★★★	自動車の登録等	⇨ テキスト ３章 L 2、3	解答 **3・4**

関連問題 R3C－9／R2C－9／R2②－9／R2①－9

1．**誤り。**登録自動車の所有者は、当該自動車の使用の本拠の位置に変更があった場合には、その事由があった日から「**15日以内**」に、国土交通大臣の行う**変更登録**の申請をしなければならない。

2．**誤り。**臨時運行許可証の有効期間が満了したときは、その日から「**５日以内**」に、臨時運行許可証と臨時運行許可番号標（仮ナンバー）を行政庁に**返納**しなければならない。

3．**正しい。**記述のとおり。また、当該自動車の車台がその自動車の新規登録の際に存したものでなくなったときも同様に、**永久抹消登録**の申請をしなければならない。

4．**正しい。**記述のとおり。**封印**とは、自動車登録番号標（ナンバープレート）を取り付けるボルトの上にかぶせられたアルミ製のキャップ状のもので、登録自動車が真正な自動車登録番号標を表示していることを確保するとともに、自動車登録番号標を所有者などが勝手に取り外したり、盗難されたりすることを防ぐ役割を果たしている。

問10 ★★	自動車の検査等	⇨ テキスト ３章 L 6	解答 **1**

関連問題 R3C－10／R2C－10／R2②－11／R2①－10・11

1．**誤り。**自動車が、指定自動車整備事業者の交付した有効な**保安基準適合標章**を表示している場合には、自動車検査証の備え付けや、検査標章の表示を行わなくても、運行の用に供することができる。

2．**正しい。**記述のとおり。**継続検査**とは、自動車検査証の有効期間の満了後も、引き続きその自動車を使用するときに受ける検査のことで、一般には「車検」と呼ばれている。なお、令和5年1月の法改正により、自動車検査証が電子化（IC化）されたため、一部の文言が電子化に沿った内容に変更になった。

3．**正しい。**記述のとおり。このような公示があった場合には、当該地域に使用の本拠の位置を有する自動車の自動車検査証の有効期間は、公示の定めるところにより**伸長したもの**とみなされる。

4．**正しい。**記述のとおり。ただし、初めて自動車検査証の交付を受ける場合であって、**車両総重量8トン未満**の貨物運送の用に供する自動車の場合は「**2年**」となる。

問11 ★★ 自動車の点検整備等

⇨ テキスト 3章 L 4　解答 A-2 B-1 C-2 D-1

関連問題 R3C－11／R2C－11／R1①－11

ア．自動車の**使用者**は、自動車の点検をし、および必要に応じて整備をすることにより、当該自動車を保安基準に適合するよう維持しなければならない。

イ．自動車運送事業の用に供する自動車の使用者または当該自動車を**運行**する者は、**1日1回**、その運行の開始前において、国土交通省令で定める技術上の基準により、自動車を点検しなければならない。

ウ．自動車運送事業の用に供する自動車の使用者は、**3ヵ月**ごとに国土交通省令で定める技術上の基準により、自動車を点検しなければならない。

したがって、Aには「使用者」、Bには「運行」、Cには「1日1回」、Dには「3ヵ月」が入り、正解は、A－2、B－1、C－2、D－1となる。

問12 ★★★ 保安基準および細目告示

⇨ テキスト 3章 L 8､9　解答 4

関連問題 R3C－12／R2②－12／R2①－12

1．**正しい。**記述のとおり。自動車に備える**停止表示器材**は、けい光および反射光により他の交通にその自動車が停止していることを表示することができるものとして、**形状、けい光**および**反射光の明るさ、色**などに関し告示で定める基準に適合するものでなければならない。

2．**正しい。**記述のとおり。自動車の**警音器**は、警報音を発生することにより他の交通に警告することができ、かつ、その警報音が他の交通を妨げないものとして、**音色、音量等に関し告示で定める基準**に適合するものでなければならない。

3．**正しい。**記述のとおり。自動車の空気入ゴムタイヤは、堅ろうで、安全な運行を確保できるものとして、強度、滑り止めに係る性能等に関し告示で定める基準に適合するものでなければならない。

4．**誤り。速度抑制装置**は、自動車が「**時速90キロメートル**」を超えて走行しないよう燃料の供給を調整し、かつ、自動車の速度の制御を円滑に行うことができるものとして、速度制御性能等に関し告示（細目告示）で定める基準に適合するものでなければならない。「時速

100キロメートル」ではない。

3．道路交通法関係

問13 ★★	合図等	⇨ テキスト 1章 L 4,9	解答 **2・4**

関連問題 R3C－14／R2C－13／R2②－13

1．**誤り。**後方の車両は、「**その速度または方向を急に変更しなければならないこととなる場合を除き**」、当該合図をした乗合自動車の進路の変更を妨げてはならないとされている。したがって、本肢の場合、「その速度を急に変更しなければならないこととなる場合にあっても」という点が誤りとなる。

2．**正しい。**記述のとおり。自動車運転者が**合図**する場合は、方向指示器（ウインカー）を操作したり、制動灯（ブレーキランプ）や後退灯（バックランプ）をつけたりする。

3．**誤り。**車両の運転者が同一方向に進行しながら進路を左方または右方に変えるときの合図を行う時期は、進路を左方または右方に変えようとするときの「**3秒前のとき**」である。進路を左方または右方に変えようとする地点から「30メートル手前の地点に達したとき」ではない。

4．**正しい。**記述のとおり。また、運転者は、左折・右折等が終わったときはその**合図**をやめなければならない。さらに**合図**に係る行為をしないのにもかかわらず、その合図をしてはならない。

問14 ★★	停車および駐車等	⇨ テキスト 1章 L 6	解答 **1・3**

関連問題 R2C－14／R2②－14／R1①－14

1．**正しい。**記述のとおり。また、車両は、横断歩道または自転車横断帯の前後の側端からそれぞれ前後に**5m以内**の道路の部分においても本肢に掲げる場合のほか、停車または駐車をしてはならない。

2．**誤り。**車両は、人の乗降、貨物の積卸（つみおろ）し、駐車または自動車の格納（かくのう）・修理のため道路外に設けられた施設等の道路に接する自動車用の出入口から**3m以内**の道路の部分においては、駐車してはならない。

3．**正しい。**記述のとおり。また、車両は、**消火栓、指定消防水利の標識**が設けられている位置または消防用防火水槽の吸水口・吸管投入孔から**5m以内**の道路の部分においても、駐車してはならない。

4．**誤り。**車両は、火災報知機から**1m以内**の道路の部分においては、駐車してはならない。5m以内ではない。

問15 ★★ 交通事故の場合の措置

⇨ テキスト 1章 L 9　解答 A-2 B-1 C-1 D-1

関連問題 R2C－15

道路交通法第72条第１項において、「交通事故があったときは、当該交通事故に係る車両等の運転者その他の乗務員は、直ちに車両等の運転を停止して、**負傷者を救護**し、道路における**危険を防止**する等必要な措置を講じなければならない。この場合において、当該車両等の運転者（運転者が死亡し、又は負傷したためやむを得ないときは、その他の乗務員）は、警察官が現場にいるときは当該警察官に、警察官が現場にいないときは直ちに最寄りの警察署（派出所又は駐在所を含む。）の警察官に当該交通事故が発生した日時及び場所、当該交通事故における**死傷者の数**及び負傷者の負傷の程度並びに損壊（そんかい）した物及びその損壊の程度、当該交通事故に係る車両等の積載物並びに**当該交通事故について講じた措置**を報告しなければならない。」と定められている。

したがって、Ａには「負傷者を救護」、Ｂには「危険を防止」、Ｃには「死傷者の数」、Ｄには「当該交通事故について講じた措置」が入り、正解は、Ａ－２、Ｂ－１、Ｃ－１、Ｄ－１となる。

問16 ★ 自動車の法定速度

⇨ テキスト 1章 L 2　解答 3

関連問題 R2C－13／R2②－15

1．**正しい。**記述のとおり。自動車が、道路標識等により最高速度が指定されていない一般道路を通行する場合の最高速度は、**時速60km**である。

2．**正しい。**記述のとおり。法令の規定によりその速度を減ずる場合および危険を防止するためやむを得ない場合を除き、自動車が道路標識等により自動車の最低速度が指定されていない区間の高速自動車国道の本線車道を通行する場合の最低速度は、**時速50km**である。

3．**誤り。**最大積載量が5,000kg未満かつ車両総重量が8,000kg未満で乗車定員が10人以下の貨物自動車が、道路標識等により最高速度が指定されていない高速自動車国道の本線車道を通行する場合の最高速度は、**時速100km**である。

4．**正しい。**記述のとおり。本肢のように「車両総重量2,000kg以下の車両を、その車両の車両総重量の**3倍以上**の車両総重量の自動車がロープでけん引する場合」の最高速度は、道路標識等により最高速度が指定されていない一般道路においては、**時速40km**とされている。

問17 ★★★ 乗車・積載および過積載等

⇨ テキスト 1章 L 2、7　解答 3

関連問題 R3C－13／R2②－16

1．**正しい。**記述のとおり。また、積載物の長さは、自動車の長さにその長さの**10分の2の長さ**を加えたものを超えてはならない。

2．**正しい。**記述のとおり。また、車両の運転者は、当該車両の乗車のために設備された場所以外の場所に乗車させ、または乗車もしくは積載のために設備された場所以外の場所に積載して車両を運転してはならない。

3．**誤り。**本肢の場合、警察署長は、その荷主に対して、違反行為をしてはならない旨を命じることができる。これを**再発防止命令**という。「自動車の運転者に対し、当該過積載による運転をしてはならない旨」ではなく、「**過積載運転の要求という違反行為を行った荷主**に対して、**違反行為をしてはならない旨**」を命じることができる。

4．**正しい。**準中型自動車の創設により、**中型自動車**の車両総重量は7,500kg以上11,000kg未満、最大積載量は4,500kg以上6,500kg未満のものとなり、**普通自動車**の車両総重量は3,500kg未満、最大積載量は2,000kg未満のものとなった。

4．労働基準法関係

問18 ★★	労働基準法全般	⇨ テキスト 4章 L 2、3、7	解答 **3**

関連問題 R3C－18／R2C－18／R2①－18／R1①－18

1．**正しい。**使用者は、労働者名簿、賃金台帳および雇入れ、解雇、災害補償、賃金その他労働関係に関する重要な書類を**5年間**（ただし、経過措置により当分の間は**3年間**）保存しなければならない。

2．**正しい。**記述のとおり。ただし、解雇（かいこ）制限期間中であっても、使用者が打切補償を支払う場合や天災事変などのやむを得ない事由のために事業の継続が不可能となった場合には、解雇することができる。

3．**誤り。**労働基準法第21条において、①日日雇い入れられる者、②**2ヵ月以内**の期間を定めて使用される者、③季節的業務に**4ヵ月以内**の期間を定めて使用される者、④試みの使用期間中の者のいずれかに該当する労働者については適用しないとされている。

4．**正しい。**記述のとおり。また、労働契約の期間等、一定の労働条件については、**書面を交付**して明示することが義務づけられている。

問19 ★★★	労働基準法全般	⇨ テキスト 4章 L 5	解答 **4**

関連問題 R3C－19／R2C－19／R2②－19／R1①－19

1．**正しい。**記述のとおり。労働時間とは、拘束時間（始業から終業までの時間）から**休憩時間を差し引いたもの**をいい、休憩時間とは、労働者が**労働から完全に解放**されている時間をいう。

2．**不成立。**労働基準法が改正され、平成31年4月より、時間外労働および休日の協定に関する条文が変更となったため、**不成立**となる。

3．**正しい。**記述のとおり。なお、使用者は、労働者の過半数で組織する労働組合（事業場に労働者の過半数で組織する労働組合がない場合は、労働者の過半数を代表する者）と書面によって協定を締結し、これを行政官庁（所轄（しょかつ）の労働基準監督署長）に届け出た場合に、その協定で定められた限度で、法定労働時間を超えて労働（**時間外労働**）させたり、法定休日に労働（**休日労働**）させたりすることができる。

4. **誤り。**使用者は、労働者に対して、毎週少なくとも「**1回**」の休日を与えなければならない。また、「4週間を通じ8日以上の休日を与える場合」という点も誤りとなる。

問20 ★★★ 労働時間等の改善基準 ⇨ テキスト 4章 L8 解答 A-1 B-2 C-2

関連問題 R2①－20

1. 改善基準告示第1条第1項では「この基準は、自動車運転者（労働基準法（以下「法」という。）第9条に規定する労働者であって、**四輪以上の自動車**の運転の業務（厚生労働省労働基準局長が定めるものを除く。）に主として従事する者をいう。以下同じ。）の労働時間等の改善のための基準を定めることにより、自動車運転者の労働時間等の**労働条件の向上**を図ることを目的とする。」と定められている。
2. また、同条第2項では「労働関係の当事者は、この基準を理由として自動車運転者の労働条件を低下させてはならないことはもとより、その**向上**に努めなければならない。」と定められている。
3. 改善基準告示が改正され、令和6年4月より、記述3の内容に関する規定が削除されたため、**不成立**となる。

したがって、Aには「四輪以上の自動車」、Bには「労働条件の向上」、Cには「向上」が入り、正解は、A－1、B－2、C－2となる。

問21 ★★★ 労働時間等の改善基準 ⇨ テキスト 4章 L8 解答 2・3

関連問題 R3C－21／R2C－21／R2②－21／R2①－21／R1①－20

1. **誤り。**改善基準告示では、トラック運転者の1日の拘束時間については、原則として**13時間以内**とし、これを延長する場合であっても、**最大拘束時間**は**15時間**とされている。また、延長する場合には、1日の拘束時間が**14時間を超える回数**をできるだけ少なくするよう努める必要がある。13時間を超える回数ではない。なお、1日の拘束時間が**14時間を超える回数**は、**1週間に2回**以内が目安とされている。また、令和6年4月の法改正により、一部の文言が変更になった。
2. **正しい。**記述のとおり。1日の休息期間は、勤務終了後、**継続11時間以上**与えるよう努めることを基本とし、**継続9時間**を下回ってはならないのが原則である。
3. **正しい。**記述のとおり。なお、労働者に**時間外労働・休日労働**をさせた場合には、通常の労働時間または労働日の賃金の計算額の**2割5分以上5割以下**の範囲内でそれぞれ政令で定める率以上の率で計算した割増賃金を支払わなければならない。なお、令和6年4月の法改正により、一部の文言が変更になった。
4. **誤り。**改善基準告示において、連続運転時間とは、1回がおおむね連続「**10分以上**」で、かつ、**合計30分以上**の運転中断をすることなく連続して運転する時間のことであり、原則として、4時間を超えてはならないとされている。「5分以上」ではない。なお、令和6年

４月の法改正により、一部の文言が変更になった。

問22 ★★★	労働時間等の改善基準	⇨ テキスト 4章 L８	解答 **2・3**

関連問題 R1①－23

改善基準告示では、**連続運転時間**は、**原則**として**４時間以内**でなければならず、**運転開始後４時間以内**、または**４時間経過直後**に、**30分以上、運転を中断**しなければならないとしている。ただし、運転の中断は、１回が**おおむね連続10分以上**とした上で分割することもできる。また、運転の中断時には、原則として**休憩**を与えなければならない。

1．**適合していない。** ５回目の運転時間以降を見ると、「運転２時間⇒休憩15分⇒運転１時間30分⇒休憩10分⇒運転１時間⇒乗務終了」という運行状況で、運転時間の合計が４時間30分に対し、４時間以内に「25分」しか運転を中断していないため、改善基準告示に適合していない。

2．**適合している。**

3．**適合している。**

4．**適合していない。** 乗務開始から見ると、「運転１時間⇒休憩10分⇒運転１時間30分⇒休憩15分⇒運転30分⇒休憩５分⇒運転１時間30分」という運行状況となっている。運転中断の時間を分割する場合、少なくとも１回がおおむね連続10分以上である必要があるので、**５分の休憩**は運転中断の時間として扱われないため、３回目の運転後の休憩５分は中断時間とはならない。したがって、運転開始後４時間以内の中断時間は合計で「25分」しかないため、改善基準告示に適合していない。

問23 ★★★	労働時間等の改善基準	⇨ テキスト 4章 L８	解答 **不成立**

関連問題 R3C－22／R2C－22／R2②－22／R2①－22・23／R1①－22

1．**不成立。** 改善基準告示が改正され、令和６年４月より、最大拘束時間に関する規定が変更されたため、**不成立**となる。

2．**不成立。** 改善基準告示が改正され、令和６年４月より、拘束時間に関する規定が変更されたため、**不成立**となる。

3．**不成立。** 改善基準告示が改正され、令和６年４月より、休息期間に関する規定が変更されたため、**不成立**となる。

4．**正しい。** 「１日」とは**始業時刻**から起算して**24時間**のことをいうので、翌日の始業時刻がその日の**始業時刻よりも早い**ときは、その差の時間もその日の**拘束時間に加えられる**ことになる。月曜日から金曜日までの拘束時間を見ると、月曜日は10時間（火曜日の始業７～９時の２時間含む）、火曜日は16時間（水曜日の始業５～７時の２時間含む）、水曜日は９時間、木曜日は16時間（金曜日の始業６～７時の１時間含む）、金曜日は16時間である。したがって、１週間の勤務の中で１日の拘束時間が最も短いのは、水曜日である。

5．実務上の知識及び能力

問24 ★★	運行管理の意義、運行管理の役割等 ⇨ テキスト 2章 L 6、14、16 3章 L 5	解答 適-1・3 不適-2・4

1．**適切である。**同業他社の事故防止の取組事例などを参考にしながら、現状の事故防止対策を分析・評価することなどは、運行管理業務の改善につながるので適切な取組みといえる。

2．**適切でない。**事業用自動車の点検および整備に関する車両管理や、日常点検の結果に基づく運行可否の決定は、自動車の使用者より与えられた権限に基づき、**整備管理者**が行うこととされているが、運行管理者は、点呼の際に日常点検の実施について運転者に確認をする必要がある。

3．**適切である。**運転者の指導教育を実施していく際、一般的に行うのではなく、本肢のようにそれぞれの運転者の**個性を把握**したうえで、それに応じた**助言・指導**を行うことは運行管理者の重要な役割であり、事故防止に有効といえる。

4．**適切でない。**事業用自動車の定期点検を怠ったことが原因であれば、事業者が義務違反として行政処分を受ける場合があるが、運行管理者が運行管理者資格者証の返納を命じられることはない。

問25 ★★	運転者に対する指導および監督 ⇨ テキスト 1章 L 9 5章 L 3、9	解答 1・2・3

関連問題 R2②－25

1．**適切である。**記述のとおり。「前の自動車と追越しをする自動車の速度差が小さい場合」とは、例えば、前車が時速50km、後車が時速60kmのような場合を想定すると、速度差がわずか時速10kmなので、後車が前車を追い越すには長い時間と距離が必要になることを意味する。

2．**適切である。**記述のとおり。また、雪道への対応として、道路が滑りやすくなっていることから、自動車を運転中には安全な車間距離を保つことなども十分に指導する必要がある。

3．**適切である。**記述のとおり。近年、運転中にスマートフォン等の画面を見たり操作したりすることが原因となった事故が大幅に増加しており、本肢のような指導・監督をすることは適切である。

4．**適切でない。**平成28年中の事業用貨物自動車が第一当事者となった人身事故の類型別発生状況では、最も多いのは「**追突**」であり、続いて「**出会い頭衝突**」の順である。

問26 ★★	運転者の健康管理等 ⇨ テキスト 5章 L 5	解答 適-2 不適-1・3・4

関連問題 R3C－26／R2C－26／R2①－26

1．**適切でない。**事業者は、業務に従事する運転者に対し法令で定める健康診断を実施させ、その結果に基づいて健康診断個人票を作成して**5年間保存**しなければならない。運転者が自分で受けた健康診断結果の記録（健康診断個人票）も同様に保存することは適切である。

2．適切である。労働者には、法令により定められた**健康診断**を実施させなければならない。しかし、労働者の安全と衛生についての基準を定めた労働安全衛生法によると、**事業者の指定した医師が行う健康診断を受けることを希望しない場合には、他の医師の行う「当該健康診断に相当する健康診断」を受け、その結果を証明する書面を事業者に提出すればよい**とされている。よって、運転者が自分で受診した人間ドックなどの健康診断で、法令で必要な項目をすべて充足している場合は、定期健康診断を受診したのと同様の効果が認められるので、これを法定健診として代用することに問題はない。

3．適切でない。業務前の点呼において、「疾病、疲労、睡眠不足その他の理由により安全な運転をすることができないおそれの有無」は、**必須の確認事項**であり、運転者の目が赤く眠そうな顔つきで、寝不足気味であると言っている場合は、安全な運転をすることができないおそれがあると判断される。たとえ本人が、「何とか乗務は可能である」と言ったとしても、乗務させるべきではない。また、眠気（ねむけ）等により運転を中断する際の判断についても、**運転者の体調を考慮した上で運行管理者が判断すべき**であり、運転者自らが判断するよう指示することは適切ではない。なお、令和５年４月の法改正により、「乗務」が「業務」のように一部の文言が変更になった。

4．適切でない。加齢に伴う視覚機能の低下が原因と思われる軽微な接触事故が多く見られることから、運行管理者が健康状態を確認したとしても夜間運転業務に従事させるべきではない。

問27 ★★ 走行時に生じる諸現象とその主な対策

⇨ テキスト 5章 L 1、3

解答 A-1 B-2 C-1 D-2

関連問題 R3C－28／R2C－27

ア．路面が水で覆われているときに高速で走行すると、タイヤの排水作用が悪くなり、水上を滑走（かっそう）する状態になり操縦不能になることがある。これを**ハイドロプレーニング現象**という。これを防ぐには、スピードを抑えた走行に努めるべきことや、タイヤの空気圧および溝の深さが適当であることを日常点検で確認することが必要である。したがって、Aは1である。

イ．夜間の走行中、自分の自動車のライトと対向車のライトで、お互いの光が反射し合い、その間にいる歩行者や自転車が見えなくなることがある。これを**蒸発現象**という。この状況は、暗い道路で特に起こりやすいので、夜間の走行の際には十分な注意が必要である。したがって、Bは2である。

ウ．ブレーキ・ドラムやブレーキ・ライニングなどが摩擦のため過熱し、その熱がブレーキ液に伝わり、液内に気泡が発生することでブレーキの効きが低下することを**ベーパー・ロック現象**という。これを防ぐには、なるべくエンジン・ブレーキ等を使用し、フット・ブレーキのみを使用しないようにする必要がある。したがって、Cは1である。

エ．運転者が危険を認識してブレーキを踏み、実際にブレーキが効き始めるまでの間に自動車が走る距離を**空走距離**という。特に他の自動車に追従して走行するときは、前車との追突等の危険が発生した場合でも安全に停止できるような速度または車間距離を保って運転する必要がある。したがって、Dは2である。

問28 ★ デジタル式運行記録計

⇨ テキスト 2章 L9 5章 L6　解答 適-1 不適-2・3・4

関連問題 R2C－28

1．**適切である。運行記録計**とは、自動車の速度や運行距離、運行時間などを自動的に記録する計器のことである。運行記録計は、24時間以上の継続した時間内におけるその自動車の瞬間速度および2時刻間の走行距離を自動的に記録でき、かつ、平たんな舗装路面での走行時では、著しい誤差がないものとして、記録性能や精度等に関して**告示で定める基準に適合**するものを装着しなければならない。

2．**適切でない。**運行記録計の装着義務のある事業用自動車の運行記録計の記録は、**1年間保存**することとされている。なお、運行記録計の記録によって、実態を分析して安全運転等の指導を図る資料として活用することは適切といえる。

3．**適切でない。**本肢の記述は、デジタル式運行記録計ではなく、**映像記録型ドライブレコーダー**の説明である。デジタル式運行記録計は、自動車の速度や運行距離、運行時間などを自動的にメモリーカードなどに記録する装置であり、映像を記録する機能はない。

4．**適切でない。**衝突被害軽減ブレーキは、レーダー等で検知した前方の車両等に衝突する危険性が生じた場合に運転者にブレーキ操作を行うよう促し、さらに衝突する可能性が高くなると自動的にブレーキが作動し、衝突による被害を軽減させるためのものである。「衝突を確実に回避できる」ものではない。

問29 ★★★ 運行計画

⇨ テキスト 4章 L8　解答 3

関連問題 R3C－29／R2C－29／R2②－30／R1①－29

1．**不成立。**改善基準告示が改正され、令和6年4月より、最大拘束時間および休息期間に関する規定が変更されたため、**不成立**となる。

2．**誤り。**改善基準告示では、運転者の1日の運転時間について、2日（始業時刻から起算して48時間）を平均して**9時間以内**とされている。これは、「**特定日の前日＋特定日**」と「**特定日＋特定日の翌日**」のそれぞれの運転時間の平均がいずれも9時間を超えている場合、改善基準告示に違反していることになる。これをふまえて、それぞれの日の運転時間を計算すると、1日目は10時間、2日目は9時間、3日目は9時間、4日目は10時間なので、各日の運転時間が改善基準告示に違反するか否かは以下のようになる。

　1日目を特定日とすると、「1日目の前日（休日）と1日目の運転時間の平均」が（0時間＋10時間）÷2＝5時間、「1日目と2日目の運転時間の平均」が（10時間＋9時間）÷2＝9.5時間であり、「特定日の前日と特定日の運転時間の平均」については、9時間を超えていないので、改善基準告示に違反していない。

　2日目を特定日とすると、「1日目と2日目の運転時間の平均」が（10時間＋9時間）÷

2＝9.5時間、「2日目と3日目の運転時間の平均」が（9時間＋9時間）÷2＝9時間であり、「特定日と特定日の翌日の運転時間の平均」については、9時間を超えていないので、改善基準告示に違反していない。

3日目を特定日とすると、「2日目と3日目の運転時間の平均」が（9時間＋9時間）÷2＝9時間、「3日目と4日目の運転時間の平均」が（9時間＋10時間）÷2＝9.5時間であり、「特定日の前日と特定日の運転時間の平均」については、9時間を超えていないので、改善基準告示に違反していない。

4日目を特定日とすると、「3日目と4日目の運転時間の平均」が（9時間＋10時間）÷2＝9.5時間、「4日目と4日目の翌日（休日）の運転時間の平均」が（10時間＋0時間）÷2＝5時間であり、「特定日と特定日の翌日の運転時間の平均」については、9時間を超えていないので、改善基準告示に違反していない。

3．正しい。改善基準告示では、**連続運転時間**は、**原則**として**4時間以内**でなければならず、**運転開始後4時間以内**、または**4時間経過直後**に、**30分以上、運転を中断**しなければならないとしている。ただし、運転の中断は、1回が**おおむね連続10分以上**とした上で分割することもできる。また、運転の中断時には、原則として**休憩**を与えなければならない（ただし、特段の事情がある場合は、荷積み・荷下ろしの時間も運転中断時間として扱われる）。

これをふまえて2日目から4日目までの運行状況を見ると、すべての運転が連続4時間以内であり、なおかつ、（本問では、荷積み・荷下ろしの時間も運転中断時間として扱うことを前提とするので）運転後には30分以上の運転中断をしているため、改善基準告示に違反していない。

しかし、1日目を見ると、3回目の2時間の運転後の休憩は15分であり、その後に3時間の運転を行っているので、合計5時間の運転の間に15分の中断時間しかないことになる。したがって、1日目の運行計画における連続運転時間は、改善基準告示に違反している。

なお、令和5年4月の法改正により、「乗務」が「業務」のように、また、令和6年4月の法改正により、一部の文言が変更になった。

問30 ★★★	交通事故の再発防止対策	⇨ テキスト 2章 L5　3章 L8、9　5章 L5	解答 **6**

関連問題 R2①－30

ア　直接的に有効ではない。事故の要因は、十分な安全確認を行わなかったこと、装飾板による視界の悪化などであるため、対面による点呼を徹底しても、同種事故の再発防止のために直接的に有効な対策とはいえない。

イ　直接的に有効である。装飾板を取り付けたことによる視界の悪化が当該事故の要因と考えられるため、運転者の視界を妨げるものは確実に取り外させ、装飾板等の取付けが運転者の死角要因になることを運転者に指導することは、同種事故の再発防止のために直接的に有効な対策といえる。

ウ　直接的に有効ではない。過労が運転に及ぼす危険性を認識させることは重要であるが、事故の直接的な原因が疲労によるものであるとは読み取れないので、本問のような事故の再発を防止するためには、直接的に有効な対策とはいえない。

エ　直接的に有効である。事故を起こした運転者は、当該事故だけでなく、不注意による人身事故を複数回起こしていることからも、安全運転のための特別な指導を行うことや適性診断結果を活用することは必要であり、同種事故の再発防止のために直接的に有効な対策といえる。

オ　直接的に有効である。装飾板による視界悪化に限らず、運転者席から直接見ることができない箇所についての適切な視野の確保や発車時の十分な安全確認を徹底することは、同種事故の再発防止のために直接的に有効な対策といえる。

カ　直接的に有効ではない。疲労などの過労運転が直接的な原因であるとは読み取れないため、自動車運転者の労働時間等の改善のための基準に違反しない乗務計画の作成は、同種事故の再発防止のために直接的に有効な対策とはいえない。

キ　直接的に有効である。当該事故は、横断歩道上に停止したことも要因と考えられるため、横断歩道や交差点などの部分で停止しないようにすることや、横断歩道に接近したり通過したりする際に必ず安全確認をすることは、同種事故の再発防止のために直接的に有効な対策といえる。

ク　直接的に有効ではない。運転者の健康管理は重要であるが、当該事故は、疾病が原因となったものではない。したがって、本肢のような健康管理の指導は、同種事故の再発防止のために直接的に有効な対策とはいえない。

以上より、同種事故の再発防止のために直接的に有効と考えられる対策の組合せは、イ・エ・オ・キであり、正解は6となる。

U-CAN
生涯学習の
ユーキャン